PRI
THC
OF

NCE

RNS

Diretor Editorial
Christiano Menezes

Diretor Comercial
Chico de Assis

Editor Assistente
Bruno Dorigatti

Design e Capa
Retina 78

Design Assistente
Guilherme Costa
Juliane Pimenta

Revisão
Marlon Magno
Retina Conteúdo

Impressão e acabamento
RR Donnelley

DADOS INTERNACIONAIS DE CATALOGAÇÃO NA PUBLICAÇÃO (CIP)
Angélica Ilacqua CRB-8/7057

Lawrence, Mark
Prince of Thorns: trilogia dos espinhos, volume 1 /
Mark Lawrence; tradução de Antônio Tibau. - -
Rio de Janeiro : DarkSide Books, 2013.
360 p. : 16 x 23cm

ISBN: 978-85-66636-11-6
Tradução de: *Prince of Thorns*

1. Fantasia 2. Literatura inglesa 3. Ficção I. Título
II. Tibau, Antônio

13-0418 CDD 813.6

Índices para catálogo sistemático:
1. Literatura inglesa - fantasia.

DarkSide® *Entretenimento LTDA.*
Rua do Russel, 450/501 - 22210-010
Glória - Rio de Janeiro - RJ - Brasil
www.darksidebooks.com

VOLUME I

MARK LAWRENCE

TRILOGIA DOS ESPINHOS

PRINCE OF THORNS

TRADUÇÃO
ANTÔNIO TIBAU

DARKSIDE

Para Celyn, cujas melhores qualidades se mantêm intactas.

Arrow
Belpan
Pântanos
de Ken
Men
Normarndy
Limoges
Orlanth

Conaught
Good
R. Rhyme
Castelo Vermelho
Reams
Lux
Cidade de Crath
Ancrath
R. Sane
Gelleth
Terras Altas de Renar
Assombrado
Lion
R. Lure
160 km

PRINCE OF THORNS

I

Corvos! Sempre os corvos. Eles se acomodaram nas empenas da igreja antes mesmo que os feridos se transformassem em mortos. Antes mesmo que Rike terminasse de arrancar dedos das mãos e anéis dos dedos. Eu me recostei na trave da forca e acenei para as aves, uma dúzia delas, alinhadas numa fila negra, sagaz e vigilante.

A praça do vilarejo tornara-se vermelha. Sangue nas sarjetas, sangue nas lajes, sangue no chafariz. Os cadáveres nas posições típicas dos cadáveres. Alguns, cômicos, apontando para os céus com dedos amputados. Outros, em paz, retorcidos sobre suas chagas. Moscas se amontoavam sobre os feridos enquanto estes se debatiam. De um lado e de outro, alguns cegos, alguns astutos, todos traídos pelos zumbidos daquela comitiva.

"Água! Água!" É sempre água o que os moribundos querem. Estranho. O que me dá sede é matar.

E assim foi em Mabberton. Duzentos fazendeiros mortos, jogados ao chão com suas foices e machados. Vocês sabem, eu avisei que era isso o que fazíamos para viver. Eu disse a seu líder, Bovid Tor. Eu lhes dei uma chance, sempre dou. Mas não. Eles queriam sangue e carnificina. E conseguiram.

Guerra, meus amigos, é uma coisa bela. Ainda que não me importasse em ir até o velho Bovid encostado à fonte d'água, com as vísceras sobre o próprio colo, ele provavelmente teria uma opinião contrária. Mas vejam só o que ele conseguiu discordando de mim.

"Lavradores de merda." Rike descartou um punhado de dedos sobre a barriga aberta de Bovid. Ele se aproximou, segurando seu achado como se a culpa fosse minha. "Veja só! Um anel de ouro. Um! Uma vila inteira e uma porra de um anel de ouro. Queria pôr esses filhos da puta em pé só para derrubá-los de novo. Lavradores de merda."

Ele bem seria capaz: um bastardo, cruel e ganancioso como aquele. Olhei fixo em sua direção. "Calma, irmão Rike. Há mais de um tipo de ouro em Mabberton."

Meu olhar era um aviso. Aqueles insultos haviam roubado toda a magia do entorno; além do mais, eu precisava ser severo com ele. Rike sempre chegava ao limite após uma batalha, querendo mais. Meu olhar lhe dizia que sim, eu tinha mais. Muito mais do que ele seria capaz de lidar. Rike resmungou, guardou seu maldito anel e, numa estocada, pôs sua faca de volta no cinturão.

Então Makin se aproximou e passou um braço em volta de cada um de nós, fazendo ressonar o metal das suas luvas nas ombreiras de nossas armaduras. Se Makin possuía algum talento era o de conseguir apaziguar os ânimos.

"O irmão Jorg está certo, Pequeno Rikey. Há tesouros em abundância esperando por nós." Ele estava acostumado a chamar Rike de 'Pequeno Rikey' por ser uma cabeça mais alto que qualquer um de nós e duas vezes mais largo. Makin sempre contava piadas. Contaria piadas para aqueles que matava, se houvesse tempo. Gostava de vê-los partir com um sorriso no rosto.

"Que tesouros?" Rike quis saber, ainda rabugento.

"Onde há fazendeiros, o que mais você encontra, Pequeno Rikey?" Makin arqueou as sobrancelhas de modo insinuante.

Rike levantou a viseira do elmo, obrigando-nos a olhar para sua cara feia. Talvez mais brutal do que feia. Acho que as cicatrizes lhe caíam bem. "Vacas?"

Makin franziu os lábios. Jamais gostei dos seus lábios, muito grossos e carnudos. Mas eu o perdoava, graças às suas piadas e sua habilidade mortal com a clava. "Bem, você pode ter suas vacas, Pequeno Rikey. Quanto a mim, prefiro achar uma filha de fazendeiro, ou três, antes que os demais se aproveitem de todas."

Eles se afastaram, Rike rindo daquele seu jeito, "*hur, hur, hur*", como se tentasse tossir uma espinha de peixe entalada na garganta.

Eu os vi forçando a porta de Bovid, uma casa refinada em frente à igreja, com telhado em ripas de madeira e um pequeno jardim florido. Bovid os acompanhou com os olhos, mas não conseguia virar a cabeça.

Eu olhei os corvos, e olhei Gemt e seu tolo irmão, Maical, recolhendo cabeças. Maical com o carrinho e Gemt com o machado. Uma coisa bela, eu lhes digo. Pelo menos para se admirar. Concordo que a guerra cheira mal. Mas nós atearíamos fogo no local em breve e o fedor se transformaria em madeira queimada. Anéis de ouro? Eu não precisava de pagamentos extras.

"Rapaz!" Bovid me chamou. Sua voz estava oca e enfraquecida.

Fui me prostrar a sua frente, inclinado sobre minha espada, sentindo um cansaço repentino em meus braços e pernas. "Diga logo o que você quer, fazendeiro. O irmão Gemt já vem com seu machado. Rápido!"

Ele não me pareceu muito preocupado. É difícil abalar um homem que está prestes a se tornar um banquete de vermes. De qualquer maneira, fiquei irritado com o jeito suave com que ele me segurou, me chamando de "rapaz". "Você tem filhas, fazendeiro? Escondidas no porão, quem sabe? O velho Rike vai farejá-las, com certeza."

Bovid me encarou, dolorosa e intensamente. "Quan... quantos anos você tem, rapaz?"

"Rapaz" de novo. "Tenho idade suficiente para abrir você como se fosse um saco de banha", eu disse, cada vez mais furioso. Não gosto disso. Estar furioso me deixa ainda mais furioso. Mas creio que ele nem percebeu. Ele nem deve saber que fui eu quem abriu suas entranhas, menos de meia hora atrás.

"Quinze primaveras, não mais. Não poderiam ser mais..." Suas palavras saíram devagar, de lábios azuis num rosto pálido.

Errou por um par de anos, eu lhe diria, mas ele já não escutava mais. O carrinho rangeu atrás de mim e Gemt chegou com seu machado, pingando.

"Leve esta cabeça", eu lhe disse. "Deixe esta barriga gorda para os corvos."

Quinze anos! Se tivesse quinze anos não estaria devastando vilarejos. Quando chegasse aos quinze, já seria rei!

Algumas pessoas nasceram para nos incomodar.
O irmão Gemt nasceu para incomodar o mundo.

TRILOGIA DOS ESPINHOS

PRINCE OF THORNS

2

Mabberton ardeu com vontade. Todos os vilarejos arderam naquele verão. Segundo Makin, foi um verão escroto, mesquinho demais para mandar uma chuva sequer. E Makin não estava errado. Levantávamos poeira aonde quer que chegássemos. Quando saíamos, deixávamos fumaça.

"Quem quer ser um fazendeiro?" Makin gostava de fazer perguntas.

"Quem quer ser uma filha de fazendeiro?", acenei para Rike, que cambaleava em sua sela, quase cansado demais para cair. Ele mantinha um sorriso estúpido no rosto e uma peça de seda sobre sua armadura. Onde ele achou aquele nobre tecido em Mabberton, eu jamais saberei.

"Irmão Rike gosta dos prazeres simples", disse Makin.

Claro que gostava. Rike sentia verdadeira fome por eles. Uma fome que era tal e qual fogo.

As chamas engoliram Mabberton. Eu mesmo pus a tocha no telhado de sapê da estalagem e o fogo nos perseguiu até a saída do vilarejo. Apenas mais um dia maldito daqueles longos e violentos anos da queda de nosso Império.

Makin limpou o suor, manchando-se com fuligem. Ele tinha um talento para se sujar – ah, se tinha. "Você não se manteve acima desses simples prazeres, irmão Jorg."

Não poderia discordar. "Quantos anos você tem?", aquele fazendeiro gordo quis saber. Velho o bastante para visitar suas filhas. A gordinha não calava a boca, assim como o seu pai. Guinchava como uma coruja de celeiro, ferindo meus ouvidos. Preferi a mais velha. Ela era quieta. Tão quieta que você precisava lhe dar uns trancos, só para ter certeza de que ela não morrera de medo. Embora eu imagine que nenhuma das duas tenha permanecido calada quando o fogo as alcançou...

Do alto de sua montaria, Gemt arruinou meus pensamentos.

"Os homens do barão vão ver a fumaça a quinze quilômetros daqui. Você num devia ter queimado a vila." Ele balançou a cabeça, sacudindo sua estúpida juba ruiva, de um lado para o outro.

"Num devia", repetiu seu irmão idiota, de cima do velho tordilho. Nós o deixávamos montar o tordilho, atrelado a uma carreta. O velho tordilho jamais saía da estrada. Aquele cavalo era mais esperto que Maical.

Gemt fazia questão de opinar sobre tudo. "Você num devia jogar os corpos no poço, vamos ficar com sede." "Num devia matar o padre. Vamos ter azar a partir de agora." "Se a gente pegasse leve com ela, podia pedir resgate ao Barão Kennick." Eu só queria atravessar sua garganta com minha faca. Naquele instante mesmo. Bastaria me inclinar e enfiá-la no seu pescoço. "O quê? O que você disse, irmão Gemt? Blá-blá-blá? Num devia ter apunhalado seu pomo de Adão gordo e velho?"

"Oh, não!", gritei, como se estivesse chocado. "Rápido, Pequeno Rikey, vá mijar sobre Mabberton. Você precisa apagar aquele incêndio."

"Os homens do barão vão ver", insistiu Gemt, vermelho de raiva. Seu rosto ficava como uma beterraba se você o confrontasse. Aquela cara vermelha só aumentava meu desejo de matá-lo. O que não fiz.

Como líder, você tem certas responsabilidades. Como a responsabilidade de não matar muitos dos seus homens. Caso contrário, em quem você vai mandar?

O bando se aglomerou à nossa volta, como sempre acontecia numa situação dessas. Puxei as rédeas de Gerrod, que refugou, soltando um relincho. Observei Gemt e esperei. Esperei até que todos os meus trinta e oito irmãos estivessem à nossa volta e Gemt ficasse tão vermelho como se as suas orelhas estivessem a ponto de sangrar.

"Aonde estamos indo, meus irmãos?", perguntei, levantando-me sobre os estribos para que pudesse encarar todos aqueles rostos medonhos. Abaixei o tom da voz e todos fizeram silêncio para me ouvir.

"Aonde?", perguntei novamente. "Certamente não sou o único a saber. Ou por acaso tenho o hábito de guardar segredos de vocês, meus irmãos?"

Rike parecia um tanto confuso, enrugando a testa. Burlow, o Gordo, se aproximou de mim pela direita. À minha esquerda, os dentes brancos do nubano contrastavam com seu rosto, enegrecido pela ferrugem. Silêncio.

"O irmão Gemt pode nos dizer. Ele sabe o que há e o que deve ser feito." Sorri, embora minha mão ainda desejasse apunhalar sua garganta. "Aonde nós vamos, irmão Gemt?"

"Wennith, na Costa Equina", disse, relutante em concordar com o que fosse.

"Muito bem. E como chegaremos lá? Quase quarenta de nós, em nossos 'magníficos' cavalos roubados?"

Gemt fechou a cara. Ele conseguia ver aonde eu queria chegar.

"Como vamos chegar lá se queremos um pedaço da torta enquanto ela ainda está quentinha?", perguntei.

"Pela Estrada dos Cadáveres!", disse Rike, animado por saber a resposta.

"A Estrada dos Cadáveres", repeti, ainda calmo e sorridente. "De que outra forma chegaríamos lá?" Olhei para o nubano, fitando seus olhos escuros. Não conseguia ler seus pensamentos, mas o deixei ler os meus.

"Não tem outro jeito."

Rike estava com sorte, eu pensei. Mesmo sem saber qual é o jogo, ele gosta do jeito como está jogando.

"Por acaso os homens do barão sabem aonde nós vamos?", perguntei a Burlow, o Gordo.

"Cães de guerra seguem a linha de frente", disse. Burlow, o Gordo, não é um estúpido. Sua papada treme quando ele fala, mas não é um estúpido.

"Então..." – eu olhei um por um, bem devagar – "quer dizer que o barão sabe aonde estes bandidos aqui estão indo? E sabe por onde vamos passar?" Esperei a frase surtir efeito. "E eu acabei de começar a porra de um incêndio só para deixar claro que péssima ideia seria tentar nos seguir."

Por fim, enterrei minha faca em Gemt. Eu não precisava, mas eu quis. Ele se contorceu um bocado, golfando sangue e mais sangue, e caiu do cavalo. Seu rosto vermelho rapidamente ficou pálido.

"Maical", eu disse. "Pegue a cabeça dele."

E ele obedeceu.

Gemt escolheu um momento errado, só isso.

O que quer que tenha estragado o irmão Maical, não afetou seu exterior. Ele parecia tão intacto, tão rude e tão azedo como o resto dos demais. Até que você lhe fizesse uma pergunta.

3

"Dois mortos. Dois pendurados." Makin abriu aquele sorriso que lhe é tão peculiar.

Teríamos acampado próximo ao patíbulo de qualquer forma, mas Makin já se adiantara para inspecionar o terreno. Imaginei que aquela novidade – duas das quatro jaulas continham prisioneiros vivos – haveria de animar os irmãos.

"Dois", rosnou Rike. Ele estava cansado. E o Pequeno Rikey, cansado, sempre enxergava a forca meio vazia.

"Dois!", o nubano gritou lá do fundo.

Eu podia ver alguns dos homens apostando seus vinténs. A Estrada dos Cadáveres é tão entediante quanto um sermão dominical. Uma estrada reta e lisa. Tão reta que você mataria por uma curva que fosse. Tão lisa que uma ladeira seria motivo de festa. E, dos dois lados, pântano, mosquitos, mosquitos e mais pântano. Na Estrada dos Cadáveres, encontrar dois prisioneiros pendurados era o melhor que podia acontecer.

Estranho. Nem mesmo me perguntei o que aquelas jaulas suspensas estariam fazendo no meio do nada. Encarei-as como uma recompensa. Alguém havia relegado seus prisioneiros à morte, balançando em gaiolas ao lado da estrada. Um local bem estranho. Mas, de qualquer forma, aqueles prisioneiros serviriam de lazer para o meu pequeno bando. Os irmãos estavam ansiosos, então fiz Gerrod trotar. Um bom cavalo, Gerrod. Ele deixou o cansaço de lado, batendo os cascos pela Estrada dos Cadáveres. Não há lugar melhor para um galope.

"Prisioneiros!", gritou Rike, dando início à cavalgada.

Mantive Gerrod na dianteira. Ele jamais deixaria outro cavalo ultrapassá-lo. Não na Estrada dos Cadáveres, com todos os quilômetros pavimentados, com todos os paralelepípedos tão bem encaixados que nem um filete de grama conseguiria brotar entre eles. Não havia uma pedra revirada ou desgastada. Uma estrada assim construída sobre um pântano. Vá entender.

Eu cheguei primeiro, é claro. Ninguém seria capaz de encostar em Gerrod. Certamente não comigo no controle das rédeas, e com todos os homens pesando muito mais do que eu. Das jaulas, olhei para trás e vi todos enfileirados pela estrada. Gritei, eufórico, alto o suficiente para acordar as cabeças decepadas. A de Gemt estava lá, rolando no fundo do baú.

Makin foi o primeiro a me alcançar, apesar de já ter cavalgado a mesma distância duas vezes.

"Que venham os homens do barão", eu lhe disse. "A Estrada dos Cadáveres é tão boa quanto qualquer ponte. Dez homens conseguiriam bloquear um exército aqui. Aqueles que quiserem atacar pelos flancos afundarão no pântano."

Makin concordou com um aceno, ainda buscando fôlego.

"Os que construíram esta estrada... se eles me construíssem um castelo..." Um trovão vindo do leste cortou minhas palavras.

"Se os homens da estrada construíssem castelos nós nunca chegaríamos a lugar algum", disse Makin. "Fique feliz que eles se foram."

Assistimos aos irmãos se aproximarem. O pôr do sol deixou as poças do pântano alaranjadas como o fogo, e me lembrei de Mabberton.

"Um dia e tanto, irmão Makin", eu disse.

"Certamente, irmão Jorg", retrucou.

Os irmãos então chegaram e começaram a discutir a respeito dos prisioneiros. Fui ler, recostado no baú das pilhagens, enquanto havia luz e a chuva não começara a cair. Um bom dia para ler Plutarco. Eu o teria apenas para mim, encadernado em capa de couro. Algum monge esforçado empenhou sua vida neste livro. Uma vida inteira debruçado sobre ele, segurando uma pena. Eis o ouro, como uma auréola, o sol e os arabescos. Eis um azul venenoso, mais celeste que o céu do meio-dia. Também pequenos pontos escarlates criando uma cama de flores. Provavelmente ficou cego sobre o livro, o tal monge. Provavelmente derramou sua vida aqui, desde bem jovem até já grisalho, enfeitando as palavras do velho Plutarco.

O trovão rugiu, os prisioneiros uivaram e eu me sentei, lendo palavras que já eram mais velhas que a velhice muito antes de os homens da estrada construírem este caminho.

"Seus covardes! Mulherzinhas carregando machados e espadas!" Um dos banquetes de corvos soltava sua voz, do alto de sua jaula.

"Não há um único homem entre vocês. Pederastas, andando atrás de um garotinho." Ele enrolou suas últimas palavras, como fazem os naturais de Merssy.

"Tem um sujeito aí com uma opinião formada sobre você, irmão Jorg!", gritou Makin.

Um pingo de chuva acertou meu nariz. Fechei a capa do Plutarco. Ele esperaria um pouco para me contar sobre Esparta e Licurgo, ele poderia esperar um pouco mais sem se molhar. O prisioneiro tinha algo a dizer e eu o deixei falar às minhas costas.

Na estrada, é preciso embrulhar um livro com muito cuidado para protegê-lo da chuva. Dez voltas em tecido envernizado, mais dez voltas para o outro lado, e então deve-se guardá-lo sob um manto, num bornal preso à sela. Vejam bem, um bornal de qualidade – não aquelas porcarias que os thurtos fazem – com dupla costura e couro da Costa Equina.

Os rapazes abriram caminho para que eu me aproximasse. As jaulas fediam mais que o baú das cabeças, um odor brutal de madeira recém-cortada. Quatro celas dependuradas. Duas guardavam homens mortos. *Bem* mortos. As pernas, devoradas até os ossos por corvos, pendiam através das barras. Moscas se aglomeravam sobre elas, como uma segunda pele, negra, zumbindo. Os rapazes deram estocadas num dos prisioneiros e este não parecia muito feliz com isso. Na verdade, parecia já estar entregue. O que era um desperdício, uma vez que teríamos a noite inteira pela frente. Restaria, então, o prisioneiro tagarela.

"Lá vem o garoto! Vejo que terminou de ver os desenhos indecentes no seu livro roubado." Ele se agachou em sua jaula, seus pés em carne viva. Um velho, talvez com quarenta anos, de cabelos pretos e barba grisalha. Seus olhos escuros brilhavam. "Use as páginas do seu livro para limpar sua bosta, garoto", ele disse, furioso, agarrando as barras de sua jaula, que balançava. "É o único proveito que pode tirar dele."

"Poderíamos queimá-lo em fogo lento?", perguntou Rike. Até Rike percebera que o velho queria apenas nos irritar, para que terminássemos de uma vez com ele. "Como fizemos com os prisioneiros de Turston."

Umas poucas risadas eclodiram. Não da parte de Makin, porém. Ele franziu o rosto, por debaixo da poeira e da fuligem, enquanto observava o prisioneiro. Levantei minha mão para ordenar silêncio aos homens.

"Seria uma grande vergonha desperdiçar um livro tão bom, padre Gomst", eu disse.

Assim como Makin, eu reconhecera Gomst por debaixo da barba e daqueles cabelos todos. Mas se não fosse o seu sotaque, ele acabaria assado.

"Especialmente uma edição de Licurgo escrita em latim culto, não naquele romano vulgar que vocês ensinam na igreja."

"Você me conhece?" Ele perguntou numa voz rachada, quase melosa.

"Claro que sim." Segurando meus adoráveis cachos, tirei o cabelo da frente, para que ele pudesse me observar naquela penumbra. Eu tenho o olhar escuro e penetrante dos Ancrath. "Você é o padre Gomst. Você veio me levar de volta à escola."

"P-prín.." Ele balbuciava, incapaz de pronunciar as palavras corretamente. Asqueroso. Senti como se houvesse mordido algo podre.

"Príncipe Honório Jorg Ancrath, às suas ordens." Prestei-lhe minhas reverências.

"O quê... o que aconteceu com o capitão Bortha?" O padre Gomst balançava suavemente em sua jaula, confuso.

"Capitão Bortha, senhor!" Makin bateu continência e deu um passo à frente. Estava manchado com o sangue do primeiro prisioneiro.

Teve início um silêncio mortal. Até o trinado e o zumbido dos insetos foram reduzidos a não mais que um sussurro. Os irmãos olharam para mim, depois para o velho pastor, e então novamente para mim, de bocas abertas. O Pequeno Rikey não ficaria mais confuso se você lhe perguntasse quanto é nove vezes seis.

A chuva escolheu aquele momento para cair, de uma vez só, como se o Senhor Todo-Poderoso esvaziasse seu penico sobre nós. A penumbra que nos encobria era densa como melado.

"Príncipe Jorg!" Padre Gomst teve que gritar por sobre a chuva. "É noite! Você precisa correr!" Ele segurou as barras de sua jaula, tenso, suas pupilas dilatadas, fitando sem piscar a escuridão.

E, através da noite, através da chuva, sobre o pântano onde nenhum homem poderia caminhar, nós os vimos se aproximar. Vimos suas luzes. Luzes pálidas como o fogo-fátuo das poças profundas onde os homens não foram feitos para olhar. Luzes que prometeriam tudo o que um homem poderia querer e que o fariam correr atrás delas, perseguindo respostas e encontrando apenas a lama fria, profunda e faminta.

Jamais gostei do padre Gomst. Ele me dizia o que fazer desde que eu tinha seis anos, quase sempre recorrendo a palmadas no lugar da razão.

"Corra, Príncipe Jorg! Corra!", uivou o velhaco Gomst, num autossacrifício odioso.

Então eu permaneci parado.

O irmão Gains não era o cozinheiro por ser bom na cozinha.
Ele só era horrível demais nas outras tarefas.

TRILOGIA DOS ESPINHOS

PRINCE OF THORNS

4

Os mortos vieram através da chuva, fantasmas do pântano, dos afogados, de homens cujos corpos foram entregues ao lodo. Eu vi Kent, o Rubro, correr às cegas, até se debater na areia movediça. Alguns poucos irmãos tiveram o bom-senso de correr pela estrada enquanto fugiam. A maioria terminou no pântano.

Padre Gomst orava de sua jaula, estarrecido, gritando as palavras como se elas pudessem lhe servir de escudo: "Pai nosso que estais no céu, protegei vosso filho. Pai nosso que estais no céu". Cada vez mais rápido, o medo tomava conta do padre.

O primeiro deles flutuou sobre a poça de lodo e sobrevoou a estrada. Brilhava como a luz da lua, algo que jamais aqueceria um ser humano. Você poderia ver seu corpo luminoso ser atravessado pelas gotas de chuva, que depois explodiam no chão.

Ninguém permaneceu comigo. O nubano correu, olhos abertos em seu rosto escuro. Burlow, o Gordo, aparentava não ter mais uma única gota de sangue. Rike gritava feito uma criança. Até Makin sentia pavor.

Abri meus braços à chuva. Pude sentir seus golpes. Eu não vivera muito ainda, mas até a chuva me despertava lembranças. Como as noites perigosas em que permaneci no parapeito da Torre Keep, à beira de um precipício, quase me afogando sob um dilúvio, e desafiando os raios que caíam perto de mim.

"Pai nosso que estais no céu. Pai nosso..." Gomst atropelou as palavras quando o espírito se aproximou. Ele queimava com um fogo frio que você podia sentir como se lambesse seu ossos.

Mantive meu braços abertos e meu rosto contra a chuva.

"Meu pai não está nos céus, Gomsty", eu lhe disse. "Ele está em seu castelo, contando seus homens."

O fantasma me cercou e eu o olhei bem nos olhos. Eles eram vazados.

"O que há com você?", perguntei.

E ele me mostrou.

E eu mostrei a ele.

Há uma razão pela qual eu vou ganhar esta guerra. Todos os vivos têm lutado uma batalha que envelheceu antes mesmo de eles nascerem. Eu já afiava meus dentes nos soldadinhos de madeira do salão da guerra do castelo de meu pai. Tenho uma razão para ganhar onde os demais falharam. Eu simplesmente entendo o jogo.

"Inferno", disse o morto. "Eu trago o inferno."

E ele jorrou o inferno para dentro de mim, frio como a morte, afiado como uma lâmina.

Senti minha boca desenhar um sorriso. Ouvi minha risada ecoar na chuva.

É assustador ter uma faca, gelada e cortante, em seu pescoço. O fogo também é assustador. Assim como a tortura. E um velho fantasma da Estrada dos Cadáveres. Tudo isso é capaz de paralisar um homem. Até que você perceba o que eles são. Eles não passam de maneiras para se perder o jogo. Você perde o jogo – e o que foi que perdeu? Você perdeu o jogo.

Esse é o segredo e ainda fico impressionado de ser meu, apenas meu. Pude ver como o jogo realmente era na noite em que os homens do Conde Renar interceptaram nossa carruagem. Também era uma noite de tempestade, eu me lembro do barulho da chuva no teto da carruagem e do trovão distante.

O Grande Jan havia arrancado a porta de sua gaiola para nos tirar de lá. Ele só teve tempo para mim. Jan me atirou longe, num canteiro de roseira-brava tão espesso que os homens do conde imaginaram que eu havia fugido noite adentro. E eles não queriam procurar. Só que eu não corri. Ali fiquei, preso pelos espinhos, e vi quando eles mataram o Grande Jan. Vi nos momentos congelados que os relâmpagos me proporcionaram.

Vi o que fizeram com minha mãe e quanto tempo eles levaram. Eles jogaram a cabeça do pequeno William contra uma pedra. Cachos dourados e sangue. Devo admitir que William foi o primeiro de meus irmãos, e ele era especial, com suas mãos gorduchas e seus sorrisos. Desde então, eu tive muitos irmãos, alguns maus, e não sentiria a falta de um ou de outro. Mas, naquele tempo, era doloroso demais ver o pequeno William quebrado daquele jeito, como um brinquedo. Como se fosse algo sem valor.

Quando o mataram, minha mãe enlouqueceu. Eles, então, cortaram sua garganta. Eu era estúpido então, com apenas nove anos, e lutei para salvá-los. Mas os espinhos me agarraram de jeito. Desde então, aprendi a apreciá-los.

Os espinhos me ensinaram o jogo. Fizeram-me entender o que todos esses homens sérios e carrancudos que lutaram na Guerra Centenária ainda precisam aprender. Você só pode vencer o jogo quando entende que se *trata* de um jogo. Deixe um homem jogar xadrez e diga a ele que todos os peões são seus amigos. Diga que ambos os bispos são santos. Faça-o lembrar de dias felizes à sombra das torres. Deixe-o amar sua rainha. Veja-o perder tudo.

"O que você tem para me dar, criatura?", perguntei.

É um jogo. Vou mover minhas peças.

Senti o espírito frio em mim. Vi sua morte. Vi seu desespero. A sua fome. E devolvi tudo. Esperava mais, só que ele era apenas um morto.

Mostrei a ele o tempo vazio aonde minhas memórias não ousam ir. Eu o deixei olhar bem.

Ele então correu de minhas memórias – fugiu, e eu o persegui. Mas somente até as margens do pântano. Porque se trata de um jogo. E eu vou vencer.

5

— QUATRO ANOS ATRÁS —

Por muitíssimo tempo, não estudei nada além da vingança. Construí minha primeira câmara de torturas nos recantos escuros da imaginação. Deitado sobre lençóis de sangue na Sala de Cura, descobri portas dentro de minha cabeça que eu não havia encontrado antes, portas que até mesmo uma criança de nove anos sabe que não devem ser abertas. Portas que nunca se fecharam novamente.

Eu escancarei essas portas.

Sir Reilly me encontrou, pendurado no espinheiro, a menos de dez metros da carcaça de nossa carruagem em chamas. Quase não me acham. Eu os vi recolhendo os corpos na estrada. Eu os observei pelo canteiro: brilhos prateados da armadura de Sir Reilly e lampejos rubros do uniforme dos soldados de Ancrath.

Foi fácil achar minha mãe, em trajes de seda.

"Jesus amado! É a rainha!" Sir Reilly ordenou que a virassem. "Cuidado! Mostrem algum respeito...", disse, para logo se interromper, em soluços. Os homens do conde a deixaram em péssimo estado.

"Senhor! O Grande Jan está aqui. Grem e Jassar também." Eu os vi revirando Jan, depois os outros guardas.

"Melhor que estejam mortos!", cuspiu Sir Reilly. "Procurem os príncipes!"

Não vi quando encontraram Will, mas sabia que eles o descobriram pelo silêncio que se espalhou entre os homens. Encostei o queixo no peito e percebi padrões sombrios de sangue nas folhas secas em volta dos meus pés.

"Ah, diabos...", disse, finalmente, um dos homens.

"Tragam um cavalo. Coloquem-no aí, com cuidado", disse Sir Reilly, com a voz despedaçada. "E achem o herdeiro!", proferiu, com vigor, mas sem esperanças.

Tentei chamá-los. Mas perdera minhas forças, nem conseguia levantar a cabeça.

"Ele não está aqui, Sir Reilly."

"Eles o levaram como refém", concluiu.

Em parte, ele estava certo. Os espinhos me mantinham contra a minha vontade.

"Leve-o ao lado da rainha."

"Cuidado! Cuidado com ele..."

"Ajeite os dois", disse Sir Reilly. "É uma dura cavalgada até o Castelo Alto."

Parte de mim queria que eles se fossem. Já não sentia dor, apenas um incômodo banal, e até isso estava sumindo. Uma paz me abraçava com a promessa de esquecimento.

"Senhor!" O grito veio de um dos homens.

Ouvi o tinir da armadura à medida que Sir Reilly se aproximava.

"Um fragmento de escudo?", perguntou.

"Achamos na lama, a roda da carruagem deve ter passado sobre ele." O soldado fez uma pausa. Escutei a lama sendo arranhada para fora do escudo. "Parece uma asa negra..."

"Um corvo. Um corvo sobre um campo vermelho. É o brasão do Conde Renar", observou Reilly.

Conde Renar? Eu tinha um nome. Um corvo sobre um campo vermelho. A insígnia brilhou em meus olhos, cauterizados pelos relâmpagos da noite anterior. Um fogo se acendeu em mim, e a dor de mil espinhos queimou em todos os meus membros. Um gemido escapou de meus lábios ressecados.

E Reilly me encontrou.

"Há algo aqui!" Escutei seus palavrões à medida que o espinheiro encontrava todas as fendas de sua armadura. "Rápido. Tirem isso daqui."

"Morto", ouvi um soldado sussurrar por trás de Sir Rilley, enquanto este me soltava.

"Está tão pálido."

Imagino que o espinheiro tenha drenado quase todo o meu sangue.

Eles buscaram um carrinho para me levar de volta. Não adormeci. Olhei o céu se tornar negro, e pensei.

Na Sala de Cura, frei Glen e seu ajudante, Polegar, retiravam espinhos de minha pele. Meu tutor, Lundist, chegou enquanto eles me tinham sobre a mesa e sob suas facas. Lundist carregava um livro, grande como um escudo teutônico e, pelo jeito, três vezes mais pesado. Ele tinha mais força naquele corpo enrugado e esquelético do que poderíamos supor.

"Essas facas foram esterilizadas a fogo, eu suponho. Frei?" Lundist mantinha o sotaque de sua terra-mãe, em Utter Oriental, e a tendência de deixar as frases incompletas, na esperança que um ouvinte inteligente preenchesse os espaços em branco.

"É a pureza do espírito que mantém a carne incorrupta, tutor", respondeu o frei Glen. Ele lançou um olhar desaprovador e voltou a escavar minha pele.

"Ainda assim, frei, limpe as facas. O Santo Ofício pouco lhe servirá de proteção contra a ira do rei caso o príncipe morra em sua sala." Lundist pousou o livro na mesa ao lado da minha, chacoalhando uma fileira de frascos que estavam num canto. Ele virou a capa e abriu-o em uma página marcada.

"Os espinhos da roseira-brava hão de achar os ossos." Ele traçou seu dedo amarelo e enrugado sobre as linhas do texto. "As pontas podem quebrar, inflamando a ferida."

O frei Glen me espetou nessa hora, arrancando-me um grito. Ele abaixou a faca e se virou para Lundist. Só pude ver as costas do frei, seu hábito marrom-escuro pendendo sobre seus ombros, o suor sobre a sua coluna.

"Tutor Lundist", disse, "um homem na sua profissão não deveria achar que todas as coisas podem ser aprendidas nas páginas de um livro ou em um pergaminho. O aprendizado tem sua importância, meu caro, mas não pense que o senhor seria capaz de ensinar-me a curar um doente só porque passou uma noite debruçado sobre uma velha enciclopédia."

Bem, o frei Glen ganhou a discussão. Coube ao sargento de armas "acompanhar" o tutor para fora do recinto.

Imagino que, mesmo aos nove anos, já me faltava a pureza de espírito, pois meus ferimentos inflamaram em dois dias e por nove semanas eu ardi em febre, perseguindo sonhos tenebrosos, próximo às fronteiras da morte.

Dizem que urrei, enfurecido. Que balbuciei enquanto o pus jorrava das feridas dos espinhos. Eu me lembro do fedor de putrefação. Era de uma certa doçura. O tipo de doçura que induzia ao vômito.

Polegar, o ajudante do frei, cansou de tentar me manter quieto – e olha que ele tinha os braços de um lenhador. Por fim, me amarraram à cama.

Soube pelo tutor Lundist que o frei não cuidaria de mim após a primeira semana. Frei Glen disse que eu estava possuído pelo Diabo. De que outra forma uma criança diria tanta blasfêmia?

Na quarta semana, desfiz os nós que me prendiam à cama e ateei fogo na sala. Não tenho lembranças da fuga, nem de minha captura na floresta. Mas quando limparam os destroços, acharam os restos de Polegar, com o atiçador da lareira alojado em seu peito.

Muitas vezes, eu parava ali, em frente à porta. Tinha visto minha mãe e meu irmão sendo atirados pela soleira, em frangalhos, e nos sonhos meus pés me levavam até lá, de novo. Faltava-me a coragem para segui-los, aprisionado como estava pelas farpas e ganchos da covardia.

Às vezes, enxergava a Terra dos Mortos além de um rio negro; outras, no abismo atravessado por uma estreita ponte de pedras. Uma vez, vi a porta tomar a forma dos portais que precediam o Salão do Trono de meu pai, mas seu batente estava coberto de gelo, e de suas juntas escorria pus. Não tive alternativa além de segurar a maçaneta...

O Conde de Renar me manteve vivo. A promessa de sua dor esmagou a minha sob seus calcanhares. O ódio vai mantê-lo vivo onde o amor falhou.

E então, um dia, a febre me deixou. Meus ferimentos continuaram ferozes, vermelhos, mas se fecharam. Davam-me canja de galinha para comer, e minhas forças, há muito esquecidas, rastejaram de volta.

A primavera chegou para pintar, novamente, flores nas árvores. Sentia-me forte, mas haviam levado algo de mim e para tão longe que eu nem mesmo saberia dizer o que era.

O sol voltou e, para desgosto do frei Glen, Lundist retornou para me instruir.

Quando chegou, ajeitei-me na cama. Observei-o arrumar seus livros sobre a mesa.

"Seu pai o verá assim que voltar de Gelleth", disse Lundist. Sua voz mantinha um tom de reprovação, mas não dirigido a mim. "A morte da rainha e do Príncipe William pesaram demais sobre ele. Quando a dor cessar, ele certamente virá conversar com você."

Não entendi por que Lundist julgava necessário mentir para mim. Sabia que meu pai não perderia tempo comigo enquanto eu estivesse para morrer. Sabia que ele me veria quando me ver lhe fosse útil.

"Diga-me, tutor. A vingança é uma ciência ou uma arte?"

TRILOGIA DOS ESPINHOS

PRINCE OF THORNS

6

A chuva hesitou quando os espíritos desapareceram. Só havia subjugado um deles, mas os outros fugiram também, de volta aos poços que, por certo, assombravam. Talvez aquele fosse seu líder, talvez os homens se transformem em covardes após a morte. Não sei.

Quanto aos meus próprios covardes, eles não tinham para onde fugir, e foi bem fácil encontrá-los. Primeiro, encontrei Makin. Ele, pelo menos, regressava.

"Então você achou companhia, hein?", eu lhe disse.

Ele fez uma breve pausa e olhou para mim. A chuva já não caía muito forte, mas ele ainda parecia um rato afogado. A água corria em arroios sobre seu peitoral, dentro e fora dos amassados. Ele checou cada lado do pântano, ainda nervoso, e abaixou sua espada.

"Um homem sem medo não sabe o amigo que está perdendo, Jorg", ele disse, desenhando um sorriso com aqueles seus lábios grossos. "Correr não é errado. Pelo menos se você correr na direção certa." Ele acenou para Rike, que lutava contra um torrão de junco, atolado na lama até o peito. "O medo ajuda um homem a escolher suas lutas. Você está lutando todas, meu príncipe." E ele fez uma saudação, ali, no caminho dos cadáveres, com a chuva escorrendo do seu corpo.

Olhei Rike, de relance. Maical tinha problemas similares numa poça do outro lado da estrada. Só que seus problemas chegavam à altura do pescoço.

"Vou entrar em todas as lutas quando o fim chegar", eu lhe disse.

"Escolha suas lutas", respondeu Makin.

"Escolho meu terreno", disse. "Escolho meu terreno, mas não corro. Nunca. Já fizemos isso, e ainda temos a guerra. Eu vencerei, irmão Makin. Eu darei fim a esta guerra."

Ele me fez outra saudação. Não tão reverente, mas dessa vez senti que era de verdade. "É por isso que eu o seguirei, meu príncipe. Haja o que houver."

Naquele momento, fomos pescar nossos irmãos de dentro da lama. Primeiro Maical, ainda que Rike uivasse e nos amaldiçoasse. Como a chuva enfraquecera, eu pude ver o tordilho e o baú das cabeças a uma certa distância. O tordilho teve o bom-senso de permanecer na estrada, ao contrário de Maical. Se ele tivesse guiado o cavalo até o pântano eu o deixaria afundar.

Depois, era a vez de Rike. Quando chegamos a ele, a lama estava quase em sua boca. Não víamos nada além de seu rosto branco acima da poça, mas isso não o impedia de gritar suas tolices a torto e a direito. Achamos a maioria dos homens na estrada, mas seis foram sugados muito rapidamente, perdidos para sempre; provavelmente se preparando para assombrar o próximo bando de viajantes.

"Eu vou buscar o velho Gomsty", disse.

Havíamos andado um longo caminho pela estrada e as luzes praticamente sumiram. Olhando para trás, não víamos as jaulas, apenas véus cinzentos de chuva. No pântano, os mortos esperavam. Sentia seus pensamentos gélidos se arrastando sobre minha pele.

Não falei para os homens virem comigo. Sabia que nenhum me acompanharia e não é bom para um líder receber não a uma de suas ordens.

"O que você quer com aquele velho padre, irmão Jorg?", indagou Makin. Estava me pedindo para não ir, mas não poderia dizer em voz alta.

"Ainda quer queimá-lo vivo?" Até a lama era incapaz de esconder a repentina alegria de Rike.

"Sim, quero. Mas não é por isso que vou buscá-lo." E retornei pelo caminho dos cadáveres.

A chuva e a escuridão me envolveram. Perdi meus irmãos, que aguardavam na estrada. Gomst e as jaulas estavam mais à frente. Andei em um casulo de silêncio, com nada além das palavras suaves da chuva e do som de minhas botas.

Vou lhes dizer: o silêncio quase me derruba. É o silêncio que me apavora. A página em branco na qual posso escrever meus medos. Os espíritos dos mortos não têm nada a ver com isso. Aquele morto tentou me mostrar o inferno, mas não passou de uma pálida imitação do horror que sou capaz de pintar na escuridão de um momento quieto.

E lá ele permanecia pendurado, o padre Gomst, sacerdote da Casa Ancrath.

"Padre", eu disse, e ensaiei uma reverência. Na verdade, não estava com humor para brincadeiras. Sentia uma dor oca atrás de meus olhos. Do tipo que leva as pessoas à morte.

Ele abriu bem os olhos, como se eu fosse um espírito que se arrastasse para fora do pântano.

Fui até a corrente que sustentava sua jaula. "Agarre-se, padre."

A espada que desembainhei havia fatiado o velho Bovid Tor há menos de vinte e quatro horas. Agora, eu a levantava para libertar um sacerdote. A corrente cedeu logo abaixo da extremidade. Eles puseram algum encanto ou feitiçaria nessa lâmina. Meu pai dizia que os Ancrath a manejaram por quatro gerações e a tomaram da

Casa Or. Então, a lâmina já era antiga, muito antes dos Ancrath encostarem as mãos nela. Antiga muito antes que eu a roubasse.

A gaiola caiu como uma rocha. Padre Gomst gritou, e bateu com a cabeça nas barras, marcando um crucifixo em sua testa. Eles cerraram a porta da jaula com arame, que cedeu ante nossa espada ancestral, duas vezes roubada. Pensei em meu pai por um momento, imaginando seu rosto ultrajado com o uso de uma lâmina tão nobre para realizar um trabalho tão vulgar. Tenho muita imaginação, mas colocar qualquer emoção no rosto de pedra de meu pai não foi uma tarefa fácil.

Gomst rastejou para fora, rijo e enfraquecido. Como costumam ser os velhos. Gostei que ele tenha tido a decência de sentir o peso da idade. Alguns ficam mais resistentes com o passar dos anos.

"Padre Gomst", eu lhe disse. "Melhor se apressar ou os mortos do pântano podem voltar para nos aterrorizar com seus acenos e lamentos."

Ele olhou para mim, retrocedendo, como se visse um fantasma. Então se acalmou.

"Jorg", ele disse, cheio de compaixão, a ponto de transbordar pelos olhos, como se não fosse apenas a chuva. "O que houve com você?"

Não vou mentir. Metade de mim queria enfiar-lhe a faca aqui e ali, assim como fiz com Gemt. Mais da metade. Minha mão coçava com a vontade de puxar aquela faca. Minha cabeça doía, como se apertassem minhas têmporas contra um torno.

Sou conhecido por ser contraditório. Quando algo me empurra, eu empurro de volta. Até quando fui eu quem me empurrou, em primeiro lugar. Seria fácil cortar as tripas dele naquele momento. Satisfatório. Mas a vontade era urgente demais. Senti-me pressionado.

Sorri e disse: "Perdoa-me, padre, pelos meus pecados".

E o velho Gomsty, ainda que endurecido pela prisão, e com chagas nos braços e pernas, abaixou sua cabeça para tomar minha confissão.

Falei sob a chuva, baixinho, quieto. Mas alto o suficiente para o padre Gomst, e alto o suficiente para os mortos que assombravam o pântano a nossa volta. Eu lhes contei das coisas que havia feito. Das coisas que seria capaz de fazer. Numa voz suave, contei meus planos para que todos pudessem ouvir. Então os mortos se retiraram.

"Você é o Diabo!" Padre Gomst deu um passo atrás e agarrou a cruz em seu pescoço.

"Se o senhor diz assim." Eu não estava ali para uma disputa. "Mas eu me confessei e agora você deve me absolver."

"Abominável..." A palavra lhe escapou num sussurro.

"E isso é só o começo", concordei. "Agora me absolva."

O padre Gomst finalmente voltou a si. Mas ainda guardava distância. "O que você quer de mim, Lúcifer?"

Uma pergunta justa. "Quero vencer", eu respondi.

Ele balançou a cabeça e precisei explicar.

"Alguns homens me seguem por eu ser quem sou. Outros me seguem graças ao caminho que estou trilhando. Outros, ainda, precisam saber quem anda comigo. Eu lhe dei minha confissão. Estou arrependido. Agora Deus anda comigo e você é o sacerdote que irá dizer aos fiéis que eu sou o guerreiro do Senhor, o Seu instrumento, a espada do Todo-Poderoso."

O silêncio permaneceu entre nós, medido por batidas cardíacas.

"*Ego te absolvo.*" Padre Gomst disse as palavras com lábios trêmulos.

Andamos de volta pelo caminho e alcançamos os demais. Makin deixara-os preparados, em fila. Esperavam no escuro, com uma única tocha e um lampião preso sobre a carreta.

"Capitão Bortha", eu disse a Makin, "é hora de partir. Temos muito caminho pela frente antes de chegarmos à Costa Equina."

"E o padre?", ele perguntou.

"Quem sabe não desviamos perto do Castelo Alto e o deixamos por lá?"

Minha enxaqueca piorou.

Talvez tivesse algo a ver com um velho fantasma atravessando meus ossos até a medula, mas hoje minha cabeça doía como se alguém a cutucasse com um bastão. A dor me guiava feito um pastor e já estava começando a foder com a minha paciência.

"Acho que *iremos* até o Castelo Alto." Cerrei os dentes por conta das adagas em minha cabeça. "Entregar o velho Gomsty pessoalmente. Tenho certeza que meu pai está preocupado comigo."

Rike e Maical me observaram de um jeito estúpido. Burlow, o Gordo, e Kent, o Rubro, trocaram olhares. O nubano revirou os olhos.

Olhei para Makin, alto, de ombros largos, cabelos negros escorridos de chuva. *Ele é meu cavalo*, pensei. *Gomst é meu bispo. O Castelo Alto, minha torre*. Então pensei no meu pai. Eu precisava de um rei. Não se pode jogar sem um rei. Pensei no meu pai e me senti bem. Depois do morto, comecei a me perguntar. O morto me mostrou seu inferno, e eu ri. Mas agora que penso no meu pai fico feliz em saber que ainda posso sentir medo.

7

Atravessamos a noite e a Estrada dos Cadáveres, até sairmos do pântano. A alvorada, cinzenta e enfadonha, veio nos encontrar em Norwood. A vila estava em ruínas. Suas cinzas ainda retinham o espírito acre da fumaça, tempos após o fim do incêndio.

"O Conde de Renar", disse Makin ao meu lado. "Ele é muito audacioso para atacar os protetorados de Ancrath tão abertamente." Makin despejou seus pensamentos como se atirasse um manto ao chão.

"Como podemos afirmar quem foi o responsável por tamanha atrocidade?", perguntou o padre Gomst, com o rosto tão esbranquiçado quanto sua barba. "Talvez os homens do Barão Kennick tenham avançado pela Estrada dos Cadáveres. Foram os homens de Kennick que me aprisionaram naquela jaula."

Os irmãos se dividiram para vasculhar as ruínas. Rike cutucou Burlow, o Gordo, e desapareceu no primeiro prédio, que não passava de uma carcaça de pedras desprovida de teto.

"Lavradores de merda! Igual à porra de Mabberton." A violência de sua procura sufocaria qualquer outra reclamação.

Lembro-me de Norwood em dias de quermesse, colorida com fitas. Minha mãe caminhava com o burgomestre. William e eu comíamos tortas de maçã.

"Mas esses eram os *meus* lavradores de merda", eu disse. Encarei o velho Gomst. "Não há corpos. Esse é um trabalho do Conde Renar."

Makin concordou. "Acharemos a pira nos campos, a oeste. Renar queima todo mundo junto, os vivos e os mortos."

Gomst fez o sinal da cruz e murmurou uma prece.

Guerra é uma coisa bela, eu já lhes disse antes, e aqueles que falam o contrário não sabem o que estão perdendo. Abri um sorriso, ainda que não combinasse comigo. "Irmão Makin, parece que o conde moveu uma de suas peças. É nossa responsabilidade, como companheiros de profissão, apreciar seu estilo. Deem uma volta por aí. Desejo saber como ele jogou desta vez."

Renar. Primeiro o padre Gomst, agora Renar. Era como se o espírito do pântano houvesse girado uma chave e os fantasmas do meu passado marchassem por mim, um a um.

Makin acenou e saiu trotando. Não em direção à vila. Ele seguiu às margens de um riacho até os arbustos que ficavam além do mercado.

"Padre Gomst", disse, com meu tom de voz mais polido possível, digno de um membro da corte. "Diga-me, por favor, onde o senhor estava quando os homens do Barão Kennick o encontraram." Não fazia sentido que nosso sacerdote familiar fosse sequestrado num assalto.

"No povoado de Jessop, meu príncipe", ele respondeu, cauteloso e olhando para todos os cantos, menos para mim. "Não deveríamos partir? Estaremos a salvo em nossas terras. Os ataques não vão chegar a Hanton."

Verdade, pensei, *mas por que você se arriscou?* "O povoado de Jessop? Eu diria que jamais ouvi falar o nome desse lugar, padre

Gomst", eu disse, ainda amigavelmente. "O que significa que não deve ter mais do que três barracas e um porco."

Rike marchou para fora da casa, coberto de cinzas. Estava mais negro do que o nubano e cuspia sem parar. Ele andou até o próximo portal. "Burlow, seu gordo desgraçado! Você armou pra cima de mim!" Se o Pequeno Rikey não achasse nada para pilhar, alguém pagaria. Era sempre assim.

Gomst se divertia com a cena, mas chamei sua atenção de volta. "Padre, você me contava sobre Jessop." Tomei as rédeas de suas mãos.

"Um lodaçal, meu príncipe. Um nada. Um lugar onde se corta turfa para os protetorados. Dezessete barracas e, talvez, alguns porcos a mais." Tentou uma risada, mas ela saiu muito aguda e nervosa.

"Então você viajou até lá para absolver os pobres?" Olhei-o nos olhos.

"Bem..."

"Mais além de Hanton, nos limites do pântano, nos limites do perigo", eu disse. "Você é mesmo um homem santo, padre."

Ele acenou com a cabeça.

Jessop. De repente, o nome me pareceu estranhamente familiar. Como uma voz grave, solene, pausada. *Uma voz que não perguntava por quem os sinos dobram...*

"Jessop não fica onde a maré do pântano vai buscar os mortos?", perguntei. Vi as palavras na boca do velho tutor Lundist enquanto as proferia. Vi o mapa atrás dele, preso à parede do estúdio, com as correntezas marcadas em tinta preta. "É uma correnteza lenta, mas certeira. O pântano mantém seus segredos, mas não para sempre, e é em Jessop que eles são contados."

"Aquele grandalhão, Rike, está estrangulando o gordo." Padre Gomst acenou em direção à vila.

"Meu pai o enviou para observar os mortos." Não deixei que Gomst continuasse com aquele papo-furado. "Porque você seria capaz de me reconhecer."

Os lábios de Gomst emolduraram um "não", mas todos os seus outros músculos disseram "sim". A gente imagina que os padres deveriam mentir melhor, faz parte do trabalho deles, não faz?

"Ele ainda procura por mim? Depois de quatro anos!" Quatro semanas já teriam me surpreendido.

Gomst voltou a sua sela. Ele abriu os braços, em desespero. "A rainha está pesada, com uma criança. Sageous afirmou ao rei que será um menino. Eu tive que confirmar a sucessão."

Ah! A "sucessão". Esse sim era o pai que eu conheci. E a rainha? Isso adicionava um certo tempero àquele dia.

"Sageous?"

"Um feiticeiro pagão, recém-chegado à corte." Gomst cuspiu as palavras, como se amargassem sua boca.

A pausa se tornou um grande silêncio.

"Rike!", eu disse. Não foi um grito, mas foi alto o suficiente para alcançá-lo. "Deixe Burlow, o Gordo, em paz, ou eu terei que matá-lo."

Rike largou Burlow, que despencou seus cento e quarenta quilos de toucinho até o chão. Creio que, daqueles dois, Burlow estava com o rosto um pouco mais roxo. Mas pouca coisa. Rike se aproximou, já com as mãos prontas para agarrar o meu pescoço. "Você!"

Nem sinal de Makin, e a ajuda do padre Gomst para me defender de um Pequeno Rikey furioso seria tão útil quanto um peido ao vento.

"Você! Onde está a porra do ouro que você nos prometeu?" Um grande número de cabeças surgiu de portas e janelas depois dessa frase. Até Burlow, o Gordo, olhou para cima, buscando fôlego como se aspirasse por um canudo.

Larguei a empunhadura de minha espada. Não vale a pena sacrificar muitos peões. Rike teria apenas mais uns dez metros pela frente. Escorreguei para fora da sela de Gerrod, afaguei seu focinho e dei as costas para a vila.

"Há mais de um tipo de ouro em Norwood", eu disse. Alto o suficiente, mas não alto demais. Então me virei e deixei Rike para trás. Nem ao menos o olhei. Dê uma oportunidade a um homem como Rike e ele a aproveitará.

"Não venha me falar sobre filhas de fazendeiros desta vez, seu pequeno bastardo!" Ele me seguiu urrando, mas já esfriara um pouco a cabeça. Agora, só restava uma certa bravata. "A porra do conde já queimou todas elas."

Eu fui à rua central, que levava à casa do burgomestre e ao mercado. O irmão Gains cozinhava algo e nos olhou quando passamos por ele. Gains subiu na ponta dos pés para acompanhar a diversão.

A torre do celeiro nunca foi lá grandes coisas. Agora, toda chamuscada e com suas pedras rachadas pelo calor, era ainda menos imponente. Antes de serem queimados, sacos de grãos escondiam um alçapão. Bastou remexer um pouco para encontrá-lo. Atrás de mim, Rike arfava o tempo todo.

"Abra logo isso." Apontei para a argola presa na laje de pedra.

Não precisei mandar duas vezes. Rike se abaixou e ergueu a pedra como se ela não pesasse nada. E lá estavam eles. Barris e mais barris, amontoados na poeira da escuridão.

"O velho burgomestre guardava a cerveja do festival sob a torre do celeiro. Todos os locais sabiam disso. Um córrego passa aqui por baixo e refresca a temperatura. Quantos são, vinte? Vinte barris de cerveja dourada do festival." Sorri.

Rike não sorriu comigo. Ele permaneceu de quatro e seus olhos passeavam pela lâmina de minha espada. Imaginei como ela deveria coçar em contato com sua garganta.

"Veja, irmão Jorg, eu não quis..." – ele começou a dizer. Mesmo com minha espada em seu pescoço, o seu olhar era ameaçador.

Makin se aproximou de meu ombro, fazendo sua armadura tinir. Eu mantive a lâmina na garganta de Rike.

"Posso ser pequeno, Pequeno Rikey, mas não sou um bastardo", disse, num tom de voz calmo e mortal. "Não é mesmo, padre Gomst? Se eu fosse um bastardo você não teria que arriscar sua vida, seus braços e pernas, para me procurar entre os mortos, não é verdade?"

"Príncipe Jorg, deixe o capitão Bortha matar esse selvagem", disse Gomst, recuperando sua compostura. "Nós iremos até o Castelo Alto e seu pai..."

"Meu pai pode muito bem esperar, o desgraçado!", gritei. Parei por ali, furioso por me sentir furioso.

Rike esqueceu a espada por um momento. "Que merda é essa de 'príncipe'? Que merda é essa de 'capitão Bortha'? E quando é que eu vou beber a porra dessa cerveja?"

Uma plateia se formou a nossa volta. Eram os irmãos, curiosos.

"Bem", eu disse, "já que você perguntou tão educadamente, irmão Rike, eu vou lhe dizer."

Makin levantou as sobrancelhas e segurou sua espada. Fiz sinal para que se acalmasse.

"Makin é a merda do capitão Bortha, capitão Makin Bortha da Guarda Imperial de Ancrath. Eu sou a merda do príncipe, o filho amado e herdeiro do Rei Olidan da Casa Ancrath. E nós podemos beber a porra da cerveja agora, porque hoje é meu aniversário de quatorze anos – e de que outra maneira você brindaria à minha saúde?"

Toda irmandade tem uma hierarquia. Com irmãos como os meus, aquele que fica na posição mais baixa corre o risco de ser apunhalado até a morte. Menos o irmão Jobe, que se mantinha vivo por ser a mistura perfeita entre um humilde vira-latas e um cão raivoso.

8

Nós então nos sentamos sobre as pedras tombadas da casa do burgomestre e bebemos cerveja. Os irmãos beberam profundamente e disseram meu nome. Alguns me chamavam de "irmão Jorg", outros me chamavam de "Príncipe Jorg", mas todos me olhavam com novos olhos. Rike me observou, sua barba por fazer coberta de espuma de cerveja, seu pescoço marcado pela minha espada. Eu podia vê-lo pesando os prós e contras, um balé de possibilidades evoluindo dentro daquela testa diminuta. Não esperei a palavra "resgate" emergir.

"Ele quer me ver morto, Pequeno Rikey", disse. "Ele mandou Gomsty encontrar provas da minha morte, não para me encontrar. Ele está de rainha nova."

Rike deu um sorriso torto, mais torto que sorriso, e arrotou com gosto. "Você fugiu de um castelo com ouro e mulheres pra viajar com a gente? Quem seria tão idiota a esse ponto?"

Tomei um gole de cerveja. Era amarga, mas, de alguma maneira, o amargor parecia apropriado. "O idiota que sabe que não vai ganhar a guerra com a guarda do rei ao seu lado", eu retruquei.

"Que guerra, Jorg?" O nubano sentou-se perto, sem beber. Ele sempre falava sério, devagar. "Você quer derrotar o conde? O Barão Kennick?"

"A Guerra", eu disse. "A guerra inteira."

Kent, o Rubro, veio de trás dos barris, seu elmo transbordando de cerveja. "Isso nunca aconteceu", disse. Ele ergueu o elmo e esvaziou metade em quatro goles. "Então, você é o Príncipe de Ancrath? A coroa de seu reino é feita de cobre. Deve haver dúzias como você, com ótimos motivos para reivindicar o trono supremo. E cada um deles tem seu próprio exército."

"Na verdade, uns cinquenta", grunhiu Rike.

"São quase uns cem", eu disse. "Já contei."

Uma centena de fragmentos do Império, destroçando uns aos outros num ciclo interminável de pequenas guerras, feudos, pelejas, reinos que brilham, desbotam e voltam a brilhar, vidas inteiras desperdiçadas em conflitos que não mudam nada. Já a minha vida eu uso para mudar, para pôr um fim nesta guerra, vencer.

Terminei minha cerveja e fui procurar Makin.

Não precisei ir longe. Ele estava com os cavalos, tomando conta de seu garanhão, o Salta-Fogo.

"O que você encontrou?", perguntei.

Makin cerrou os lábios. "Encontrei a pira. Uns duzentos, todos mortos. Só que não chegaram a acendê-la – provavelmente tiveram medo." Ele acenou para o oeste. "Vieram a pé, pela estrada do pântano, atravessando a cordilheira. Cerca de vinte arqueiros, a postos nos arbustos perto do córrego, para acertar os que tentassem fugir."

"Quantos homens ao todo?"

"Cem, provavelmente. A maioria soldados a pé." Ele bocejou, escorregando a mão da testa até o queixo. "Já faz dois dias. Não corremos perigo."

Senti espinhos invisíveis me arranhando, anzóis afiados em minha pele. "Venha comigo", eu lhe ordenei.

Makin me seguiu de volta aos degraus e aos pilares tombados à entrada da casa do burgomestre. Maical furava mais um barril para os irmãos.

"Salve, capitão!", Burlow berrou para Makin, ainda rouco após ter sido estrangulado por Rike. Uma risada surgiu do nada e eu deixei correr solto. Senti os espinhos novamente, afiados e profundos. Por algum motivo me espetavam. Duzentos corpos empilhados. Todos mortos.

"Capitão Makin diz que teremos companhia", comentei.

Makin arqueou as sobrancelhas, mas eu o ignorei. "Vinte espadas, homens rudes, bandidos da pior espécie. Vocês não ficariam felizes em encontrá-los", eu lhes disse. "Vagueiam em nossa direção, sobrecarregados com tesouros que saquearam."

Rike se levantou num pulo só, chacoalhando o mangual que mantinha preso junto ao quadril. "Tesouros!?"

"Lesmas, eu diria. Enriqueceram com a destruição dos outros." Mostrei-lhes meu sorriso. "Bem, meus irmãos, temos que mostrar o quanto eles estão errados. Eu quero ver todos mortos. Até o último deles. Vamos matá-los e sair sem um só arranhão. Quero que cavem armadilhas na rua principal. Quero irmãos escondidos na torre do celeiro e na taberna Javali Azul. Quero Kent, Algazarra, Mentiroso e o nubano aqui, atrás destas paredes, derrubando qualquer um que passar entre o celeiro e a taberna."

O nubano suspendeu sua balestra, uma peça impressionante de engenharia, trabalhada em metal antigo e decorada com rostos de deuses estranhos. Kent limpou os resíduos de seu elmo e o pôs sobre a cabeça, e preparou seu arco.

"Agora eles podem chegar através da cordilheira, então Rike vai preparar uma emboscada nas ruínas do curtume com Maical e outros seis. Se alguém vier por aquele lado, deixem-no passar primeiro, para depois arrancar-lhe as tripas. Makin será nosso batedor para nos alertar. O bondoso padre aqui e vocês cinco aí ficam comigo para atraí-los."

Os irmãos não precisaram de uma segunda ordem. Bem, Jobe precisou, mas Rike o arrastou para longe da cerveja e não fez questão de ser gentil.

"Pilhagem!", Rike gritou na cara dele. "Comecem a cavar as armadilhas, seus idiotas de merda!"

Os rapazes sabiam como armar uma emboscada, sem vacilar. Ninguém era melhor do que eles em combater nas ruínas. Metade do tempo eles arruinavam vilarejos; na outra metade, lutavam em vilarejos arruinados.

"Burlow, Makin", eu os chamei, enquanto os demais cumpriam suas tarefas. "Não preciso de você como batedor, Makin", eu disse, falando baixo. "Quero que vocês dois se escondam nos arbustos próximos ao córrego. Escondam-se tão bem que qualquer bastardo poderia se sentar sobre vocês sem perceber que vocês estavam lá. Escondam-se e esperem. Vocês sabem o que fazer."

"Príncipe... irmão Jorg", disse Makin. Ele franzia o rosto e seus olhos erravam rua abaixo, na direção do velho Gomsty, que rezava ante a igreja carbonizada. "O que estamos fazendo?"

"Você disse que me seguiria aonde eu fosse, Makin", respondi. "O caminho começa aqui. Quando a lenda for escrita, esta será a primeira página. Um velho monge ficará cego iluminando esta página, Makin. É aqui que tudo começa." Eu não disse o quão curto o livro poderia ser.

Makin fez sua saudação, que não passava de meio aceno de cabeça, e saiu, com Burlow, o Gordo, apressando-se para acompanhá-lo.

Então os irmãos cavaram as armadilhas, prepararam suas flechas e se esconderam no pouco que restava de Norwood. Eu os observei, insultando sua lerdeza, mas mantendo a calma. E um a um – apenas o padre Gomst, meus cinco escolhidos e eu – permanecemos à vista. Os outros, pouco mais de duas dúzias, desapareceram nas ruínas.

O padre Gomst veio ao meu lado, ainda rezando. Imagino o quanto ele rezaria se realmente soubesse o que estava por vir.

Minha cabeça doía, como se um anzol enxertado atrás de meus olhos me arrastasse. A mesma dor que começou quando a visão do velho Gomsty me fez pensar em ir para casa. Uma dor conhecida, uma que senti muitas vezes nas curvas da estrada. Com frequência, eu deixava a dor me guiar. Mas estava cansado de ser um peixe que mordeu a isca. Estava pronto para morder o inimigo.

Vi o primeiro batedor na estrada do pântano, uma hora depois. Outros cavalgavam atrás e logo se juntaram a ele. Estava certo de que eles podiam nos ver, os sete, em pé, nos degraus da casa do burgomestre.

"Companhia", eu disse, e apontei para os cavaleiros.

"Malditos!" O irmão Elban cuspiu nas botas. Eu escolhera Elban porque ele não parecia grande coisa, um velho grisalho, mal-ajambrado em sua cota de malha enferrujada. Não tinha cabelo nem dentes, mas sabia morder. "Não são bandoleiros, veja só, parecem pôneis." Ele sibilou as palavras com a boca banguela.

"Sabe, Elban, você deve estar certo", eu disse, sorrindo. "Eu diria que eles parecem mais uma tropa particular."

"Senhor, tende piedade", ouvi o velho Gomsty murmurar logo atrás de mim.

Os batedores retrocederam. Elban recolheu suas coisas e correu para o campo do mercado, onde os cavalos pastavam.

"Não é isso o que você quer, meu velho", eu disse, gentilmente.

Ele se virou e pude ver o medo em seus olhos. "Você não vai me derrubar, vai, 'Chorg'?" Ele não conseguia pronunciar "Jorg" com os dentes faltando. Creio que é um nome impossível para um banguela.

"Não, não vou", disse. Eu quase gostava de Elban; não o mataria sem uma boa razão. "Para onde você vai fugir, Elban?"

Ele apontou para a cordilheira. "É o único caminho livre. Acabaremos emaranhados no pântano ou coisa pior."

"Você não vai querer atravessar a cordilheira, Elban", eu disse. "Confie em mim."

E ele confiou. Bem, talvez porque no fundo ele não confiasse em mim, se você entende o que quero dizer.

Ficamos ali e esperamos. Primeiro avistamos a coluna principal na estrada do pântano e logo os soldados surgiram sobre a cordilheira. Duas dúzias deles, uma tropa particular, carregando lanças e escudos que ostentavam as cores do Conde Renar. A coluna principal tinha uns sessenta soldados e atrás deles, numa fila esfarrapada, mais de cem prisioneiros, acorrentados aos pares pelo pescoço. Meia dúzia de carroças seguiam na retaguarda. As cobertas deviam estar cheias de provisões. As outras levavam cadáveres, empilhados como toras de madeira.

"A Casa Renar sempre queima os mortos. Eles não fazem prisioneiros", eu disse.

"Não entendo", disse o padre Gomst. Ele trocara o medo pela completa estupidez.

Eu apontei para as árvores. "Combustível. Estamos às margens de um pântano. Não há uma só árvore a quilômetros daqui. Eles querem uma fogueira intensa, então precisam trazer todos até aqui."

Eu tinha uma explicação para as ações de Renar, mas, assim como o padre Gomst, não estava certo se entendia minhas próprias ações. Todas as forças que eu demonstrava na estrada surgiram através de minha disposição para o sacrifício. Vieram no dia em que deixei minha vingança ao Conde Renar de lado, como uma coisa sem propósito. E ainda assim aqui estou eu, nas ruínas de Norwood, com uma sede que nem mesmo toda a cerveja do vilarejo poderia saciar. Esperando pelo mesmíssimo conde. Esperando com pouquíssimos homens, e com todos os meus instintos me ordenando fugir. Todos os meus instintos, exceto aquele que diz para matar ou morrer, mas nunca me render.

Podia ver, com alguma clareza, alguns rostos dos homens à frente da coluna. Seis soldados usando mantas leves de ferro e um cavaleiro com uma pesada armadura. A insígnia em seu escudo ficou visível quando ele se virou para sinalizar ordens de comando. Um corvo negro sobre um campo vermelho – um campo de fogo. Conde Osson Renar não comandaria cem homens através de um protetorado de Ancrath; então haveria de ser um de seus filhos. Marclos ou Jarco.

"Os irmãos não vão lutar contra essa multidão", disse Elban. Ele pôs a mão sobre minha ombreira. "Conseguiremos derrotar alguns e fugir, se alcançarmos os cavalos no caminho das árvores, Chorg."

Uns vinte homens de Renar se apressavam em direção às árvores, empunhando seus arcos para evitar surpresas.

"Não." Soltei um longo suspiro. "É melhor me render."

Estendi minha mão. "Bandeira branca, por favor."

As tropas do conde abriram caminho à medida que eu seguia em direção à coluna principal. Minha "bandeira" seria melhor descrita como cinza. Um cinza nada saudável, arrancado do genuflexório do padre Gomst.

"Herdeiro nobre!", gritei. "Herdeiro nobre sob a bandeira de trégua."

Isso os surpreendeu. As tropas particulares, espalhadas atrás de nossos cavalos, me deixaram passar pelo campo do mercado. Davam pena de ver. Placas de metal pendiam das peças de couro, suas espadas enferrujadas. Sentiam falta de casa. Há muito na estrada, não se acostumaram àquela vida.

"O garoto quer ser o primeiro na fogueira", disse um deles. Um bastardo magricelo, com um furúnculo em cada bochecha. Ele riu com a própria piada.

"Herdeiro nobre!", gritei. "Bandeira de trégua." Eu não esperava chegar tão longe empunhando minha espada.

Senti o fedor vindo da coluna e pude ouvir seus lamentos. Os prisioneiros viraram seus olhos vazados para mim.

Dois dos cavaleiros de Renar me interceptaram. "Onde você roubou essa armadura, garoto?"

"Vai se foder", eu disse. Mantive a educação. "Quem vocês deixaram no comando do espetáculo? Marclos?"

Eles trocaram olhares. Um cavaleiro errante provavelmente não reconheceria um dos filhos da Casa Renar.

"Não é sensato matar um prisioneiro nobre sem ordens prévias", falei. "Melhor deixar o condezinho decidir."

Ambos os cavaleiros desmontaram. Homens altos, pareciam veteranos. Tomaram minha espada. O mais velho, de barba escura e uma cicatriz branca sob os dois olhos, encontrou minha faca. O golpe havia decepado parte do seu nariz também.

"Você é todo esculhambado, não é?", perguntei.

Ele também encontrou a faca escondida na minha bota.

Eu não tinha um plano. A dor não deixava espaço livre na minha cabeça para um plano. Decidi ignorar a voz sem palavras que me guiara por tanto tempo. Ignorei pelo prazer de ser teimoso. E aqui estava eu, desarmado entre tantos adversários. Estúpido e sozinho.

Imaginei se meu irmão William podia me ver. Torci para que minha mãe não pudesse.

Imaginei se iria morrer. Se eles me queimariam ou me deixariam como um brinquedo mutilado para o padre Gomst levar de volta ao Castelo Alto.

"Todo mundo tem dúvidas", eu disse enquanto Navalhada terminava de me revistar. "Até mesmo Jesus teve as suas, e eu não sou Ele."

O homem me olhou como se eu fosse louco. Talvez fosse, mas eu havia encontrado minha paz. A dor me deixara e vi as coisas com clareza mais uma vez.

Eles me levaram até Marclos, montado num garanhão monstruoso, de um metro e meio ou mais. Marclos levantou sua viseira e mostrou seu rosto alegre, de bochechas gorduchas, deveras simpático. Aparências, é claro, enganam.

"Quem diabos é você?", ele perguntou.

Sua armadura era muito bonita, com um desenho em prata, gravado com ácido, lustrado para brilhar mesmo nos ambientes mais sombrios.

"Eu perguntei quem diabos é você." Suas bochechas ganharam um pouco de cor. Já não estava tão simpático. "Você vai cantar dentro do fogo, garoto, então é melhor falar agora."

Inclinei meu corpo, como se quisesse ouvi-lo melhor. Os guarda-costas tentaram me alcançar, mas eu fiz o velho jogo de corpo. Mesmo trajando minha armadura, eles eram lentos demais para mim. Usei o pé de Marclos, apoiado no estribo, como um degrau, e em dois tempos estávamos cara a cara. Ele tinha um belo punhal numa bainha estrategicamente posicionada na sela, então agarrei o punhal e o enfiei no seu olho. Saímos dali galopando através do campo do mercado. A primeira coisa que se aprende na estrada é como roubar um cavalo.

Saltamos um bocado, ele uivando e sacudindo atrás de mim. Um par de soldados tentou barrar nosso caminho, mas eu os atropelei. Não iriam se levantar de novo, aquele garanhão era terrivelmente enorme. Os arqueiros devem ter atirado uma flecha ou três, mas não conseguiram se orientar daquela distância e seguimos em direção à vila.

Ouvi a guarda trovejando atrás de nós. Soava como se eles houvessem derrubado alguns homens. Aproximaram-se, mas nós os pegamos de surpresa, eu e Marclos, e começamos a atacar. Quando alcançamos os limites de Norwood eles já não eram tantos.

No primeiro prédio, eu contornei bruscamente e Marclos reagiu caindo de bruços. Mais um que não se levantaria de novo. Foi bom, não vou mentir. Imaginei o conde recebendo as notícias na hora do desjejum. Como ele reagiria? Terminaria de comer seus ovos?

"Homens de Renar!", gritei alto a ponto de ferir meus pulmões. "Esta vila está sob a proteção do Príncipe de Ancrath. Ela não será rendida."

Virei a montaria novamente e cavalguei. Umas poucas flechas zuniram atrás de mim. Ao chegar nos degraus, desci do cavalo.

"Você voltou..." O padre Gomst parecia confuso.

"Voltei", eu disse. E virei meu rosto para Elban. "Sem brigas agora, hein, irmão?"

"Você é louco." As palavras escaparam num sussurro. Por algum motivo, ele não sibilava ao sussurrar.

Os cavaleiros, guardas pessoais de Marclos, comandaram o ataque. Agora que tinham cinquenta soldados ao redor pareciam corajosos. Do alto da cordilheira, as duas dúzias de homens da tropa seguiram a deixa e puseram-se a correr ladeira abaixo. Os arqueiros começaram a emergir dos arbustos à procura de uma mira mais perfeita.

"Esses bastardos vão queimá-los vivos se vocês forem por aí", eu disse aos cinco irmãos que estavam comigo. Então me calei e os olhei, um a um, nos olhos. "Mas eles não querem morrer. Tampouco querem voltar ao conde. Você levaria ao velho incendiário Renar o seu filho morto, amenizando a situação dizendo 'sim, sim, mas nós matamos os carniceiros... aquele garoto... e um velho desdentado...?'"

"Escutem o que eu digo. Lutem com esses soldados humilhados e deem a eles uma prova do inferno. Lutem como demônios e esses malditos vão desistir e correr." Calei-me e capturei o olhar do irmão Roddat, escorregadio como só, e que fugiria com ou sem motivo. "Você fica comigo, irmão Roddat."

Olhei para os arbustos, sobre as cabeças dos homens que oscilavam pelo campo do mercado, e vi um arqueiro cair entre as árvores. Então outro. Um ser de armadura emergiu do mato. Os arqueiros em frente a ele ainda observavam seu avanço. Ele arrancou a cabeça do primeiro com um corte preciso. *Obrigado, Makin*, eu pensei. Burlow, o Gordo, chegou numa carreira, rolando sua massa disforme sobre os arqueiros.

As tropas lá do topo passaram pela posição de Rike e seus rapazes arrancavam-lhes as tripas pelas costas. Não era o método preferido do Pequeno Rikey, mas a pilhagem sempre surtia um efeito sinistro nele.

ChuuUm! O nubano descarregou as flechas de sua balestra. Ele não conseguiria errar com tantos alvos, mas não seria justo dizer que era fácil escolher uma vítima com aquela arma. De qualquer maneira, duas flechas acertaram o peito do líder dos cavaleiros, içando-o para fora de sua sela. Kent e os outros dois surgiram por trás dos muros da casa do burgomestre. Eles hesitaram quando perceberam o que estava por vir, mas, se no seu estoque faltavam opções, flechas eles tinham de sobra.

As tropas de Renar caíram em cheio nos fossos de nossas armadilhas. Juro que ouvi um tornozelo estalar. Depois foram só berros, enquanto os homens despencavam uns sobre os outros. Kent, Mentiroso e Algazarra aproveitaram a oportunidade para mandar uma dúzia de flechas a mais na aglomeração principal. O nubano carregou sua monstruosidade novamente e, dessa vez, quase arrancou a cabeça de um cavalo. O cavaleiro foi catapultado e o animal caiu sobre ele, esparramando miolos sobre o chão.

Alguns daqueles soldados já não gostavam mais tanto assim da estrada e tentaram achar um caminho pelas ruínas. É claro que encontraram mais do que um caminho – encontraram os irmãos que ali esperavam.

Os arqueiros foram os primeiros a desistir. Não há muito o que um homem sob uma túnica acolchoada portando uma faca no quadril possa fazer contra um espadachim decente, revestido de armadura de metal. E até mesmo Burlow era mais do que decente.

Três dos cavaleiros nos alcançaram. Não ficamos esperando na rua por eles. Nós nos jogamos de volta ao esqueleto do que costumava ser a Ferraria Decker. Chegaram devagar, esmagando as cinzas sob os cascos dos cavalos. De um vão sobre os fornos, Elban saltou sobre o primeiro deles. Derrubou o cavaleiro com gosto, acomodando seu pequeno e afiado punhal na vítima, sem parar. Lembram do que lhes disse? Elban sabia como morder.

Dois irmãos puxaram o segundo cavaleiro para baixo, fintando golpes a esmo até que ele abrisse a guarda. Ali não havia espaço para mover seu cavalo. Ele deveria ter fugido.

E com isso sobramos eu e Navalhada. Ele vinha com vontade e já havia desmontado antes de nos seguir. Aproximou-se de mim, calmo e tranquilo, a ponta de sua espada oscilando à sua frente. Não tinha pressa: não há razão para correria quando a melhor parcela de cinquenta homens está logo atrás de você.

"Trégua?", eu disse, para incitá-lo.

Ele não respondeu. Seus lábios se fecharam e ele deu um passo adiante, bem devagar. Foi quando o irmão Roddat surgiu por trás e atravessou-lhe a nuca com uma espada.

"Devia ter aproveitado a oportunidade, Navalhada", eu lhe disse.

Voltei para a rua a tempo de encontrar o grande filho de uma puta de um soldado de rosto vermelho que correra morro acima. Ele basicamente explodiu quando os dardos do nubano o acertaram. Então eles chegaram. O nubano tomou sua picareta e Kent, o Rubro, agarrou seu machado. Roddat abriu caminho com sua lança e encontrou um homem para perfurar.

Eles vieram em duas ondas. Havia a dúzia de homens que permanecia com o guarda-costas de Marclos e, logo atrás deles, mais uns vinte que andavam a passos lentos. Os demais estavam distribuídos ao longo da rua principal ou mortos pelas ruínas.

Passei correndo por Roddat e pelo homem que ele deformara. Passei por dois espadachins que não me desejavam com muito afinco, e assim venci a primeira onda. Eu podia ver aquele magricelo com os furúnculos nas bochechas logo ali, na segunda onda, o tal bastardo que fizera a piada sobre eu arder na fogueira.

Meu ataque à segunda onda, uivando pelo sangue do Senhor Furúnculo, foi a gota d'água para eles. E os homens da cordilheira? Nunca nos alcançaram. O Pequeno Rikey achou que eles carregavam pilhagens.

Calculo que mais da metade dos homens do conde fugiu. Mas eles não eram mais homens do conde. Não poderiam voltar para casa.

Makin subiu a colina, coberto de sangue. Ele parecia com Kent, o Rubro, no dia em que o encontramos! Burlow chegou com ele, mas parou para saquear os mortos e é claro que isto significava transformar os feridos em mortos.

"Por quê?", Makin queria saber. "Quero dizer, uma vitória soberba, meu príncipe... mas por que diabos nos arriscamos desta maneira?"

Empunhei minha espada. Os irmãos ao meu redor deram um passo para trás, mas, verdade seja dita, Makin não tirou o corpo fora. "Estão vendo esta lâmina? Não há sequer uma gota de sangue nela." E mostrei-lhes a espada antes de acená-la para a cordilheira. "E ali existem cinquenta homens que nunca mais lutarão pelo Conde Renar novamente. Agora eles trabalham para mim. Vão espalhar a história de um príncipe que matou o filho do conde. Um príncipe que não se rendeu. Um príncipe que nunca se rende. Um príncipe que não precisou manchar sua espada de sangue para derrotar uma centena de soldados com apenas trinta homens."

"Pense a respeito, Makin. Eu fiz Roddat lutar como um louco porque lhe disse que se eles pensarem que nós não vamos desistir eles desistirão. Agora eu tenho cinquenta inimigos que estão contando a quem quiser ouvir: 'O Príncipe de Ancrath não se rende'. É um cálculo simples. Se eles acharem que nós não desistiremos eles desistem."

Era a pura verdade. Não era o motivo, mas era verdade.

TRILOGIA DOS ESPINHOS

PRINCE OF THORNS

9

— QUATRO ANOS ATRÁS —

O bastão golpeou meu pulso num estalo ruidoso. Agarrei-o com minha outra mão. Tentei soltá-lo com uma torção, mas Lundist segurava com força. Ainda assim pude ver que ele estava surpreso.

"Quer dizer que estava realmente prestando atenção, Príncipe Jorg?"

Na verdade estava com a cabeça longe, em algum lugar sangrento, mas meu corpo mantém o hábito de ficar em vigília durante essas ocasiões.

"Talvez você possa resumir minha lição até agora", ele disse.

"Somos definidos por nossos inimigos. Isso é fato em relação aos homens e, por extensão, a seus países", respondi. Eu reconheci o livro que Lundist trouxera para a aula. Sermos moldados por nossos inimigos era sua tese central.

"Bom." Lundist puxou seu bastão e o apontou para o mapa. "Gelleth, Renar e os Pântanos de Ken. Ancrath é um produto de suas cercanias; esses são os lobos à sua porta."

"Só o que me importa são as Terras Altas de Renar", eu disse. "O resto que se dane." Balancei minha cadeira e a equilibrei nas duas pernas de trás. "Quando meu pai ordenar o Portão contra o Conde Renar irei junto. Eu o matarei, se me permitirem."

Lundist lançou um olhar aguçado sobre mim, tentando ver se eu falava com convicção. Há algo errado naqueles olhos tão azuis num homem velho, mas, errados ou não, eles podiam enxergar minha alma.

"Meninos de dez anos ficarão em melhor companhia com Euclides ou Platão. Quando visitarmos a guerra, Sun Tzu será nosso guia. Estratégia e táticas são fundamentais, elas são as ferramentas de príncipes e reis."

Eu estava convicto. Sentia uma fome dentro de mim, uma ânsia pela morte do conde. As rugas ao redor dos lábios de Lundist me disseram que ele sabia quão profunda era essa fome.

Olhei pela janela mais alta, onde a luz do sol dedilhava a sala de aula e transformava a poeira em partículas bailantes de ouro. "Eu o matarei", disse. E continuei, numa súbita necessidade de causar repulsa: "Quem sabe usando um atiçador, da mesma maneira como matei Polegar, aquele símio". Sentia rancor por haver matado um homem e não guardar nenhuma lembrança do acontecido, sem ter um vestígio sequer da raiva que me levou ao assassinato.

Eu esperava novas verdades da parte de Lundist. Que ele as explicasse para mim, que explicasse quem eu era. Independentemente das palavras, aquela era minha pergunta, da juventude para a velhice. Mas até mesmo os tutores têm seus limites.

Balancei de volta, para frente, apoiei minhas mãos sobre o mapa e olhei para Lundist mais uma vez. E vi piedade. Parte de mim queria aceitá-la, queria dizer a ele o quanto eu lutara contra aqueles espinhos, como eu havia testemunhado William morrer. Parte de mim almejava abandonar aquilo tudo, o fardo que eu carregava, a dor ácida da memória, a corrosão do ódio.

Lundist inclinou-se sobre a mesa. Seus cabelos caíram sobre seu rosto, longos ao estilo oriental, tão brancos que eram quase prateados.

"Somos definidos por nossos inimigos – mas também podemos escolhê-los. Seja um inimigo do ódio, Jorg. Faça assim e você poderá ser um grande homem e talvez até, o que é mais importante, um homem feliz."

Há algo frágil dentro de mim que se romperia antes de se curvar. Algo pontudo, que perfura todas as palavras suaves que um dia eu possuí. Não creio que o Conde de Renar tenha colocado essa arma dentro de mim no dia em que mataram minha mãe – ele tão somente desembainhou a lâmina. Parte de mim ansiava por uma rendição, desejava aceitar o presente que Lundist me oferecia.

Eu decepei esse pedaço de minha alma que, por bem ou por mal, morreu naquele dia.

"Quando o Portão marchará?" Não deixei escapar nada que desse a entender que ouvira suas palavras.

"A Guarda do Portão não marchará", disse Lundist. Seus ombros se curvaram em cansaço ou derrota.

Aquilo foi um soco no estômago, um golpe de surpresa ultrapassando minhas defesas. Saltei, tombando a cadeira. "Eles vão!" Como assim eles não vão?

Lundist se virou em direção à porta. Com o movimento, seu roupão produziu um ruído seco, quase como um suspiro. A descrença me alfinetou, minhas pernas não me pertenciam. Pude sentir o calor subindo em minhas bochechas. "Como assim não vão?", gritei às suas costas, enfurecido por me sentir como uma criança.

"Ancrath é definida por seus inimigos", ele disse, caminhando tranquilamente. "A Guarda do Portão deve proteger nossa terra e nenhum outro exército haverá de enfrentar o conde em seus domínios."

"A rainha foi morta." A garganta de minha mãe se abriu novamente e coloriu minha visão de vermelho. Os espinhos queimaram em minha pele mais uma vez. "Um príncipe do reino assassinado." Quebrado como um brinquedo.

"E há um preço que precisa ser pago." Lundist parou, uma mão na porta, inclinada como se procurasse apoio.

"O preço de sangue e ferro!"

"Direitos sobre o Rio Cathun, três mil ducados e cinco garanhões da Arábia." Lundist não me olhou nos olhos.

"O quê?"

"Comércio fluvial, ouro, cavalos." Aqueles olhos azuis me encontraram sobre seus ombros. A mão envelhecida segurou a argola da porta.

As palavras fizeram sentido uma de cada vez, não todas em conjunto.

"A guarda...", comecei.

"Não marchará." Lundist abriu a porta. O dia avançou, brilhante, quente, enfeitado com a risada distante de escudeiros se divertindo.

"Irei sozinho. Aquele homem morrerá, gritando, pelas minhas mãos." Uma fúria congelante rastejou sob minha pele.

Eu precisava de uma espada, um bom punhal pelo menos. Um cavalo, um mapa – surrupiei aquele que estava a minha frente, velho, mofado, as bordas enfeitadas com tintura indu. Eu precisava... de uma explicação.

"Como? Como suas mortes podem ser compradas?"

"Seu pai forjou a aliança com os reinos da Costa Equina através do casamento. A força dessa aliança ameaçava o Conde Renar. O conde agiu logo, antes que os elos se fortalecessem demais, na esperança de remover tanto a esposa quanto os herdeiros." Lundist deu um passo rumo à luz e seus cabelos ficaram dourados, com um halo ao redor. "Seu pai não tem a força para destruir Renar e manter os lobos do lado de fora das portas de Ancrath. Seu avô, na Costa Equina, jamais aceitará isso. A aliança, então, caiu por terra e Renar está a salvo. Agora Renar procura a trégua e ele deve voltar suas forças para outras fronteiras. Seu pai lhe vendeu essa trégua."

Por dentro eu caía, despencava, desmoronava. Caía num abismo sem fundo.

"Venha, príncipe." Lundist me ofereceu sua mão. "Vamos caminhar sob o sol. Hoje não é um dia para aulas teóricas."

Eu amassei o mapa e, em algum lugar dentro de mim, encontrei um sorriso, afiado, amargo, mas com uma frieza que servia bem a meus propósitos. "Claro, querido tutor. Vamos caminhar lá fora. Este não é um dia para ser desperdiçado – ah, não."

E fomos lá fora e todo o calor do dia não conseguiu derreter o gelo que havia dentro de mim.

A cutelaria é um trabalho sujo. Ainda assim, o irmão Grumlow nunca deixa rastros.

10

Tínhamos um prisioneiro. Um dos cavaleiros de Marclos provou não estar tão morto quanto se esperava. Uma péssima notícia para ele, no fim das contas. Makin fez com que Burlow e Rike trouxessem o homem a mim, nos degraus da casa do burgomestre.

"Disse que se chama Renton. 'Sir' Renton, se você não se importa", disse Makin.

Olhei o sujeito de cima a baixo. Um belo hematoma embrulhava sua testa e um abraço repentino com a terra-mãe deixou seu nariz um tanto mais achatado do que ele gostaria. Barba e bigode podem ter sido aparados cuidadosamente, mas viraram uma bagunça só, cobertos de sangue.

"Caiu de seu cavalo, não foi, Renton?", perguntei.

"Você apunhalou o filho do Conde Renar enquanto empunhava uma bandeira branca", ele disse. Sua voz soou um tanto cômica quando ele falou "empunhava" e "filho". Um nariz quebrado faz dessas com você.

"Apunhalei sim", eu disse. "Não consigo imaginar nenhuma situação em que eu não o apunhalasse." Capturei o olhar de Renton; ele tinha pequeninos olhos vesgos. Não deve ter sido grande coisa na corte. Na escadaria, coberto de lama e sangue, ele se parecia mais com as fezes de um rato. "Se eu fosse você estaria mais preocupado com meu próprio destino do que em saber se Marclos foi ou não apunhalado seguindo o que mandam as etiquetas sociais."

É claro que aquilo era uma mentira. Se estivesse no lugar dele eu estaria procurando uma oportunidade para enfiar uma faca em mim. Mas eu sei o suficiente para entender que a maioria dos homens não compartilha de minhas prioridades. Como diria Makin, algo dentro de mim se rompera, mas não estava tão quebrado a ponto de eu não me lembrar do que se tratava.

"Minha família é rica, eles pagarão meu resgate", disse Renton. Falou rapidamente, nervoso, como se finalmente entendesse a situação em que se encontrava.

Eu bocejei. "Não, eles não pagarão. Se eles fossem ricos você não estaria cavalgando em cota de malha como um dos soldados de Marclos." Bocejei novamente, escancarando minha boca até que meu maxilar estalasse. "Maical, traga-me um copo da cerveja do festival, por favor."

"Maical morreu", disse Rike, atrás de Sir Renton.

"Não!", eu disse. "Maical, o Idiota? Eu pensei que Deus o havia abençoado com a mesma sorte dos bêbados e dos loucos."

"Bem, ele está praticamente morto", disse Rike. "Um dos homens de Renar o presenteou com uma bela porção de ferro oxidado nas tripas. Nós o deixamos agonizando à sombra."

"Comovente", eu disse. "Agora traga minha cerveja."

Rike rosnou e esbofeteou Jobe para que ele se encarregasse da incumbência. Voltei a Sir Renton. Ele não parecia feliz, mas também não parecia tão triste quanto era de se esperar de um homem naquelas condições. Seus olhos seguiam procurando o padre Gomst. Aí está um homem com fé numa força superior, pensei.

"Então, Sir Renton", comecei. "O que trouxe o jovem Marclos aos protetorados de Ancrath? O que o conde acha que está fazendo por aqui?"

Alguns dos irmãos juntaram-se ao redor da escadaria para assistir ao show, mas a maioria ainda pilhava os mortos. Dinheiro é ótimo, portátil, mas os irmãos não se dariam por satisfeitos. Eu esperava ver o baú das cabeças amontoado de armas e armaduras quando partíssemos. Botas também; há três tiras de cobre num par de botas bem-feito.

Renton tossiu e limpou o nariz, espalhando coágulos negros pelo seu rosto. "Não conheço os planos do conde. Não faço parte do seu conselho particular." Levantou o olhar para o padre Gomst. "Deus é testemunha."

Eu me inclinei para bem perto dele, que fedia azedo, como queijo sob o sol. "Deus é testemunha, Renton. Ele assistirá à sua morte."

Deixei a frase no ar. Sorri para o velho Gomsty. "Você poderá velar pela alma desse cavaleiro, padre. Já os pecados da carne – deixe-os comigo."

Rike me entregou o copo de cerveja e tomei um gole. "O dia em que você se cansar da pilhagem, Pequeno Rikey, será o dia que você vai se cansar de viver", eu disse. Na escadaria, os irmãos soltaram risadas. "Por que você ainda está aqui quando poderia estar retalhando os mortos à procura de um fígado de ouro?"

"Quero ver você humilhar esse cara de ratazana", disse Rike.

"Então você ficará desapontado", eu disse. "Sir Cara de Ratazana vai me dizer tudo o que preciso saber e eu não vou sequer aumentar meu tom de voz. Quando acabar, irei entregá-lo ao novo burgomestre de Norwood. Os camponeses provavelmente o queimarão vivo e para ele isso será um alívio." Mantive o tom coloquial. Creio que as ameaças mais veladas são aquelas que alcançam os melhores resultados.

Nos pântanos, eu fiz um homem morto correr de pavor, com nada além daquilo que carrego dentro de mim. Ocorreu-me que aquilo que assustou o morto talvez conseguisse preocupar um pouco o vivo também.

Sir Renton não soou muito apavorado, no entanto. "Você apunhalou um homem bom hoje, garoto, e na sua frente há um homem melhor do que você. Você não passa de bosta no meu sapato." Eu havia ferido seu orgulho. Afinal, ele era um cavaleiro e eu não passava de um garoto imberbe caçoando dele. Além disso, a solução que eu lhe oferecia era ser queimado vivo. Ninguém considera essa opção um alívio.

"Quando eu tinha nove anos, o Conde de Renar tentou me matar", eu disse. Mantive a voz calma. Não foi difícil. Eu estava calmo. A raiva carrega menos terror, os homens entendem a raiva. Ela promete resoluções; talvez resoluções sangrentas, mas imediatas. "O conde falhou, mas eu vi minha mãe e meu irmão caçula serem mortos."

"Todos morrem", Renton disse. Ele cuspiu um troço de sangue nos degraus. "Por que com você seria diferente?"

Era um bom argumento. O que fazia com que minha perda e minha dor fossem mais importantes do que as de qualquer outra pessoa?

"Boa pergunta", eu disse. "Uma pergunta boa pra caralho."

E era mesmo. Não haveria mais do que um punhado entre os prisioneiros da comitiva de Marclos que não viram seus filhos, maridos, mães ou amantes serem assassinados. E assassinados na semana passada. Esse era o meu alívio – comparar a compaixão desses camponeses às dores sentidas por um jovem há quatro anos.

"Pode me considerar um orador", eu disse. "Quando o palco nos chama para atuar, alguns homens são mais eloquentes do que outros. Alguns homens nascem com um talento natural para o arco e flecha." Acenei para o nubano. "Alguns homens conseguem acertar na mosca a centenas de metros. Eles não miram melhor porque assim desejam, não são mais certeiros porque defendem o que é justo. Eles apenas atiram com mais precisão. Agora, quanto a mim... eu apenas me vingo melhor do que a maioria. Você pode considerar um dom."

Renton gargalhou e cuspiu novamente. Dessa vez eu vi parte de um dente misturado ao sangue. "Você acha que é pior do que o fogo, garoto? Eu vi homens queimarem. Muitos homens."

Ele tinha um ponto. "Você tem ótimos argumentos, Sir Renton", eu disse.

Eu olhei as ruínas ao redor. Paredes derrubadas e esqueletos de madeira escurecida a escorar telhados que serviram de abrigo por anos e anos. "Não vai ser fácil reconstruir isto aqui", eu disse. "Muitos martelos e muitos pregos." Tomei um gole da cerveja. "É no mínimo curioso – pregos suportam edificações, mas não há nada melhor para destroçar um homem." Eu capturei os olhos de ratazana de Sir Renton, duas contas escuras. "Não sinto prazer em torturar pessoas, Sir Renton, mas sou muito bom torturando. Não um campeão, se você entende o que quero dizer. Covardes são os melhores torturadores. Covardes entendem o medo e sabem como usá-lo. Já os heróis são péssimos torturadores. Não enxergam o que motiva um homem comum. Eles interpretam tudo errado. Não conseguem pensar em nada pior do que denegrir a sua honra. Um covarde, por outro lado, vai amarrá-lo a uma cadeira e acender um fogo lento debaixo de você. Não sou um herói nem um covarde, mas eu trabalho com o que tenho."

Renton teve o bom-senso de ficar pálido ao ouvir minhas palavras. Ele ergueu sua mão enlameada para o padre Gomst. "Padre, eu não fiz nada além de servir ao meu mestre."

"Padre Gomst rezará por sua alma", eu disse. "E perdoe-me os pecados a que eu estarei exposto ao separá-la de seu corpo."

Makin arqueou seus lábios grossos. "Príncipe, há pouco você falou sobre como interromperia o ciclo de vingança. Você poderia começar aqui. Você pode deixar Sir Renton partir."

Rike olhou para Makin como se ele houvesse enlouquecido. Burlow, o Gordo, prendeu o riso.

"Eu falei sobre isso, Makin", eu disse. "Eu quebrarei o ciclo." Desembainhei minha espada e a deitei sobre meus joelhos. "Você sabe como quebrar o ciclo do ódio?", perguntei.

"Com amor", sussurrou Gomst.

"O jeito de quebrar o ciclo é matar cada um dos filhos das putas que foderam com você", eu disse. "Até não restar nenhum. Matar todos eles. Matar suas mães, matar seus irmãos, matar suas crianças, matar seus cães." Corri meu polegar pela lâmina da espada e observei o sangue carmesim surgir do ferimento. "As pessoas pensam que eu odeio o conde, mas na verdade sou um grande divulgador dos seus métodos. Ele só comete duas falhas. A primeira é: ele vai longe, mas não longe o suficiente. A segunda: ele não sou eu. De qualquer maneira, ele me ensinou lições muito valiosas. E quando nos encontrarmos eu lhe agradecerei com uma morte rápida."

O velho Gomsty começou o sermão. "O Conde Renar agiu errado, Príncipe Jorg. Perdoe-o, mas não o agradeça. Ele queimará no inferno pelo que fez. Sua alma imortal sofrerá por toda a eternidade."

Tive que rir em voz alta. "Clérigos, hein? Numa hora é o amor, depois o perdão, e então que venham as chamas eternas. Pode descansar em paz, Sir Renton, não tenho interesses na sua alma imortal. O que quer que aconteça entre nós terminará em um ou dois dias. Três, no máximo. Não sou o mais paciente dos homens, então terminarei assim que você me disser o que eu quero saber, caso contrário me enfadonho."

Levantei-me do degrau e fui me agachar próximo a Sir Renton. Afaguei sua cabeça. Eles amarraram suas mãos para trás e eu vesti minhas luvas da armadura. Se ele tivesse a intenção de me morder não adiantaria nada.

"Eu jurei ao Conde Renar", ele disse. Tentou se afastar e ergueu seu pescoço para olhar o velho Gomsty. "Diga-lhe, padre, eu jurei perante Deus. Se quebrar meu voto arderei no inferno."

Gomst se aproximou e pôs a mão sobre o ombro de Renton. "Príncipe Jorg, este cavaleiro fez um voto sagrado. Há poucos juramentos mais sagrados do que o de um cavaleiro para seu lorde soberano. Você não deve pedir que ele quebre o juramento. Nem devem as ameaças carnais compelirem um homem a trair um pacto e para sempre condenar sua alma às chamas do Diabo."

"Aqui vai um teste de fé para você, Sir Renton", eu disse. "Vou lhe contar uma história e veremos se me dirá os planos do conde depois que eu acabar." Sentei no degrau atrás dele e virei minha cerveja. "Quando fugi de casa, eu tinha o quê...? Dez anos de idade. Havia muita raiva dentro de mim e uma necessidade de saber como o mundo funcionava. Veja bem, eu assistira aos homens do conde assassinarem meu irmão, William, e abrirem minha mãe com uma espada. Então soube que as coisas não aconteciam do jeito que eu imaginava. E, é claro, eu me senti mal-humorado – não foi, Rikey?"

Rike riu daquele seu jeito: "*hur, hur, hur*". Penso que ele fazia o som quando achava que nós esperávamos ouvir uma gargalhada. Não havia nenhuma alegria naquele riso.

"Então resolvi experimentar a tortura. Tinha dúvidas se eu conseguiria ser perverso. Pensei que talvez recebesse uma mensagem divina para me apoderar do trabalho do Diabo."

Ouvi Gomst murmurando preces ou danações. Era verdade. Por muito tempo eu procurei uma mensagem para tentar entender as coisas que estava fazendo.

Pus minha mão sobre o ombro de Renton. Ele estava sentado com minha mão sobre o ombro esquerdo e a mão de Gomst sobre o direito. Poderíamos ser o Diabo e o anjo desses velhos pergaminhos sussurrando em seus ouvidos.

"Nós capturamos o bispo Murillo, perto do morro Jedmire", eu disse. "Estou certo de que você ouviu sobre o infortúnio de sua missão. De qualquer maneira, os irmãos me entregaram o bispo. Eu era como uma mascote para eles na época."

O nubano se levantou e saiu em direção à colina. Eu o deixei ir. O nubano não tinha estômago para esse tipo de coisa. Isso fazia eu me sentir – não sei – sujo? Gostava do nubano, ainda que não deixasse transparecer.

"O bispo Murillo era todo cheio de palavras e juízos severos. Ele tinha muito o que me falar sobre o fogo do inferno e sobre danação. Nós sentamos e discutimos sobre esse lance de almas. Então eu martelei um prego no seu crânio. Bem aqui." Estendi-me e toquei o local na cabeça oleosa de Renton. Ele recuou como se uma abelha o ferroasse. "O bispo mudou um pouco de tom depois disso. Para falar a verdade, toda vez que eu martelava um novo prego ele mudava de tom. Depois de um tempinho ele se tornou um homem completamente diferente. Sabia que dá para partir um homem em pedaços desse jeito? Um prego vai resgatar memórias da infância. Outro vai trazer ira, ou soluços, ou risos. No fim das contas, é como se fôssemos apenas brinquedos, fáceis de quebrar e difíceis de consertar."

"Ouvi que as freiras de São Alstis ainda tomam conta do bispo Murillo. Ele é uma pessoa bem diferente hoje em dia. Ele agarra os hábitos delas e balbucia coisas horríveis, é o que dizem. Onde foi parar a alma daquele homem orgulhoso e piedoso que nós capturamos da caravana papal? Bem, eu não saberia dizer."

Depois dessa, eu fiz surgir, "num passe de mágica", um prego entre meus dedos. Um cravo enferrujado, de oito centímetros. O homem molhou as calças. Ali mesmo, nos degraus. Burlow praguejou e lhe deu um chute violento. Assim que recuperou o fôlego, Renton me contou tudo o que sabia. Levou quase uma hora. Aí nós o entregamos aos camponeses e eles o queimaram.

Assisti aos bons homens de Norwood dançarem ao redor do fogo. Assisti às chamas lambendo sobre suas cabeças. Há um padrão no fogo, como se houvesse algo escrito nele, e existem alguns que afirmam ser capazes de ler as chamas. Eu não sou. Mas seria ótimo encontrar respostas. Eu tinha perguntas: foi minha sede pelo sangue do conde que me levou à estrada. Mas, de um jeito ou de outro, acabei desistindo. De um jeito ou de outro, deixei a vingança de lado e disse a mim mesmo que ela era um sacrifício desnecessário.

Tomei mais um gole de cerveja. Quatro anos na estrada. Estava sempre indo a algum lugar, sempre fazendo alguma coisa, mas agora, com meus pés apontados em direção ao lar, eu me senti como se estivesse perdido o tempo todo. Perdido ou guiado.

Tentei me lembrar de quando desisti do conde e do porquê. Nada me veio à mente, apenas imagens de minha mão numa porta e a sensação de despencar.

"Eu vou para casa", disse.

A dor incessante entre meus olhos se tornou um prego enferrujado, cravado bem fundo. Terminei minha cerveja, mas não surtiu efeito. Eu sentia uma sede muito mais antiga.

II

— QUATRO ANOS ATRÁS —

Segui Lundist rumo ao dia.

"Espere." Ele bloqueou meu tórax com seu bastão. "Não compensa andarmos às cegas. Especialmente aqui, no seu próprio castelo, onde a familiaridade esconde tanto – até mesmo quando temos olhos para enxergar."

Paramos por um momento na escada, nossas pálpebras se acostumaram à claridade do sol, deixamos o calor nos encharcar. Deixar a escuridão da sala de aula não foi uma grande surpresa. Por quatro dias, a cada sete, meus estudos me mantinham ao lado de Lundist, às vezes na sala de aula, no observatório ou na biblioteca, mas quase sempre as horas passavam como uma caça ao tesouro. Quer fossem os mecanismos de uma catapulta guardada no Salão Arnheim ou o mistério da luz dos Construtores que brilhava sem chamas no saleiro, cada parte do Castelo Alto continha uma lição que Lundist poderia desenterrar.

"Escute", ele disse.

Conhecia esse jogo. Lundist defendia que um homem observador é um homem de destaque. Tal homem pode ver oportunidades enquanto os outros apenas enxergam obstáculos na superfície de cada situação.

"Escuto madeira batendo na madeira. Espadas de treinamento. Os escudeiros brincando", eu disse.

"Alguns não considerariam uma brincadeira. Mais além! Algo mais?"

"Escuto canto de pássaros. Cotovias." Lá estava ele, um fiapo prateado de som, escondido, tão doce e suave que não percebi a princípio.

"Mais além."

Fechei os olhos. O que mais? O verde lutava contra o vermelho dentro de minha cabeça. O estalido das espadas, os grunhidos, respirações ofegantes, a briga abafada entre o sapato e a pedra, a canção das cotovias. O que mais?

"Um farfalhar." No limiar de minha audição – eu estava provavelmente imaginando coisas.

"Bom", disse Lundist. "Do que se trata?"

"Não são asas. É mais profundo do que isso. Algo no vento", eu disse.

"Não venta no pátio", disse Lundist.

"Mais alto então." Eu saquei. "Uma bandeira!"

"Que bandeira? Não olhe. Apenas me diga." Lundist pressionou o bastão com mais força.

"Não é a bandeira do festival. Não é a bandeira do rei. Ela tremula no muro norte. Não é o brasão, não estamos em guerra." Não, não era o brasão. Qualquer curiosidade que havia em mim morreu ao me lembrar da compra feita pelo Conde Renar. Algo me veio à cabeça: se eles tivessem me assassinado também, o preço pelo perdão teria sido mais alto? Quem sabe um cavalo a mais?

"Então?", perguntou Lundist.

"A bandeira de execução, preto sobre escarlate", eu disse.

Sempre foi assim comigo. As respostas surgem quando paro de pensar e começo a falar. O melhor plano que consigo bolar é aquele que aparece quando entro em ação.

"Bom."

Abri meus olhos. A luz já não me incomodava mais. Bem acima do pátio, a bandeira de execução fluía sob a brisa ocidental.

"Seu pai ordenou que os calabouços fossem limpos", disse Lundist. "Uma multidão considerável estará presente no dia de São Crispim."

Eu sabia que aquilo era um eufemismo. "Enforcamentos, decapitações, empalações, meu Deus!"

Fiquei pensando se Lundist tentaria me proteger desses procedimentos. Senti o canto da minha boca repuxar, convencido de que ele jamais imaginara que eu tivesse visto tais horrores. Durante as execuções em massa do ano anterior, minha mãe nos fez visitar Lorde Nassar nas suas terras em Elm. William e eu tivemos o forte de Elm quase que inteiro à nossa disposição. Depois eu soube que quase toda a Ancrath convergiu para o Castelo Alto a fim de assistir aos jogos.

"Horror e entretenimento são armas do Estado, Jorg." Lundist manteve seu tom neutro, seu rosto inescrutável, salvo por uma compressão nos lábios, sugerindo que as palavras eram de mau gosto. "Execução combina ambos os elementos." Ele olhou a bandeira fixamente. "Antes de viajar e ser escravizado pelo povo de sua mãe, eu morava em Ling. No Extremo Oriente, a dor é uma forma de arte. Os soberanos, e consequentemente os seus territórios, são conhecidos pelas torturas extravagantes que aplicam. Para eles é uma competição."

Nós assistimos ao duelo dos escudeiros. Um cavaleiro alto dava instruções, algumas vezes usando seu punho.

Por alguns minutos eu não disse nada. Imaginei o Conde Renar à mercê de um mestre torturador das terras de Ling

Não – eu queria seu sangue e sua morte. Eu queria que ele morresse sabendo por que morria, sabendo quem empunhava a espada. Mas e sua dor? Deixe-o arder no inferno.

"Lembre-me de não ir a Ling, tutor", eu disse.

Lundist sorriu e caminhou através do pátio. "Não está nos mapas de seu pai."

Nós passamos perto do ringue do duelo e eu reconheci o cavaleiro por sua armadura, um deslumbrante conjunto de metal com arabescos de prata incrustada em ácido por todo o peitoral.

"Sir Makin de Trent", eu disse. Virei-me para encará-lo. Lundist deu alguns passos antes de perceber que eu me afastara do seu lado.

"Príncipe Honório." Sir Makin prestou uma curta reverência. "Mantenha a guarda levantada, Cheeves!", ladrou a instrução para o mais velho dos garotos.

"Pode me chamar de Jorg", eu disse. "Soube que meu pai o fez capitão da guarda."

"Ele encontrou falhas em meu antecessor", disse Sir Makin. "Espero realizar minhas obrigações atendendo às expectativas do rei."

Eu não via Sir Grehem desde o ataque a nossa carruagem. Suspeitei que o incidente acabou custando ao antigo capitão da guarda ainda mais do que custou ao Conde Renar.

"Vamos torcer para que sim", eu disse.

Makin passou a mão por seus cabelos, escuros e molhados de suor pelo calor do dia. Ele tinha um rosto levemente carnudo, expressivo, mas você nunca o confundiria com alguém sem vigor.

"Não quer se juntar a nós, Príncipe Jorg? Uma boa esquiva de direita há de servir melhor em tempos turbulentos do que quaisquer livros que possa ler." Ele abriu um sorriso. "Se suas feridas já estiverem curadas o bastante, é claro."

Lundist pôs a mão sobre meu ombro. "O príncipe ainda se recupera de seus ferimentos." Ele cravou aqueles olhos demasiadamente azuis sobre Sir Makin. "Você deveria considerar a leitura da tese de

Proximus sobre a segurança da realeza. Isto é, se deseja evitar ter o mesmo destino de Sir Grehem. Está na biblioteca." Lundist começou a conduzir-me para fora dali. Eu resisti, com base apenas num princípio.

"Eu acredito que o príncipe sabe o que se passa em sua própria cabeça, tutor." Sir Makin iluminou Lundist com um sorriso largo. "Proximus pode me poupar dos seus conselhos. Um cavaleiro confia no seu próprio discernimento e no peso de sua espada."

Sir Makin pegou uma espada de madeira do carrinho à sua esquerda e me ofereceu a empunhadura. "Vamos lá, meu príncipe. Vamos ver do que é capaz. Se importaria de treinar com o jovem Stod?" Ele apontou ao menor dos escudeiros, um rapaz fracote que deveria, talvez, ter um ano a mais do que eu.

"Ele." Apontei para o maior deles, um grandalhão desajeitado de quinze anos ostentando uma juba ruiva. Eu peguei a espada.

Sir Makin ergueu uma sobrancelha e escancarou ainda mais o sorriso. "Robart? É isso o que quer, enfrentar Robart?"

Ele deu um passo em direção ao garoto e deu um tapa em sua nuca. "Este aqui é Robart Hool, o terceiro filho da Casa Arn. De todos os alunos desse lote infeliz ele é o único com chances de se destacar algum dia. Ele leva jeito com a espada, não é mestre Hool?" Sir Makin balançou a cabeça. "Melhor lutar com Stod."

"Melhor não lutar com nenhum deles, Príncipe Jorg." Lundist escondeu sua irritação o melhor que pôde. "É uma tolice. Você ainda não está recuperado." Com seu olhar, Lundist fulminou o sorridente capitão da guarda. "O Rei Olidan não será cordial com os que forem relapsos com seu único herdeiro."

Sir Makin franziu as sobrancelhas, mas eu pude ver que a situação fora longe demais para que ele deixasse seu orgulho de lado e aceitasse ordens. "Pegue leve com o garoto, Robart. Bem leve."

"Se esse ruivo mongoloide não lutar de verdade vou me encarregar de que ele jamais se torne cavaleiro. No máximo poderá limpar o estrume dos cavalos após as justas", eu disse.

Avancei em direção ao escudeiro e ergui a cabeça para poder enxergar seu rosto. Sir Makin se meteu entre nós, com uma espada de treinamento em sua mão esquerda. "Primeiro, um breve teste, meu príncipe. Quero ter certeza de que conhece bem os fundamentos, o suficiente para não se ferir."

Sua espada estalou contra a minha e deslizou para fora, apontada contra meu rosto. Eu a golpeei para longe e executei um meio a fundo. O cavaleiro subjugou facilmente o meu avanço; tentei avançar contra sua guarda, mas ele golpeou minhas pernas e eu mal consegui contê-lo.

"Nada mal. Nada mal." Ele inclinou a cabeça. "Você foi instruído decentemente." Ele contraiu os lábios. "Quantos anos você tem, doze?"

"Dez." Eu o vi devolver sua espada de madeira ao carrinho. Ele era destro.

"Está bem." Sir Makin posicionou os escudeiros num círculo ao nosso redor. "Vamos ao duelo. Robart, não dê moleza ao príncipe. Ele é bom o suficiente para perder sem sofrer grandes danos, além de ferir seu orgulho."

Robart cresceu para cima de mim, cheio de sardas e de confiança. Eu me concentrei. Senti o sol em minha pele, o arenito entre a sola de meus sapatos e as pedras do pavimento.

Sir Makin ergueu a mão. "Esperem."

Ouvi as vozes prateadas das cotovias, invisíveis sob o manto azul que nos encobria. Ouvi o tremular da bandeira de execução.

"Lutem!" A mão abaixara.

Robart veio ligeiro, golpeando por baixo. Deixei minha espada cair no chão. A pancada acertou meu lado direito, logo abaixo das costelas. Estaria cortado em dois... se a lâmina não fosse de madeira. Mas ela era. Eu o acertei na garganta, com a borda da mão, um golpe oriental que Lundist me ensinara. Robart foi ao chão como se uma parede cedesse sobre ele.

Eu o vi estremecer. Por um instante vi Polegar, de quatro, na Sala de Cura, o fogo à nossa volta e o sangue jorrando de sua nuca. Senti o veneno em minhas veias, os espinhos em minha pele, a necessidade básica de matar – a emoção mais pura que jamais senti.

"Não." A mão de Lundist segurou meu pulso, interrompendo meu movimento em direção ao garoto. "Basta."

Nunca basta. As palavras em minha cabeça, ditas por uma voz que não era a minha, uma voz que me acompanhou no espinheiro e durante minha febre.

Por algum tempo, nós observamos o rapaz caído no chão, engasgando e ficando roxo.

As estranhezas me abandonaram. Peguei minha espada e a devolvi a Sir Makin.

"Na verdade, Proximus é seu, capitão, e não de Lundist", eu disse. "Proximus era um sábio borthanense do século VII. Seu ancestral. Talvez você devesse ler o trabalho dele, afinal de contas. Eu odiaria que entre mim e meus inimigos só houvesse Robart e sua opinião.

"Mas..." Sir Makin mordeu seus lábios. Parecia que lhe faltavam argumentos além desse "mas".

"Ele trapaceou." O jovem Stod achou as palavras que os outros procuravam.

Lundist já começara a andar. Eu me virei para acompanhá-lo e então olhei para trás.

"Isso não é um jogo, Sir Makin. Você ensina esses garotos a jogar limpo e eles sempre irão perder. Não é um jogo."

E quando erramos, não podemos comprar um passe livre. Nada de cavalos, nada de ouro.

Nós chegamos ao Portão Vermelho, no extremo oposto ao pátio.

"O garoto poderia estar morto", disse Lundist.

"Eu sei", respondi. "Leve me para ver os prisioneiros que o meu pai mandou matar."

12

— QUATRO ANOS ATRÁS —

Há mais do Castelo Alto sob a terra do que acima dela. Deveria se chamar Castelo Profundo, na verdade. Levamos um tempo até chegarmos às masmorras. Ouvimos os grunhidos de um andar acima, através das paredes de pedra-dos-construtores.

"Esta visita há de ser uma má ideia", disse Lundist, estacando ante uma porta de ferro.

"É minha ideia, tutor", eu lhe disse. "Achei que quisesse que eu aprendesse com os meus erros."

Outro grito chegou até nós, gutural, com um timbre rouco, um som animalesco.

"Seu pai não aprovaria esta visita", disse Lundist. Ele cerrou os lábios numa linha fina, trêmula.

"Esta é a primeira vez que evoca a sabedoria de meu pai para solucionar um problema. Que vergonha, tutor Lundist." Nada me interromperia naquele momento.

"Existem coisas que uma criança..."

"Tarde demais, esse cavalo já disparou. O estábulo pegou fogo." Eu abri caminho e golpeei a porta com o punho de minha adaga. "Abram."

Um chacoalhar de chaves e a porta deslizou para dentro, sobre dobradiças lubrificadas. A onda de fedor que saiu de lá por pouco não me asfixia. Um velho verruguento, em trajes de carcereiro, pôs o rosto para fora e abriu a boca para falar.

"Calado", eu disse, pressionando sua língua com a extremidade cortante de minha adaga.

Entrei, seguido de perto por Lundist.

"Você sempre me disse para olhar antes e tecer meus próprios julgamentos, Lundist", eu disse. Eu o respeitava por isso. "Agora não é hora para melindres."

"Jorg..." Ele estava arrasado, eu ouvia em sua voz, arruinado por emoções que eu não compreendia e por uma lógica que eu conseguia entender. "Príncipe..."

O grito surgiu novamente, muito mais alto dessa vez. Já tinha ouvido aquele som antes. Ele havia me empurrado, tentando me deter. A primeira vez que ouvi aquele tipo de dor, a dor de minha mãe, algo me deteve. Poderia lhe afirmar que foi a roseira-brava que me deteve. Posso lhe mostrar as cicatrizes. Mas à noite, antes dos sonhos chegarem, uma voz sussurra que foi o medo que me deteve, que o horror me manteve nos espinhos, a salvo, enquanto os via morrer.

Mais um grito, ainda mais terrível e mais desesperado que o de todos os outros. Eu senti os espinhos em minha pele.

"Jorg!"

Eu tirei as mãos de Lundist de cima de mim e corri em direção ao som.

Não precisei correr muito. Logo parei na entrada de uma sala larga, iluminada por tochas, com celas ocupando três paredes. No centro, dois homens estavam em lados opostos de uma mesa à qual um terceiro homem se encontrava acorrentado. O maior dos dois carcereiros segurava um atiçador de ferro e mantinha uma de suas extremidades numa cesta abarrotada de carvão em brasa.

Nenhum dos três notou minha chegada, assim como nenhum dos rostos pressionados contra as janelas gradeadas nas portas das celas se virou em minha direção. Eu entrei. Ouvi Lundist se aproximar da entrada e parar para observar aquela cena, assim como eu havia feito.

Eu me aproximei e o carcereiro que não segurava o atiçador olhou para mim. Pulou como se recebesse uma ferroada. "Que porra é..." – ele sacudiu a cabeça, sem conseguir terminar a frase, tentando acreditar no que via. "Quem? Quer dizer..."

Eu imaginava que torturadores seriam homens terríveis com rostos cruéis, de lábios finos, nariz adunco e olhos demoníacos, sem alma. Foi um choque descobrir que eram, na verdade, tão ordinários. O menor deles tinha um quê de simples, de um jeito quase amigável. Suave, eu diria.

"Quem é você?" Este tinha uma aparência mais abrutalhada, mas eu conseguia imaginá-lo bebendo, gargalhando ou ensinando seu filho a jogar bola.

Eu não estava com minhas vestes da corte. Trajava apenas uma simples túnica para usar na sala de aula. Não havia motivo para que os carcereiros me reconhecessem. Eles deveriam entrar nas masmorras pelo Portão dos Vilões e provavelmente nunca caminharam pelo castelo lá acima.

"Sou Jorg", eu disse, com a pronúncia de um servente. "Meu tio pagou ao cara-de-verruga do portão para que ele me deixasse ver os prisioneiros." Eu apontei para Lundist. "Iremos às execuções amanhã. Eu queria ver os criminosos de perto."

Não estava olhando para os carcereiros. O homem sobre a mesa atraiu minha visão. Só havia visto um homem de pele escura antes – o escravo de um nobre sulista que visitou a corte de meu pai. Mas aquele homem era pardo. O sujeito sobre a mesa tinha a pele mais negra do que nanquim. Ele virou a cabeça em minha direção, devagar, como se ela pesasse feito chumbo. O branco dos seus olhos parecia brilhar em meio àquela negrura toda.

"Cara-de-verruga? Rá, essa é boa." O maior dos carcereiros relaxou e tomou seu atiçador de ferro novamente. "Se tiver uns dois ducados aí para mim e para o meu amigo Grebbin eu não vejo problema em você ficar aqui pra ver este sujeito berrar."

"Berrec, isso aí não está certo." Grebbin franziu sua testa enorme. "Ele é só uma criança, você sabe."

Berrec retirou o atiçador do carvão e o apontou para Grebbin. "Você não vai querer me impedir de ganhar um ducado, meu amigo."

O peito do negro reluziu sob o ferro em brasa. Queimaduras horrendas marcavam suas costelas, a carne vermelha inchou como terra recém-arada. Eu podia sentir o suave odor de carne assada.

"Ele é muito preto", eu disse.

"Ele é um nubano, é isso o que ele é", disse Berrec, fazendo careta. Deu uma boa olhada no atiçador e o retornou ao fogo.

"Por que está queimando ele?" Eu me sentia desconfortável sob o escrutínio do nubano.

Minha pergunta deixou os dois confusos por um instante. Os sulcos da testa de Grebbin ficaram ainda mais marcados.

"Este homem tem o Diabo no corpo", disse Berrec, finalmente. "Todos os nubanos têm. A maioria é pagã. Ouvi que o padre Gomst, o sacerdote do rei, em pessoa, mandou queimar todos os pagãos." Berrec pousou a mão sobre a barriga do nubano, num toque terrivelmente suave. "Nós só estamos encrespando este aqui um pouco, antes que o rei venha assistir a sua morte amanhã."

"Sua execução." Grebbin pronunciou a palavra com a precisão de quem já realizara aquele serviço muitas vezes.

"Executar, matar, qual a diferença? O destino deles todos são os vermes." Berrec cuspiu no carvão.

O nubano manteve seu olhar em mim, estudando-me em silêncio. Senti algo que não sabia definir. Por alguma razão pareceu errado continuar ali. Rangi meus dentes e encontrei seu olhar.

"O que ele fez?", perguntei.

"Fez?", arrotou Grebbin. "Ele é um prisioneiro."

"Que crime ele cometeu?"

Berrec deu de ombros. "Ser pego."

Lundist falou, do outro lado da porta: "Creio... Jorg, que todos os prisioneiros que serão executados são bandidos, capturados pelo exército da fronteira. O rei ordenou a captura para evitar ataques a Norwood e a outros protetorados vindos pela Estrada dos Cadáveres."

Desviei meu olhar dos olhos do nubano e observei as marcas da tortura. Onde a pele permanecia sem queimaduras queloides formavam um padrão de símbolos, de desenho simples, mas impressionantes. Uma tanga imunda pendia de seus quadris. Seus pulsos e tornozelos estavam presos por grilhões de ferro, trancados por pinos simples. Sangue melava as curtas correntes que ancoravam os grilhões à mesa.

"Ele é perigoso?", perguntei, aproximando-me. Eu podia saborear a carne queimada.

"Sim." O nubano sorriu ao responder, com dentes encardidos de sangue.

"Cale a boca, pagão." Berrec retirou o atiçador do carvão. Uma chuva de faíscas voou enquanto ele erguia o atiçador incandescente até o nível dos olhos. O brilho o deixou mais feio. Lembrei-me da noite maldita, quando os relâmpagos iluminaram os rostos dos homens do Conde Renar.

Eu me virei para o nubano. Se ele estivesse observando o ferro eu o teria deixado ali.

"Você é perigoso?", eu lhe perguntei.

"Sim."

Puxei o pino de seu bracelete.

"Então me mostre."

13

— QUATRO ANOS ATRÁS —

O nubano foi rápido. O mais impressionante, no entanto, não era sua velocidade, mas a sua falta de hesitação. Ele alcançou o pulso de Berrec. Um puxão repentino fez com que o carcereiro se estatelasse sobre ele. O atiçador na mão esgarçada de Berrec perfurou Grebbin entre as costelas, fundo o suficiente para fazer Berrec soltá-lo enquanto Grebbin se contorcia.

Sem interrupções, o nubano levantou seu torso até quase ficar sentado, o mais ereto que seu pulso acorrentado lhe permitia. Berrec deslizou do peito do nubano, escorregando em suor e sangue, até o seu colo. Ele tentou se levantar. O cotovelo descendente do nubano pôs um fim à tentativa de fuga. Acertou a nuca de Berrec e os ossos rangeram.

Grebbin gritou, é claro, mas os gritos eram muito comuns nas masmorras. Ele tentou escapar, mas havia perdido seu senso de direção e acabou golpeando a porta de uma cela com força suficiente para que a ponta do atiçador atravessasse sua omoplata. O impacto o derrubou e ele não se levantou mais. Revirou-se por um momento, balbuciando algo, mas apenas baforadas de fumaça e vapor escapavam de seus lábios.

Gritos de euforia vieram das celas, cheias de ocupantes estúpidos demais para saber a hora de ficar calados.

Lundist poderia ter escapado. Ele teve tempo de sobra. Eu esperava que fosse buscar ajuda, mas ele estava logo ao meu lado na hora que Grebbin atingiu o chão. O nubano empurrou Berrec para um canto e liberou seu outro pulso.

"Corra!", gritei a Lundist, caso a ideia ainda não lhe tivesse ocorrido.

Sim, ele estava correndo, só que na direção errada. Eu sabia que o tempo fora generoso com ele, mas não imaginava que ainda fosse tão rápido.

Mudei de lugar para colocar a mesa e o nubano entre mim e Lundist.

O nubano soltou os pinos dos dois tornozelos enquanto Lundist se aproximava. "Leva o garoto, velhote, e se manda." Ele tinha a voz mais profunda que eu jamais ouvira.

Lundist fitou o nubano com seus olhos azuis desconcertantes. Seu manto sossegou, esquecendo-se da correria. Lundist levou as mãos ao peito, uma sobre a outra. "Se você partir agora, homem de Nuba, eu não irei impedi-lo."

Isso gerou uma gargalhada geral vinda das celas.

O nubano olhava Lundist com a mesma intensidade que eu havia visto anteriormente. Ele tinha alguns centímetros a mais do que meu tutor, mas era a diferença de volume que fazia daquele um confronto entre Davi e Golias. Enquanto Lundist era esguio como uma lança, o nubano tinha muito mais peso, sustentado por grossas placas de músculos sobre ossos pesados.

O nubano não riu de Lundist. Talvez ele enxergasse algo além do que os prisioneiros conseguiriam. "Vou levar meus irmãos comigo."

Lundist ponderou a respeito e deu um passo atrás. "Jorg, aqui." Ele continuou encarando o nubano.

"Irmãos?", perguntei. Não via nenhum outro rosto negro nas barras.

O nubano abriu um sorriso. "Uma vez, eu tive irmãos de cabana. Eles estão muito longe, talvez estejam mortos." Ele abriu seus braços, o sorriso se tornou uma meia careta enquanto ele sentia as queimaduras. "Mas os deuses me deram novos irmãos, irmãos da estrada."

"Irmãos da estrada." Eu rolei as palavras em minha língua. Uma visão de Will reluziu em minha cabeça – sangue e madeixas. Havia uma força aqui. Podia sentir.

"Mate os dois e me tire daqui." Uma porta à minha esquerda tremeu como se um touro se inquietasse atrás dela. Se o corpo combinasse com a voz haveria um ogro naquela cela.

"Você me deve a vida, nubano", eu disse.

"Sim." Ele puxou as chaves do cinto de Berrec e deu um passo na direção da cela à minha esquerda. Acompanhei seu passo, mantendo-o entre mim e Lundist.

"Você vai me dar uma vida em troca", disse.

Ele parou, observando Lundist. "Vai com o seu tio, garoto."

"Você me dará uma vida, irmão, ou então me pagará com a sua", eu disse.

Mais gargalhadas vieram das celas e dessa vez o nubano acompanhou os demais. "Quem você quer morto, irmãozinho?" Ele pôs a chave na fechadura.

"Eu lhe direi quando nós o virmos." Se eu fosse específico e dissesse Conde Renar levantaria muitas dúvidas. "Eu vou com vocês."

Lundist se apressou ao ouvir isso. Ele girou em torno do nubano e lhe aplicou um chute na parte de trás do joelho. Ouvi um estalo enquanto o negro ia ao chão.

O nubano girou ao cair e se lançou contra Lundist. De algum jeito, o velho conseguiu se esquivar e quando o nubano se estatelou a seus pés Lundist chutou-lhe o pescoço, um golpe que silenciou suas palavras e o deixou inerte sobre o chão de pedras.

Eu quase escapei, mas os dedos de Lundist se entrelaçaram em meus cabelos esvoaçantes. "Jorg! Você está indo para o lado errado!"

Tentei me livrar, rosnando. "Ah, não, estou indo para o lado certo." E eu sabia que era verdade. A selvageria do nubano, os laços entre aqueles homens, o foco no que faz a diferença – em qualquer situação –, tudo aquilo ecoava dentro de mim.

Pelo canto do olho percebi a porta da cela se abrindo. O estalo havia sido da chave girando.

Lundist segurou meus ombros e me forçou a encará-lo. "O seu lugar não é entre estes homens, Jorg. Você não pode imaginar a vida que eles levam. Eles não têm as respostas que você procura." Ele disse com tanta intensidade que eu quase acreditei que se importava.

Uma figura emergiu da cela, inclinando-se para o corredor. Eu nunca vira um homem tão grande, nem Sir Gerrant, o Guardião da Távola; ou Shem, o cavalariço; nem mesmo lutadores eslavos.

O homem surgiu atrás de Lundist, rápido como um trovão.

"Jorg. Você pensa que eu não entendo..." – um braço gigantesco silenciou Lundist e o mandou direto para o chão de pedras, com tanta força que eu estremeceria mesmo se o tutor não tivesse arrancado um punhado dos meus cabelos ao despencar.

O homem bloqueou meu caminho, um gigante horroroso vestido de trapos, com seu cabelo pendendo como cortinas emaranhadas. Sua estatura me hipnotizou. Ele veio em minha direção e eu reagi devagar demais. A mão que me agarrou quase conseguia dar uma volta completa em minha cintura. Ele me levantou até ficarmos cara a cara e sua crina imunda partiu quando ele olhou para cima.

"Jesus, você é uma tremenda ofensa para os olhos." Podia ver que ele ia me matar, então eu não tinha motivos para ser educado. "Vejo por que o rei deseja executá-lo."

Mesmo no anonimato das celas, as gargalhadas hesitaram. Não se fazia piada de um homem daqueles. Nada em seu rosto era delicado: linhas de expressão abrutalhadas, uma cicatriz e a saliência dos ossos sob a pele áspera. Ele me ergueu para me arremessar nas pedras, como se jogasse um ovo ao chão.

"Não!"

Sob o braço do gigante, eu pude ver um ancião e também um jovem ruivo que ajudavam o nubano a ficar de pé.

"Não", disse o nubano mais uma vez. "Eu devo a vida a ele, irmão Price. Além do mais, sem o garoto você ainda estaria em sua cela, esperando pelos prazeres de amanhã."

O irmão Price me deu seu olhar de maldade impessoal e me deixou cair como se eu não mais existisse. "Deixe-os ir", disse num grunhido.

O nubano entregou as chaves ao ancião. "Irmão Elban." Então se aproximou de onde eu caíra. Lundist estava jogado ali perto, encarando o chão. Uma poça de sangue se formava ao redor de sua testa.

"Foram os deuses que o enviaram, garoto, para me soltar desta mesa." O nubano passou os olhos pelos instrumentos de tortura e então olhou para Lundist. "Agora você vem com os irmãos. Se encontrarmos o homem que deseja ver morto eu o mato. Quem sabe?"

Cerrei os olhos. Não gostei daquele "quem sabe".

Olhei Lundist por um momento. Não saberia dizer se ele ainda respirava. Senti um fantasma da culpa que talvez eu devesse estar sentindo, o formigamento de um membro amputado que ainda incomodava mesmo que a carne não estivesse mais lá há tempos.

Fiquei ao lado do nubano, com Lundist a meus pés, e observei os marginais soltarem seus camaradas. Quando dei por mim estava encarando o calor alaranjado do carvão, rememorando.

Lembrei-me de um tempo em que minha vida era uma mentira. Vivia num mundo de coisas suaves, verdades mutáveis, toques sutis, risos sem razão. A mão que me puxou da carruagem naquela noite, que me retirou do colo aquecido de minha mãe e me atirou aos prantos na noite chuvosa, aquela mão me jogou através de um porta pela qual não posso mais retornar. Todos nós passamos por essa porta, mas tentamos sair por nossa própria vontade, aos poucos, tomando fôlego, caindo e tentando.

Nos dias após minha fuga e minha doença vi meus velhos sonhos ficarem murchos e debilitados. Vi minha vida de criança amarelar e cair de cima da árvore, como se um vento áspero viesse assombrar a primavera. Foi um choque perceber o quão pouco minha vida significava. Quão mesquinhos eram as cavernas e os fortes nos quais William e eu brincamos com uma convicção tão feroz; quão tolos eram nossos brinquedos sem a intensidade de uma imaginação inocente para animar suas existências.

Enquanto estivesse acordado eu sentia um incômodo, uma dor que crescia toda vez que remexia as lembranças com minhas mãos. E eu voltava a ela, de novo e de novo, como uma língua no vão de um dente caído, atraído pela ausência.

Eu sabia que ela me mataria.

A dor virou minha inimiga. Mais do que o Conde Renar, mais do que meu pai barganhando vidas que lhe deveriam ser mais importantes do que a coroa, a glória, ou Jesus no calvário. E, graças à teimosia que habitava dentro mim, em alguma trincheira de negação egoísta, eu não me permitiria, ainda que aos dez anos de idade, me render a nada ou a ninguém. Eu lutei contra essa dor. Analisei suas ofensivas e descobri suas linhas de ataque. Ela inflamava, como o pus de uma ferida azeda, retirando-me as forças. Éramos tão íntimos que eu conhecia o remédio. Ferro em brasa para a infecção, cauterizar, queimar, purificar. Eu cortei fora toda a fraqueza do querer-bem que havia em mim. O amor pelos meus mortos eu deixei de lado, guardado numa urna, um objeto de estudo, uma evidência seca, que já não sangrava mais, livre, sem restrições. A capacidade de um novo amor eu incinerei. Eu a lavei com ácido até que o solo se tornasse improdutivo e que dele nada brotasse, nenhuma flor criasse raízes.

"Vamos."

Olhei para cima. O nubano falava comigo. "Vamos. Estamos prontos."

Os irmãos se juntaram à nossa volta formando uma gama de maltrapilhos fedorentos. Price segurava a espada de um dos carcereiros.

A outra brilhava na mão de um segundo gigante, apenas um pouco mais baixo, um pouco mais leve, um pouco mais novo e tão similar fisicamente que ele só poderia ter saído do mesmo útero que Price.

"Vamos ter que abrir caminho para fugir daqui." Price testou a ponta de sua espada contra a barba rala que crescia em seu queixo. "Burlow, você vem na frente comigo e com Rike. Gemt e Elban, vocês ficam na retaguarda. Se o garoto atrapalhar, matem."

Price escrutinou a câmara a seu redor, cuspiu, e partiu para o corredor.

O nubano pôs a mão sobre meu ombro. "Você deveria ficar." Ele acenou na direção de Lundist. "Mas se você vier não fique para trás."

Olhei para Lundist. Eu podia ouvir as vozes me pedindo para ficar, vozes familiares, mas distantes. Eu sabia que o velho andaria sobre brasas para me salvar, não porque ele temesse a ira do meu pai, mas porque... sim. Eu podia sentir as correntes que me atavam a ele. Os ganchos. Eu senti a fraqueza novamente. Senti a dor surgir de rachaduras que pensei que estivessem seladas.

Olhei para o nubano. "Não vou ficar para trás", eu disse.

O nubano franziu os lábios, deu de ombros e foi atrás dos outros. Saltei sobre Lundist e o segui.

Assassinar é o mesmo que matar, mas com um toque extra de precisão. O irmão Sim é preciso.

14

Cavalgamos para fora de Norwood. Os lavradores nos observavam, ressentidos e confusos, e Rike xingava a todos. Como se ele houvesse tido a ideia de salvá-los da fogueira de Renar e agora eles devessem lhe agradecer. Nós os deixamos com as ruínas de seu próprio vilarejo, decorado com os cadáveres dos homens que o destruíram. Uma compensação duvidosa, especialmente depois que Rike e os irmãos saquearam dos mortos tudo o que podia valer alguma coisa. Calculei que chegaríamos na Cidade de Crath ao anoitecer, cavalgando rápido, e que confrontaríamos os portões do Castelo Alto antes de a lua aparecer.

Eu não devia estar voltando para casa, retomando velhos caminhos e pensando mais uma vez sobre minha vingança contra o Conde de Renar. Era isso o que meus instintos diziam. Mas hoje os instintos falaram com uma voz velha e seca e eu não pude mais confiar neles. Queria ir para casa, talvez porque alguma coisa não quisesse que eu fosse. Eu queria ir para casa e se o Diabo aparecesse para tentar me impedir ele só conseguiria aumentar minha vontade. Nós seguimos pela Estrada do Castelo, através dos jardins de Ancrath. Nosso caminho passava por riachos gentis, entre pequenas florestas e fazendas quietas. Havia esquecido quão verde eram aquelas terras. Cresci acostumado com lama batida, campos queimados, céus cinzentos de fumaça e mortos apodrecendo no chão. O sol nos encontrou, achando caminho através de uma nuvem alta. No calor, nossa coluna diminuiu o passo até que os cascos dos cavalos produzissem um ritmo preguiçoso. Gerrod parou num portão de três barras que conduzia a uma cerca viva. Além dele, um campo dourado de trigo. Gerrod arrancou nacos de hera do poste. Parecia que Deus havia regado a terra com mel, suave e docemente, deixando tudo calmo. Norwood ficava a vinte e cinco quilômetros, e uns mil anos, para trás.

"É bom estar de volta, hein, Jorg?" Makin parou ao meu lado. Ele se inclinou em seus estribos e se embebedou do ar. "Sinta o cheirinho de casa."

Eu senti. O aroma de terra morna me trouxe de volta, de volta a um tempo em que meu mundo era pequeno, e seguro.

"Odeio este lugar", eu disse. Ele ficou chocado com minha declaração, e Makin não era homem de se chocar com facilidade. "É um veneno que os homens tomam por vontade própria, e que os enfraquece."

Meus calcanhares fizeram Gerrod se apressar pela estrada. Makin me alcançou e trotou ao meu lado. Passamos por Rike e Burlow numa encruzilhada. Os dois atiravam pedras num espantalho.

"Homens brigam por sua terra natal, príncipe", disse Makin. "É a terra que eles defendem. O rei e a terra."

Eu me virei para gritar aos retardatários. "Fechem o cerco!"

Makin manteve o passo, esperando uma resposta. "Deixe os soldados morrerem por sua terra", eu lhe disse. "Se chegar a ocasião em que precise sacrificar estes campos para sair vitorioso, eu os deixarei arder em segundos. Tudo aquilo que você não pode sacrificar se torna um fardo. Transforma você em alguém previsível, fraco."

Trotamos em direção ao oeste, tentando alcançar o sol.

Logo encontramos as sentinelas em Chelny Ford. Ou melhor, elas nos encontraram. Devem ter nos avistado da torre de vigília e cinquenta homens apareceram na Estrada do Castelo para bloquear nosso caminho.

Parei poucos metros antes dos lanceiros, que atravessavam o caminho como duas fileiras eriçadas de cerca viva. O resto dos soldados esperou atrás do paredão, com as espadas desembainhadas, salvo uma dúzia de arqueiros agrupados no milharal à nossa direita. Um grupo de novilhos, no campo oposto, nos viu chegar, e nos investigou morosamente.

"Homens de Chelny Ford", eu gritei. "É bom vê-los. Quem é o comandante?"

Makin veio atrás de mim. Os demais irmãos fizeram fila depois dele, calmos em suas selas.

Um homem alto deu um passo à frente entre dois lanceiros, mas não foi um passo muito longo, não se tratava de um idiota. Vestia as cores de Ancrath sobre uma malha de aço e um elmo redondo de ferro que lhe chegava às sobrancelhas. À minha direita, dúzias de dedos tencionavam cordas de arcos. À minha esquerda, os novilhos observavam por trás da cerca, ruminando complacentemente.

"Sou o capitão Coddin." Ele teve que elevar a voz enquanto uma das vacas deixou escapar um mugido. "O rei contrata mercenários na Feira de Relston. Bandos armados não podem perambular em Ancrath. Informem suas intenções." Ele manteve os olhos em Makin, esperando uma resposta.

Não me importava em ser tratado como criança, mas aquilo não era hora nem lugar para aceitar uma ofensa. Além do mais, o velho Coddin parecia saber o que fazia. Pôr o irmão Gemt para dormir era uma coisa, mas dar fim a um capitão de meu pai era outra.

Minha viseira já estava levantada, então retirei logo meu elmo. "Padre Gomst!" Chamei o sacerdote e os irmãos abriram caminho na fileira de cavalos, com alguns resmungos, para que o velho pudesse passar. Não era uma figura agradável de se ver. Havia arrancado a barba que cresceu durante seus dias naquela gaiola, mas uns tufos grisalhos ainda decoravam seu rosto em cachos aleatórios e seus hábitos sacerdotais pareciam mais ser lama do que roupa.

"Capitão Coddin", eu disse. "Você conhece este homem, o padre Gomst?"

Coddin arqueou uma sobrancelha. Seu rosto era pálido e ficou mais pálido ainda. Sua boca ficou marcada, como a de um homem que sabe ser motivo de uma piada que ele mesmo ainda não entendeu. "É", ele disse. "O sacerdote real." Ele bateu os calcanhares e inclinou a cabeça, como se estivesse na corte. Uma cena engraçada de se ver aqui na estrada, com o pio dos pássaros sobre nós e o fedor das vacas impregnando o ambiente.

"Padre Gomst", eu disse. "Diga ao capitão Coddin quem sou eu."

O velho empertigou-se um pouco. Ele esteve lânguido e apagado desde Norwood, mas agora tentava encontrar uma ou duas migalhas de autoridade.

"O Príncipe Honório Jorg Ancrath se encontra à sua frente, capitão. Estava perdido, mas agora encontrou seu caminho e se dirige à corte real de seu pai. Você tomará a sábia decisão de providenciar uma escolta apropriada..." Ele me espiou, destruindo os traços de coragem que ainda aparentava manter sob os tufos idiotas de sua barba. "E um banho."

Sorrisos silenciosos apareceram de ambos os lados de nosso impasse. Não vale a pena subestimar um membro do clero. Eles conhecem o poder das palavras e sabem como usá-las em favor próprio. Minha mão ansiava pelo punho de minha espada. Vi a cabeça do velho Gomst cair de seus ombros, quicando uma, duas vezes, e rolando até parar sob os cascos de uma novilha malhada. Deixei a visão de lado.

"Nada de banho. Já é hora de a corte sentir um pouco do fedor da estrada. Palavras gentis e banho de rosas podem agradar à nobreza, mas aqueles que batalham na guerra vivem sujos. Eu retorno até meu pai como um homem que partilhou da sina dos soldados. Deixe-o conhecer a verdade." Deixei minhas palavras pairando no ar e mantive meu olhar em Gomsty. Ele teve a sensatez de olhar para o lado.

Meu discurso não levantou uma salva ruidosa, mas Coddin acenou com a cabeça e não tivemos mais menção a banhos. Uma pena, diga-se de passagem, já que eu desejava um banho quente desde que decidi voltar para casa.

Coddin deixou o segundo em comando liderar a guarnição e cavalgou conosco. Sua escolta de duas dúzias de cavaleiros expandiu nosso montante a quase sessenta homens. Makin carregava uma lança do arsenal Ford, tremulando as cores e o brasão real de Ancrath. Os cavaleiros da tropa espalharam a notícia nos vilarejos pelos quais atravessaríamos. "O Príncipe Jorg, o Príncipe Jorg voltou do além." A notícia se antecipava à nossa chegada e por cada vila que passávamos a recepção era maior e mais calorosa. O capitão Coddin enviou um cavaleiro direto ao rei, antes de deixarmos Chelny Ford, mas mesmo sem a sua mensagem eles saberiam de nós no Castelo Alto muito antes que nós chegássemos lá.

Na Vila de Bains, uma faixa atravessava a rua principal. Ostentando alaúdes e clavicórdio, seis menestréis com mais paixão do que talento tocavam "A Espada do Rei". Malabaristas jogavam bastões em chamas e um urso dançava em frente ao poço do moinho. E a multidão! As pessoas estavam tão amontoadas que não havia como cavalgar entre elas. Uma mulher gorda, usando um vestido largo como uma tenda e listrado como o pavilhão de um torneio, avistou-me entre a comitiva. Ela apontou para mim e soltou um guincho que abafou os menestréis: "Príncipe Jorg! O príncipe roubado!" A multidão enlouqueceu, entre lágrimas e vivas. Eles avançaram como loucos. Coddin conseguiu armar seus homens rapidamente. Perdoei seu menosprezo anterior por causa disso. Se os lavradores chegassem perto de Rike nós teríamos um massacre.

Na Estrada dos Cadáveres, os irmãos se assustaram mais, só que foi a única vez que os vi mais apavorados do que lá na Vila de Bains. Nenhum deles soube o que fazer. A mão esquerda de Grumlow nunca soltou sua adaga. Kent, o Rubro, rosnava como um maníaco, com horror em seu olhar. Ainda assim eles aprenderiam rápido. Quando percebessem as boas-vindas que nos aguardavam. Quando vissem as tavernas e as putas. Não conseguiria tirá-los da vila em menos de uma semana.

Um dos menestréis achou uma corneta e uma nota áspera atravessou o tumulto. Guardas, de mantos vermelhos sobre cotas de malha pretas, abriram caminho, e ninguém menos do que o Lorde Nossar de Elm surgiu a nossa frente. Eu o reconheci dos tempos da corte. Ele parecia um tanto mais gordo dentro daquela armadura ornada de ouro e veludo, mais grisalho na barba que pendia sobre seu peitoral, mas ainda assim era o bom e velho Nossar que, tempos atrás, me carregou em seus ombros.

"Príncipe Jorg!" O velho embargou a voz por um segundo. Eu conseguia ver as lágrimas brilhando em seus olhos. Aquilo me cativou, acertou alguma coisa dentro do meu peito. Não gostei disso.

"Lorde Nossar", retruquei, e deixei um sorriso curvar meus lábios. O mesmo sorriso que dei para Gemt antes de presenteá-lo com minha faca. Vi uma centelha nos olhos de Nossar. Um breve momento de dúvida.

Ele se recompôs. "Príncipe Jorg! Quando já não tínhamos esperanças você voltou. Eu chamei o mensageiro de mentiroso, mas ei-lo aqui." Ele tinha a voz grave, encorpada, brilhante. O velho Nossar falava e você sabia que era verdade, que ele gostava de você, sua voz oferecia um afago e um refúgio. "Você honrará minha casa, Príncipe Jorg, e passará a noite conosco?"

Eu podia ver os irmãos trocando olhares, devorando as mulheres da multidão com os olhos. O poço do moinho ardia de vermelho sob o poente. Ao norte, além da linha escura da Floresta Rennat, a fumaça da Cidade de Crath manchava o céu de negro.

"Meu senhor, é um convite muito gentil, mas eu tenho a intenção de dormir esta noite no Castelo Alto. Afastei-me por muito tempo."

Eu podia ver sua preocupação à mostra em cada veio de seu rosto. Ele desejava dizer algo, mas não ali. Eu me perguntava se meu pai o mandara para me deter.

"Príncipe..." Ele ergueu a mão, seus olhos procuravam pelos meus.

Senti novamente aquele fisgar em meu peito. Ele me levaria até seus salões e discursaria sobre os velhos tempos com aquela sua voz dourada. Falaria sobre William e sobre minha mãe. Se havia um homem capaz de me desarmar, Nossar era esse homem.

"Eu agradeço pela recepção, Lorde Nossar", retribuí, com a formalidade da corte, e pus um ponto final na conversa.

Precisei puxar as rédeas para fazer Gerrod virar. Acho que até os cavalos gostavam de Nossar. Guiei os irmãos pela trilha ao redor do rio, pisoteando os nabos de algum fazendeiro. Os camponeses davam vivas, sem muita noção do que estava acontecendo, mas ainda assim davam vivas.

Chegamos ao Castelo Alto pelo caminho do desfiladeiro, evitando as cercanias da Cidade de Crath. As luzes estiravam-se sob nós. Ruas salpicadas de tochas acesas, o brilho do fogo e das lâmpadas sobre janelas ainda não fechadas para impedir o frio da noite. As lanternas dos vigias pontuavam a muralha da Cidade Velha, um semicírculo inclinado que descia até o rio, onde as casas se espalhavam além dos muros, dentro do vale. Chegamos à Cancela Oeste, o lugar onde poderíamos alcançar a Cidade Alta sem trafegarmos pelas ruelas estreitas da Cidade Velha. Os guardas içaram as portas levadiças para passarmos, primeiro uma, depois a outra, depois mais outra. Dez minutos de roldanas estalando e correntes retinindo. Eu me perguntava por que as três portas estavam arriadas. Por acaso nossos inimigos estavam tão perto que precisávamos triplicar os portões da Grande Muralha?

O capitão da cancela saiu enquanto seus homens suaram para içar a última das portas levadiças. Arqueiros observavam do alto de parapeitos. Aqui não havia faixas. Reconheci vagamente o homem de cabelos grisalhos, tão velho quanto Gomst. Foi de sua expressão amarga que eu mais me lembrava, contraída ao redor da boca como se ele acabasse de chupar um limão.

"Príncipe Jorg, eu suponho?" Ele me escrutinou, erguendo sua tocha quase até meu rosto. Claro que meu olhar era parecido o suficiente com o do rei para satisfazer a sua curiosidade. Ele abaixou a tocha rapidamente e deu um passo atrás. Já me disseram que eu tenho os olhos de meu pai. Talvez, ainda que os meus sejam mais escuros. Nós dois sabemos como fazer um homem recuar apenas com um olhar. Sempre me achei muito feminino. Meus lábios parecem um botão de flor, os ossos do meu rosto são finos e altos. Mas isso não me atrapalha. Aprendi a usar meu rosto como uma máscara, e geralmente consigo escrever nele o que eu quiser.

O capitão da cancela acenou para o capitão Coddin. Ele passou os olhos por Makin sem pestanejar, não encontrou o padre Gomst na multidão e permaneceu encarando o nubano, antes de lançar um olhar dúbio sobre Rike.

"Posso arrumar acomodações para seus homens na Cidade Baixa, Príncipe Jorg", ele disse. Por Cidade Baixa ele quis dizer os casebres além dos muros da Cidade Velha.

"Meus companheiros podem se alojar comigo no castelo", eu disse.

"O Rei Olidan solicita apenas a sua presença, Príncipe Jorg", disse o capitão da cancela. "E o padre Gomst, bem como o capitão Bortha, se ele estiver com o senhor."

Makin ergueu a mão encouraçada. Ambas as sobrancelhas do capitão da cancela desapareceram dentro de seu elmo. "Makin Bortha? Não..."

"Em carne e osso", disse Makin. Ele abriu um sorriso largo, mostrando muitos dentes ao capitão. "Já faz um tempão, Relkin, seu velho filho da mãe."

"O Rei Olidan solicita...", ele diz e fico sem saída. Um eufemismo para "mande essa corja para os cortiços". Pelo menos Relkin deixou claro desde o início, não me fez discutir como um tolo para depois me contar "o que o Rei Olidan solicitara".

"Elban, leve os irmãos até o rio lá embaixo e arrume alguns quartos. Há uma taberna, O Anjo Caído, que deve ser suficiente para todos vocês", eu disse.

Elban parecia surpreso por eu tê-lo escolhido – surpreso, mas satisfeito. Ele estalou seus lábios sobre as gengivas banguelas e olhou para o resto dos homens: "Vocês ouviram o Chorg! Prínxipe Chorg, digo. Mexam-se!"

"Matar camponeses é um crime punido com a forca", eu disse, enquanto eles viravam com seus cavalos. "Você me ouviu, Pequeno Rikey? Mesmo se for só um. Então nada de matar e pilhar, nada de violentar. Se vocês quiserem uma mulher deixem o Conde de Renar lhes pagar uma garota com seu dinheiro. Diabos, deixe-o pagar três."

As três portas permaneceram abertas. "Capitão Coddin, foi um prazer. Aproveite sua viagem de volta ao riacho", eu disse.

Coddin assentiu de sua sela e guiou suas tropas de volta. Ele me deixou com Gomst e Makin. "Vamos", eu disse. E Relkin, o capitão da cancela, nos levou através do Portão Oeste até a Cidade Alta.

Não havia multidão para nos conter. Há muito já passava da meia-noite e a lua já estava bem elevada. As ruas largas da Cidade Alta pairavam desertas, com a eventual correria de serventes de uma casa grande para outra. Talvez uma ou duas filhas de mercador tenham nos observado atrás das venezianas, mas na maior parte do caminho as casas nobres dormiam tranquilamente, sem mostrar interesse algum no príncipe regresso.

Os cascos de Gerrod ecoavam nos paralelepípedos que levavam ao Castelo Alto. Quatro anos atrás, eu fugi em chinelos de veludo, mais quieto do que um camundongo. O bater das ferraduras na pedra feria meus ouvidos. Internamente, uma voz pequenina ainda sussurrava “você vai acordar o papai”. Quieto, quieto, não respire, nem sequer deixe seu coração bater.

É claro que o Castelo Alto é, antes de tudo, alto. Nos meus quatro anos na estrada eu vi castelos mais altos, até castelos maiores, mas nada se compara ao Castelo Alto. O lugar parecia ao mesmo tempo familiar e estranho. Eu me lembrava de ele ser maior. O castelo pode ter encolhido de sua vastidão sem fim que eu carregara comigo na memória, mas ainda assim era enorme. O tutor Lundist me disse que, no passado, o lugar serviu como fundação para um castelo tão alto que chegava a arranhar os céus. Disse também que quando os homens o construíram tudo o que nós víamos então ficava no subterrâneo. Não foram os Homens da Estrada que construíram o Castelo Alto, mas os verdadeiros responsáveis tinham artifícios quase iguais aos dos Homens da Estrada. Esses muros não eram de pedra talhada, mas do que parecia ser brita que uma vez fora derramada como água. Um conjunto de barras de algum metal mágico atravessava a pedra dos muros, barras retorcidas de um metal ainda mais resistente que o ferro negro do leste. O Castelo Alto abrigava os reis há séculos, que se sentavam no interior de suas paredes de veias metálicas, observando lá de cima a Cidade Alta, a Cidade Velha, a Cidade Baixa. Observam a Cidade de Crath e todos os seus domínios. Meus domínios. Minha cidade. Meu castelo.

15

— QUATRO ANOS ATRÁS —

Nós deixamos o Castelo Alto pelo Portão Castanho, uma saída pequena nas encostas inferiores do monte, depois da Grande Muralha. Passei por último, sentindo a dor de todos esses passos em minhas pernas.

Pegadas vermelhas esmaecidas marcavam a escadaria superior. Os donos daquele sangue provavelmente ainda sangravam, atrás de nós.

Por um momento vi Lundist, caído como eu deixara.

Nós subimos pelas entranhas do castelo até a menos luxuosa de todas as suas saídas. Carregadores de esterco utilizavam esse caminho uma dúzia de vezes durante o dia trazendo os tesouros das latrinas. Que fique claro: a merda real fede igual a qualquer outra.

O irmão à minha frente virou-se e me mostrou seus dentes na forma de um sorriso. "Ar puro! Sinta o aroma, meu jovem nobre."

Eu ouvi o nubano chamar esse aí de Algazarra, um magricelo, feito de cartilagem e ossos, velhas cicatrizes e um olhar maligno. "Eu prefiro lamber a nuca de um leproso a encher meus pulmões com seu fedor, irmão Algazarra." Eu o ultrapassei. Eu precisaria fazer muito mais do que falar como um dos irmãos da estrada para ganhar o respeito deles, e ceder um milímetro não me ajudaria em nada.

Ancrath se estirava à nossa direita. À esquerda, a fumaça e os pináculos da Cidade de Crath erguiam-se atrás da Muralha Velha. A luz de uma tempestade cobriu a cidade, do tipo que surge quando nuvens carregadas se reúnem de dia. Uma luz difusa, que deixava estranha até a paisagem mais familiar. Bastante apropriada.

"Nós viajamos rápido e viajamos pra valer", disse Price.

Price e Rike, os únicos irmãos de verdade entre nós, permaneceram ombro a ombro à frente da coluna – Rike e suas sobrancelhas salientes e Price nos dizendo o que fazer. "Vamos o mais longe dessa latrina que conseguirmos. A tempestade vai apagar nossos rastros. Vamos roubar uns cavalos no caminho e detonar uma ou duas vilas se for preciso."

"Você acha que os caçadores do rei não conseguirão achar duas dúzias de homens por causa de uma chuvinha à toa?" Gostaria que minha voz não tivesse saído tão clara e aguda daquele jeito.

Eles se viraram. O nubano escancarou seus olhos e acenou com a mão para que eu me calasse.

Apontei para o mar de telhados que seguiam em direção ao rio, além dos limites seguros dos muros da cidade, onde os adoráveis súditos de meu pai haviam construído, desejosos como eram de ficar próximos a ele.

"Um de cada vez, ou de dois em dois, um irmão conseguiria encontrar seu caminho até um coração caloroso, um pedaço de rosbife e talvez uma cerveja", eu disse. "Ouvi dizer que tem uma taberna, ou três delas, lá embaixo. Um irmão poderia se aquecer na lareira antes mesmo que a chuva viesse lavar suas pegadas."

"Os homens do rei irão para cima e para baixo naqueles cavalos garbosos que eles têm, molhando-se, à procura do tipo de sulco que vinte homens deixariam pela estrada ou pelos campos, à procura do tipo de problemas que um bando de irmãos espalharia por aí. E nós estaríamos confortavelmente sentados à sombra do Castelo Alto, esperando o tempo melhorar.

"Vocês por acaso deixaram vivo algum homem que pudesse nos descrever aos arautos? Entre os milhares que vivem aqui, acham mesmo que os bons cidadãos de Crath iriam reparar num bando tão pequeno?"

Logo vi que eu os tinha dobrado. Podia ver a luz daquele coração caloroso refletindo em seus olhos.

"E como nós vamos pagar pelo rosbife e pelo abrigo, caralho?" Price afastou os irmãos, deixando o ruivo, Gemt, para trás. "Vamos começar a roubar às sombras do Castelo Alto?"

"É, como nós vai pagá, moleque do castelo?" Gemt levantou-se encontrando em mim um alvo mais apropriado para sua raiva do que Price. "Como?"

Eu retirei dois ducados de minha bolsa e esfreguei um no outro.

"Eu fico com isso!" Um homem de rosto anguloso à minha esquerda tentou alcançar minha bolsa, ainda gorda com moedas.

Eu desembainhei a adaga do meu cinto e a estoquei em sua mão esticada.

"Mentiroso", eu disse. Empurrei a adaga um pouco mais, até o cabo atingir-lhe a palma da mão, a lâmina brilhando de vermelho ao fundo.

"Sai daqui, Mentiroso." Price o agarrou pelo pescoço e o empurrou escada abaixo.

Price era um gigante para mim. Qualquer adulto era um gigante para mim, mas Price era de uma escala superior. Ele agarrou meu colete e me ergueu até ficarmos cara a cara, sem se importar com a faca ensanguentada que eu ainda tinha em mãos.

"Você não tem medo de mim, não é, garoto?" O fedor dele era algo insuportável. Um cachorro morto não cheiraria tão mal.

Pensei em esfaqueá-lo, mas eu sabia que não haveria ferimento que pudesse impedi-lo de me quebrar em dois antes de morrer.

"Você tem medo de mim?", perguntei.

Nós nos entendemos por um segundo. Price não fez mais do que contrair o rosto, mas eu o entendi e ele me entendeu. Então deixou-me cair.

"Passaremos o dia na cidade", disse Price. "Os drinques são por conta do irmão Jorg. Se algum de vocês, filhos de uma vadia, arrumar confusão antes de sairmos vai sofrer nas minhas mãos."

Eu estava caído e ele estendeu a mão. Quase a segurei, antes de compreender o gesto. Joguei a bolsa para ele.

"Vou com o nubano", eu disse.

Price consentiu. Um rosto negro saído dos calabouços seria lembrado. Um rosto negro encontrado numa taberna de Crath seria lembrado.

O nubano encolheu os ombros e saiu pelos campos rumo ao leste. Eu o segui.

Foi somente depois de nos perdermos no labirinto de trilhas e cercas vivas que o nubano falou novamente.

"Você devia ter medo do Price, garoto."

A primeira brisa da tempestade deixou a cerca viva farfalhando dos dois lados. Eu conseguia sentir o cheiro da eletricidade, misturado à riqueza da terra.

"Por quê?" Imaginei que talvez ele pensasse que eu era incompetente para prever o perigo. Alguns homens são muito estúpidos e jamais chegam a imaginar o que está por vir. Outros torturam a si mesmos com hipóteses e povoam seus sonhos com horrores mais terríveis do que o pior de seus inimigos lhes poderia infligir.

"Por que os deuses deveriam se preocupar com uma criança que não está nem aí para o que acontece com ela?", perguntou o nubano.

Ele parou antes que uma curva na estrada nos deixasse mais perto da cerca. O vento soprou novamente e pétalas brancas caíram entre os espinhos. Ele se virou e olhou o caminho pelo qual viemos.

"Talvez eu também não tenha medo dos deuses", eu disse.

Pingos gordos de chuva começaram a cair à nossa volta.

O nubano balançou a cabeça. As gotas brilhavam nos pequenos cachos dos seus cabelos. “Você é um tolo em desafiar os deuses, garoto.” Ele abriu um sorriso e se esgueirou na esquina. “Quem sabe o que eles podem lhe mandar em troca?”

A chuva parecia ser a resposta. Ela parecia cair mais rápido do que o normal, como se o peso da água querendo cair apressasse a queda dos pingos. Eu seguia atrás do nubano. A cerca não oferecia abrigo. A chuva atravessou minha túnica, fria o bastante para roubar meu alento. Pensei nos confortos que deixara para trás e me perguntava se eu não deveria ter seguido o conselho de Lundist.

“Por que estamos esperando?”, perguntei. Tive que erguer a voz para superar o ruído da chuva.

O nubano deu de ombros. “Tem algo de errado com a estrada.”

“Ela mais parece um rio – mas por que estamos esperando?”

Ele deu de ombros novamente. “Talvez eu precise descansar.” Ele tocou suas queimaduras e uma estremecida me fez ver seus dentes, muito brancos, enquanto a maioria dos irmãos tinha bocas repletas de um cinza podre.

Cinco minutos se passaram e eu mantive a calma. Não ficaríamos mais molhados nem se caíssemos em um poço.

“Como vocês foram pegos?”, perguntei. Pensei em Price e Rike, e a ideia deles sendo rendidos pela guarda do rei me pareceu cômica, de certa maneira.

O nubano balançou a cabeça.

“Como?”, perguntei de novo, mais alto que a chuva.

O nubano se virou para espiar a estrada e então se aproximou. “Uma bruxa dos sonhos.”

“Uma bruxa?” Eu fiz uma careta e cuspi água para o lado.

“Uma bruxa dos sonhos.” O nubano assentiu. “A bruxa entrou em nossos sonhos e nos manteve atados enquanto os homens do rei nos capturavam.”

"Por quê?", perguntei. Ainda que levasse bruxas a sério, e eu não levava, sabia que meu pai não fazia uso de nenhuma.

"Acho que ela queria agradar o rei", disse o nubano.

Ele se levantou sem avisar e saiu através da lama. Eu o segui, mas calei a boca. Tinha visto crianças seguirem adultos, fazendo perguntas sem parar, mas eu havia deixado minha infância para trás. Minhas perguntas poderiam esperar, pelo menos até que a chuva terminasse.

Nós atravessamos as poças pelo caminho durante quase uma hora até pararmos novamente. A chuva havia se promovido; de dilúvio passou a uma submersão absoluta que prometia durar a noite inteira e atravessar a manhã seguinte. Dessa vez nossa pausa na cerca viva mostrou-se providencial. Dez soldados montados passaram por nós, levantando lama para todos os lados.

"Seu rei nos quer de volta em suas masmorras, Jorg."

"Ele não é mais meu rei", eu disse. Pretendia me levantar, mas o nubano segurou meus ombros.

"Você deixou uma vida de riqueza no castelo do rei e agora está se escondendo na chuva." Ele se aproximou para me observar. Conseguia me ler com seus olhos e eu não gostava disso. "Seu tio se sacrificou para protegê-lo. Um homem bom, eu acho. Velho, forte, sábio. Mesmo assim você veio." Ele sacudiu um troço de lama de sua mão livre. Um silêncio se estendeu entre nós, do tipo que espera ser preenchido com uma confissão.

"Há um homem que eu quero morto."

O nubano franziu a testa. "Crianças não deveriam ser assim." A chuva escorria entre os sulcos de sua testa. "Homens não deveriam ser assim."

Sacudi até que ele me largasse. O nubano ficou atrás de mim e nós cobrimos mais uns quinze quilômetros antes de a luz cessar por completo.

Nosso caminho nos levou até umas fazendas e moinhos ocasionais, mas quando a noite chegou nós vimos um grupo de luzes debaixo de um colina arborizada um pouco ao sul de onde estávamos. Lembrando os mapas de Lundist, eu diria que aquele era o Vilarejo de Pineacre, que para mim, até então, não passava de um pequeno ponto verde num velho pergaminho.

"Seria ótimo sair um pouco da chuva." Eu podia sentir o aroma da lenha queimando. De repente, percebi como havia sido tão fácil convencer os irmãos das vantagens de procurar abrigo, calor e comida.

"Devíamos passar a noite aí." O nubano apontou para a colina.

A chuva então caía suavemente. Ela nos envolvia num cobertor gélido, que sugava minhas forças. Eu amaldiçoei minha fraqueza. Apenas um dia na estrada me deixara morto.

"Podíamos invadir um desses celeiros", eu disse. Dois deles ficavam isolados, logo após as árvores.

O nubano começou a balançar a cabeça. Um trovão ressoou a leste, baixo mas contínuo. O nubano deu de ombros. "Podíamos." Os deuses me adoravam!

Partimos através dos campos transformados em pântanos, andando em falso na escuridão, tropeçando sobre meu cansaço.

A porta do celeiro gemeu em protesto e depois rangeu quando o nubano a levantou. Um cão latiu de algum lugar distante, mas eu duvido que algum fazendeiro desafiasse a chuva em favor da opinião de um perdigueiro. Nós rolamos celeiro adentro e mergulhamos na palha. Cada membro parecia ser de chumbo e eu choraria facilmente de cansaço se não tivesse me controlado.

"Você não tem medo de que a bruxa dos sonhos apareça novamente para te pegar?", perguntei. "Ela não vai ficar contente se o presente dela para o rei escapar." Abafei um bocejo.

"Ele", disse o nubano. "Na verdade, acho que é um bruxo."

Franzi os lábios. Nos meus sonhos, as bruxas eram sempre mulheres. Elas se escondiam num quarto escuro que eu jamais havia notado. Um quarto cuja porta se abria para um corredor em que eu tinha que andar. Passava pela entrada e a pele das minhas costas se contraía, vermes invisíveis formigavam na parte de trás dos meus braços. Então eu a veria, desenhada pelas sombras, suas mãos pálidas como aranhas em convulsão saindo das mangas pretas. Naquele momento, quando tentasse fugir, eu ficaria atolado, como se corresse numa calda pegajosa. Eu lutaria, tentando gritar, vomitando silêncio, uma mosca na teia, e ela avançaria, devagar, inevitavelmente, seu rosto avançando para a luz. Eu veria seus olhos... e acordaria gritando.

"Então você não tem medo de que ele venha atrás de você novamente?", perguntei.

O trovão veio numa batida repentina, sacudindo o celeiro.

"Ele tem que estar perto", disse o nubano. "Ele precisa saber onde você está."

Soltei um suspiro que nem imaginava estar prendendo.

"Na verdade, ele vai mandar seu caçador", disse o nubano. Ouvi o roçar da palha que ele usou para se cobrir.

"É uma pena", eu disse. Já fazia muito tempo desde que eu sonhara com minha bruxa onírica. Eu gostava da ideia de que ela estivesse nos perseguindo até o celeiro, nas mandíbulas da tempestade. Eu me ajeitei no meio da palha incômoda. "Vou tentar sonhar com um bruxo esta noite. O seu bruxo ou a minha bruxa, tanto faz. E se eu sonhar desta vez não vou correr – vou me virar e degolar a vagabunda."

16

— QUATRO ANOS ATRÁS —

O trovão novamente. Ele me deteve por um momento. Eu o senti em meu peito. Então veio o relâmpago, soletrando o mundo em novos formatos berrantes. Tive visões após o clarão. Um bebê sacudido até que sangue saísse pelos seus olhos. Crianças dançando em uma fogueira. Mais um tremor balançou as tábuas e a escuridão retornou.

Sentei-me na confusão entre o sono e o mundo desperto, rodeado pelos estalos da madeira, o balanço e o ruído do vento. Um relâmpago golpeou novamente e eu vi o interior de uma carruagem, a mãe do lado oposto, William do lado dela, curvado sobre o banco, seus joelhos junto ao peito.

"A tempestade!" Eu me retorci e alcancei a janela. A ripa resistiu, cuspindo chuva enquanto o vento assobiava lá fora.

"Shhhh, Jorg", mamãe disse. "Volte a dormir."

Não conseguia enxergar no escuro, mas a carruagem manteve seu aroma. Rosas e capim-limão.

"A tempestade." Sabia que tinha me esquecido de alguma coisa. Agora eu lembrava.

"É só a chuva e o vento. Não deixe que o assustem, Jorg querido."

Não deixar me assustar? Eu escutava enquanto as rajadas afiavam as garras na porta.

"Temos que ficar na carruagem", ela disse.

Deixei o balanço da carruagem me levar, caçando essa lembrança, tentando sacudi-la.

"Durma, Jorg." Era mais uma ordem do que uma recomendação.

Como ela sabe que eu não estou dormindo?

O relâmpago caiu tão perto que eu ouvi o chiado. A luz atravessou o rosto dela em três faixas, trazendo algo de bestial ao seu olhar.

"Temos que parar a carruagem. Nós precisamos sair. Precisamos..."

"Vá dormir!" Ela chegara ao limite.

Tentei levantar, mas me encontrei afundando, como se caminhasse na lama espessa... ou em um melaço.

"Você não é minha mãe."

"Fique na carruagem", ela disse, sussurrando.

O odor do cravo cortou a escuridão, com um leve toque de mirra, o perfume da sepultura. O fedor abafou todos os sons. Exceto o lento arranhar de sua respiração.

Cacei a maçaneta com dedos cegos. No lugar do metal gélido, encontrei corrupção, a suavidade da carne que se tornou amarga na morte. Um grito saiu de mim, mas não conseguiu ferir o silêncio. Eu a vi no clarão seguinte, a pele retirada dos ossos; no lugar dos olhos, dois poços de carne crua.

O medo levou embora minha força. Eu a senti se esvaindo pela minha perna num fluxo quente.

"Venha para a mamãe." Dedos que pareciam galhos agarraram o meu braço e me lançaram para dentro da escuridão.

Nenhum pensamento surgiria naquele horror que me aprisionava. Palavras tremiam em meus lábios, mas eu não tinha ideia do que elas haveriam de dizer.

"Você... não é ela", eu disse.

Mais um clarão, revelando seu rosto a dois centímetros do meu. Mais um clarão, e eu vi minha mãe morrer, sangrando sob a chuva de uma noite selvagem, e eu pendurado na roseira-brava, indefeso, numa prisão feita de espinhos e de algo mais. Uma prisão feita de medo.

Uma fúria gelada emergiu dentro de mim. Veio das tripas. Aproximei minha testa do rosto arruinado de minha mãe e segurei a maçaneta com uma certeza que dispensava a visão.

"Não!"

E saltei na tempestade.

O trovão ribombou alto o suficiente para acordar até quem estivesse nas covas mais profundas. Eu me sentei numa posição desconfortável, confuso pela catinga do feno e pelo espetar da palha ao meu redor. O celeiro! Eu me lembrei do celeiro.

Um único ponto de iluminação destruiu a noite. O brilho de uma lanterna. Vinha de um feixe próximo do portão do celeiro. Uma imagem, um homem, bem alto, permaneceu no limiar da luz. Deitado aos pés dele, o nubano tinha pesadelos.

Senti que eu estava prestes a gritar e, para impedir, mordi minha bochecha com bastante força. O sabor metálico do sangue destroçou as reminiscências do meu sonho.

O homem segurava a maior balestra que eu já vira. Com uma das mãos ele começou a puxar o cabo. Sem pressa. Quando se está caçando para um bruxo dos sonhos, imagino que nunca haja pressa. A menos que uma de suas vítimas escape de qualquer tipo de sonho que lhe tenha sido enviado para que ela permanecesse dormindo.

Procurei minha faca, mas não encontrei nada. Devo tê-la perdido no meio do feno, enquanto caminhava em meus pesadelos. A lanterna fez algo de metal brilhar perto dos meus pés. Um gancho para levantar fardos. Mais três voltas naquela manivela e a balestra estaria pronta. Peguei o gancho.

O uivo da tempestade encobriu minha aproximação. Não andei furtivamente. Fui devagar o bastante para estar certo dos meus passos e rápido o suficiente para que o azar não tivesse tempo de agir contra mim.

Eu imaginava chegar por trás e cortar a garganta do bastardo, mas ele era alto, alto demais para o alcance de um garoto de dez anos.

Ele ergueu a balestra e mirou no nubano.

Espere quando a espera for oportuna. Lundist costumava me dizer isso. Mas não hesite, nunca.

Acertei-o entre as pernas e puxei o gancho para cima o mais forte que pude.

Onde o estrondo do trovão e o uivo do vento falharam o grito do caçador triunfou. O nubano acordou. E, a seu favor, ele não perdeu tempo tentando entender onde estávamos ou o que estava acontecendo. Ele ficou de pé e enterrou trinta centímetros de aço dentro do tórax do homem em dois segundos.

O caçador ficou caído entre nós dois, cada um com sua arma ensanguentada.

O nubano limpou sua lâmina no manto do caçador.

"Isso sim é uma balestra!" Meus pés puxaram a arma jogada no chão e fiquei perplexo com o seu peso.

O nubano ergueu a arma. Ele passeou com os dedos sobre os adornos de metal incrustados na madeira. "Foi meu povo que a construiu." Rastreou os símbolos e os rostos de deuses ferozes. "E agora eu lhe devo mais uma vida." Ele sentiu o peso da balestra e sorriu. Seus dentes eram uma linha branca sob o brilho da lanterna.

"Uma já basta." Mantive uma pausa. "É o Conde Renar que precisa morrer."

E o sorriso desapareceu do seu rosto.

17

Os velhos corredores me envolviam e quatro anos se transformaram num sonho. Curvas familiares, os mesmos vasos, as mesmas armaduras, as mesmas pinturas, até os mesmos guardas. Quatro anos e tudo continuava o mesmo. Menos eu.

Nos nichos, pequenas lâmpadas de prata queimavam óleo extraído de baleias de mares distantes. Caminhei de um poço de luz até o próximo, atrás de um guarda cuja armadura empobrecia a minha. Makin e Gomst foram levados a destinos diferentes e eu segui sozinho para uma recepção qualquer. O lugar ainda me fazia sentir pequeno. Portas construídas para gigantes, tetos tão altos que um homem mal poderia tocá-los com a ponta de uma lança. Nós chegamos à ala oeste, os aposentos reais. Será que meu pai me encontraria aqui? Homem a homem no arboreto? Almas desnudadas sob o domo do planetário? Eu o imaginara sentado nas garras negras do seu trono, meditando sobre a corte, e eu me aproximando dele, passando entre os homens da guarda imperial.

Segui o guarda solitário e me senti vagamente passado para trás. Será que preferia estar cercado por homens armados? Eu teria me tornado tão perigoso assim? A ponto de ser acorrentado? Eu queria que ele sentisse medo de mim? Tinha quatorze anos e o Rei de Ancrath amarelando atrás de seus soldados?

Eu me senti um tolo, por um momento. Rocei o punho de minha espada. Eles forjaram a lâmina com o metal das colunas do castelo. Uma herança de verdade, uma herança do Castelo Alto, pelo menos uns mil anos mais velha do que eu. Eu ansiava por um confronto. Vozes emergiram dos porões de minha mente, clamando, lutando umas com as outras. Minhas costas formigavam, os músculos se contraíram antecipando a ação.

"Um banho, Príncipe Jorg?"

Era um dos guardas. Por pouco não puxo minha espada.

"Não", eu disse. Eu fiz força para me acalmar. "Verei o rei agora."

"O Rei Olidan já se retirou, príncipe", disse o guarda. Estaria zombando de mim? Seus olhos aparentavam uma inteligência que eu não associaria à guarda do palácio.

"Foi dormir?" Daria um ano de minha vida para retirar o tom de surpresa daquelas palavras. Eu me sentia como o capitão Coddin deve ter se sentido: o alvo de uma piada que ele ainda não compreendera.

"Sageous espera pelo senhor na biblioteca, meu príncipe", disse o homem. Ele se virou para sair, mas eu o agarrei pelo pescoço.

Dormindo? Eles estavam brincando comigo, meu pai e seu mago de estimação.

"Esse jogo", eu disse, "imagino que alguém possa achá-lo divertido, mas se você... me aborrecer... mais uma vez... eu o mato. Pense nisso. Você é um peão no jogo de outra pessoa e tudo o que vai ganhar é uma espada atravessada na barriga, a não ser que decida se redimir nos próximos vinte segundos."

Aquilo era uma derrota, recorrer a ameaças brutais num jogo de sutilezas, mas às vezes é preciso sacrificar a batalha para vencer a guerra.

"Príncipe, eu... Sageous está esperando pelo senhor..." Eu podia ver que eu transformara sua pretensa superioridade em puro horror. Eu pisara fora das regras do jogo. Apertei a garganta dele mais um pouco. "Por que eu iria querer conversar com esse... Sageous? Quem é ele?"

"E-ele representa a vontade do rei. Por favor, por favor, Príncipe Jorg."

As palavras dele passaram pelos meus dedos. Não é preciso muita força para estrangular um homem se você sabe onde agarrar.

Eu o larguei e ele caiu, ofegante. "Na biblioteca, não é? Qual o seu nome, soldado?"

"Sim, meu príncipe, na biblioteca." Ele esfregou seu pescoço. "Robart. Meu nome é Robart Hool."

Eu atravessei o Salão das Lanças a passos largos, dirigindo-me até a porta de couro da biblioteca. Parei em frente a ela e me virei para Robart. "Este é um ponto de virada, Robart. Encruzilhadas no caminho que seguimos em nossas vidas. Momentos em que olhamos para trás e pensamos 'e se...'. Este é um desses momentos. Não é com frequência que eles nos são apresentados. Agora você deve decidir se me tem ódio ou obediência. Pense com cuidado antes de escolher." Empurrei a porta da biblioteca. Ela se chocou contra a parede e eu entrei.

Na minha cabeça, as paredes da biblioteca se estendiam até os céus, gordas de tantos livros, grávidas da palavra escrita. Aprendi a ler aos três anos de idade. Aos sete, já conversava com Sócrates, aprendendo matéria e forma com Aristóteles. Por muito tempo vivi nesta biblioteca. A memória encolhe a realidade: o lugar parecia pequeno. Pequeno e empoeirado.

"Já queimei mais livros do que isso", eu disse.

Sageous surgiu do corredor dedicado à filosofia antiga. Ele era mais jovem do que eu imaginara, quarenta anos, no máximo, e vestia apenas um manto branco, como uma toga romana. Sua pele tinha o matiz pardo das terras médias, Vale do Indo ou Pérsia, talvez, mas eu só conseguia distingui-lo nos raros espaços que a agulha do tatuador não encontrou. Ele vestia o texto de um livro pequeno em sua cobertura natural, seguindo a escrita dos matemágicos. Seus olhos... bem, eu sei que você deveria se curvar ante o olhar de homens poderosos, mas aqueles olhos eram suaves. Eles me lembravam os dos bois na Estrada do Castelo, castanhos e plácidos. Perigoso, de verdade, era a maneira como eles escrutinavam. De certo modo, aqueles olhos suaves cavavam fundo. Talvez o manuscrito sob eles detivesse o poder. Só posso dizer que, por um tempo indeterminado, não vi nada além dos olhos do pagão, não ouvi nada além de seu alento, não movi nenhum músculo além do meu coração.

Ele me liberou, como um peixe atirado de volta ao rio, pequeno demais para o balaio. Nós ficamos cara a cara, a centímetros de distância, e eu nao me lembrava de ter me aproximado. Mas eu me aproximei. Permanecemos entre os livros. Entre as sábias palavras de dez mil anos. Platão à minha esquerda, copiado, copiado e copiado mais uma vez. Os "modernos" à minha direita: Russel, Popper, Xiang e os outros. Uma voz dentro de mim, lá dentro, clamava por sangue. Mas o pagão havia retirado o fogo que havia em mim.

"Meu pai deve depender de você, Sageous", eu disse. Remexi meus dedos, desejando querer minha espada. "Ter um pagão na corte deve envergonhar os sacerdotes. Se a papisa ousasse deixar Roma nos dias de hoje ela viria aqui amaldiçoar sua alma com o fogo eterno dos infernos!" Eu não tinha nada além do dogma para jogar em sua cara.

Sageous sorriu, um sorriso amigável, como se eu acabasse de lhe trazer uma mensagem. "Príncipe Jorg, bem-vindo ao lar." Ele não tinha sotaque, mas pronunciava as palavras de um jeito cantado, como um sarraceno ou um mouro.

Não era mais alto do que eu. Na verdade eu provavelmente tinha uns dois centímetros a mais do que ele. Era esguio também, o que significa que eu poderia derrubá-lo ali mesmo e estrangulá-lo até a morte. Pensamentos mortais borbulhavam um após o outro, e desapareciam.

"Você é bem parecido com o seu pai", ele disse.

"Você conseguiu domesticá-lo também?", perguntei.

"Ninguém consegue domesticar um homem como Olidan Ancrath." Seu sorriso amigável adquiriu um quê divertido. Eu queria entender a piada. Ele conseguia me controlar, mas não ao meu pai? Ou ele conseguia manipular o rei e escolhia encobrir a verdade com um sorrisinho?

Imaginei a cabeça tatuada do pagão sendo arrancada de seus ombros, seu sorriso congelado e o sangue pulsando do pescoço. Naquele momento alcancei minha espada e usei toda a minha vontade para conseguir agir. A empunhadura estava gélida quando eu a toquei. Encaixei meus dedos ao redor do punho, mas antes que eu pudesse firmá-los minha mão desabou como uma coisa morta.

Sageous ergueu uma sobrancelha, raspada como seus cabelos e desenhada de volta na testa. Ele deu um passo atrás.

"Você é um jovem interessante, Príncipe Jorg." Seu olhar endureceu. Suave num instante e no outro morto como uma pedra. "Nós precisamos descobrir o que o deixa motivado, não é mesmo? Eu vou pedir para Robart guiá-lo até seus aposentos, você deve estar cansado." Durante todo o tempo em que ele falou os dedos de sua mão direita escreviam palavras seguindo o manuscrito de seu braço esquerdo, roçando um símbolo, saltando para uma lua negra crescente, sublinhando uma frase, sublinhando novamente. Eu me sentia cansado. Sentia chumbo em todos meus membros, me puxando para baixo.

"Robart!" Ele gritou alto o suficiente para ser ouvido no corredor.

Olhou para mim, suave, de novo. "Espero que tenha sonhos, príncipe, depois de tanto tempo longe de casa." Seus dedos se moveram sobre novas linhas, mão esquerda, braço direito. Ele tracejou palavras mais escuras que a noite sobre as veias do seu pulso. "Sonhos dizem a um homem quem ele é."

Lutei para manter meus olhos abertos. No pescoço de Sageous, um pouco à esquerda de seu pomo de Adão, em meio a todos aqueles rabiscos espremidos, havia uma letra, maior que as demais, curvada e recurvada de modo a parecer uma flor.

Toque a flor, eu pensei. *Toque a flor bonita*. E, como por mágica, minha mão traiçoeira se moveu. Meu toque o surpreendeu, meus dedos em sua garganta. Ouvi a porta se abrir atrás de mim.

Ele é magricelo, pensei. *Tão magricelo*. Será que eu conseguiria dar a volta em seu pescoço com minha mão? Não permiti nenhum indício de violência, apenas de curiosidade. E lá estava eu, com minha mão ao redor de seu pescoço. Ouvi a inspiração súbita de Robart. Sageous permaneceu congelado, de boca semiaberta, incrédulo.

Eu mal podia me sustentar, mal conseguia prender meus bocejos, mas o encarei fixamente e o deixei pensar que a pressão que eu lhe aplicava era uma ameaça, não um apoio para evitar que eu caísse.

"Meus sonhos pertencem a mim, pagão", eu disse. "Reze para que você não esteja neles."

Então me virei, antes que caísse, e deixei Robart para trás. Ele me alcançou no Salão das Lanças.

"Nunca vi ninguém encostar a mão em Sageous, meu príncipe."

Meu príncipe. Assim estava melhor. Havia admiração em sua voz, talvez genuína, talvez não, eu estava cansado demais para me importar.

"Ele é um homem perigoso, seus inimigos morrem dormindo. Ou então ficam estragados. O Lorde Jale deixou a corte dois dias após discordar com o pagão na frente de seu pai. Dizem que ele não consegue mais se alimentar sozinho e passa o dia cantarolando velhas canções de ninar, uma atrás da outra."

Alcancei a escadaria oeste. Robart tagarelava atrás de mim. Ele irrompeu de supetão: "Seus aposentos ficam além do Corredor Vermelho, meu príncipe". Ele parou e estudou suas botas. "A princesa ficou com seu antigo quarto."

Princesa? Eu não me importava. Amanhã, amanhã eu descobriria. Deixei que ele me guiasse até meu quarto. Um dos quartos de hóspedes além do Corredor Vermelho. O aposento poderia abrigar a maioria das tabernas onde eu dormira, mas aquilo não passava de um insulto premeditado. Um quarto para um barão do campo ou um primo distante vindo dos protetorados.

Parei em frente à porta, cambaleante. O feitiço de Sageous mordia um pouco mais e minhas forças deixavam-me feito sangue em veias abertas.

"Falei que era hora de você escolher, Robart", eu disse. Fiz força para dizer as palavras, uma de cada vez. "Traga Makin Bortha. Deixe-o de sentinela em minha porta esta noite. É hora de escolher."

Não esperei pela resposta. Se tivesse esperado ele teria que me carregar até a cama. Empurrei a porta e, meio titubeando, meio caindo, entrei no quarto e me joguei de costas sobre a porta para fechá-la, deslizando para o chão. Eu me sentia escorregando, cada vez mais para o fundo, para o fundo de um poço sem fim.

18

Acordei com aquela súbita convulsão que se tem quando todos os músculos que você possui percebem, de repente, que estão de folga. O próximo choque que tomei foi perceber o quão profundamente eu adormecera. Você não dorme assim na estrada, isto é, não se você deseja acordar novamente. Por um momento a escuridão não fez nada para me deixar confuso. Busquei minha espada e apenas encontrei lençóis macios. O Castelo Alto! Tudo voltou à mente. Lembrei-me do pagão e de seu feitiço.

Rolei para a direita. Sempre deixo minhas coisas do meu lado direito. Nada além do colchão, macio e profundo. Eu poderia estar cego, uma vez que meus olhos não me ajudavam em nada. Pensei que as venezianas deveriam estar bem fechadas, já que nem o menor suspiro de luz das estrelas me alcançava. Estava tudo muito quieto também. Eu me estiquei para a beira da cama, mas não a encontrei. *Uma cama larga*, pensei, tentando achar humor na situação.

Deixei escapar o ar que estava segurando, aquele que aspirei tão rapidamente quando acordei. O que foi que me trouxe até aqui? O que me retirou do feitiço do pagão e me deitou nessa cama tão confortável? Puxei minha mão de volta, trouxe meus joelhos até o tórax. Alguém me botou na cama e tirou minhas roupas. Não foi Makin, ele não me deixaria nu para enfrentar a noite. Esse aí e eu teríamos uma discussão muito em breve. Mas eu poderia esperar até de manhã. Eu só queria dormir e deixar o dia chegar.

Só que o sono havia me chutado para fora e não estava a fim de me receber de volta. Então eu fiquei lá, deitado, nu nessa cama estranha, pensando onde estaria minha espada.

O barulho surgiu tão quieto que, a princípio, achei que o tinha imaginado. Encarei a escuridão às cegas e deixei meus ouvidos sugarem o silêncio. E ele voltou, suave como o suspiro de carne sobre pedra. Eu podia ouvir o fantasma de um som, um alento sendo desenhado. Ou talvez fosse apenas a brisa da noite descortinando seu caminho através das venezianas.

O gelo correu sobre minha espinha e fez meus ombros formigarem. Eu me sentei, prendendo com os dentes a minha urgência de falar, de mostrar bravata a terrores invisíveis. *Não tenho seis anos*, eu disse a mim mesmo. *Eu fiz os mortos correrem*. Joguei os lençóis para trás e me levantei. Se o horror pagão esperava por mim na escuridão, os lençóis não serviriam de escudo. Mantendo minhas mãos estendidas, andei para frente, primeiro encontrando a ardilosa quina da cama, depois a parede. Eu me virei e a segui, tateando as pedras. Alguma coisa rodopiou e quebrou com um estalo oneroso. Ralei minhas canelas num obstáculo invisível, por pouco não arrebento os bagos num aparador, e finalmente achei as lâminas da veneziana.

Eu me atrapalhei com o mecanismo da janela. Ele me desafiava loucamente, ainda que o frio deixasse meus dedos desajeitados. Minhas costas se arrepiaram. Ouvi passos se aproximando. Puxei as venezianas com todas as minhas forças. Todos os meus movimentos pareciam lentos e fracos, como se eu me movesse através de um melaço, como nesses sonhos em que a bruxa o persegue e você não consegue correr.

As venezianas cederam sem aviso. Elas se abriram e descobri que estava em pé bem acima do pátio das execuções, banhado pela luz da lua. Girei pelo quarto. Devagar, bem devagar. E não encontrei nada. Somente uma habitação prateada e sombria.

A janela jogou a luz da lua na parede à minha direita. Minha sombra alcançou o arco na janela e caiu sobre os pés de um grande retrato. A pintura de corpo inteiro de uma mulher. Eu fiquei entorpecido: sentia meu rosto como uma máscara. Eu conhecia a pintura. Mãe. Minha mãe no salão grande. Minha mãe de vestido branco, esguia e gélida em sua perfeição. Ela dizia que jamais gostou dessa pintura, que o artista a fizera distante demais, rainha demais. Só William para suavizar a pintura, ela dizia. Se William não estivesse ali, abraçado à sua saia, mamãe já teria se livrado do quadro, dizia. Mas ela não poderia jogar fora o pequeno William.

Tirei meus olhos do rosto dela, pálido sob a luz prateada. Ela se erguia sobre mim, alta em vida, mais alta ainda no retrato. Seu vestido caía em camadas de laços: o artista o captou direitinho e fez o vestido parecer real.

As venezianas abertas deixaram o frio entrar, gélido como eu nunca senti durante um outono. Minha pele ficou toda arrepiada. Ela não poderia jogar fora o pequeno William. Só que William não estava mais lá... Dei um passo atrás em direção à janela aberta.

"Senhor Jesus..." Tentei conter as lágrimas.

Os olhos de minha mãe me seguiram.

"Jesus não esteve lá, Jorg", ela disse. "Ninguém apareceu para nos salvar. Você viu tudo, Jorg. Você viu, mas não veio nos socorrer."

"Não." Eu senti o peitoril gélido da janela encostar na parte de trás dos meus joelhos. "Os espinhos... os espinhos me impediram."

Ela olhou para mim, olhos prateados pela lua. Ela sorriu e por um segundo achei que me perdoaria. Então ela gritou. Não os gritos que soltou quando os homens do conde a estupraram. Isso eu conseguiria suportar. Ela emitiu os gritos que soltou quando eles mataram William. Gritos feios, roucos, animalescos, arrancados da pintura perfeita de seu rosto.

Eu uivei de volta. As palavras saíam de mim em explosões. "Os espinhos! Eu tentei, mãe. Eu tentei."

Então ele surgiu de trás da cama. William, o doce William, com o lado de sua cabeça escavada. O sangue negro havia coagulado em seus cabelos dourados. O olho daquele lado não estava mais lá, mas o outro me encarava.

"Você me deixou morrer, Jorg", ele disse. Ele falava e sua garganta borbulhava.

"Will." Não consegui dizer mais nada.

Ele ergueu sua mão branca com traços de sangue do mais escuro carmesim.

A janela bocejou lá atrás e eu pensei em me jogar por ela, mas enquanto eu estava ali algo me jogou para frente. Cambaleei e consegui me endireitar. Will continuava ali, mas agora em silêncio.

"Jorg! Jorg!" Um grito me alcançou, distante mas um tanto familiar.

Olhei de volta para a janela e para a queda vertiginosa.

"Pule", disse William.

"Pule!", disse mamãe.

Mas a minha mãe já não soava mais como a minha mãe.

"Jorg! Príncipe Jorg!" O grito veio mais alto e um golpe mais violento me atirou ao chão.

"Sai da porra do caminho, garoto." Reconheci a voz de Makin. Ele permaneceu emoldurado pelo vão da porta. E de alguma maneira deitei no chão, aos seus pés. Não estava perto da janela. Nem mesmo nu, mas ainda de armadura.

"Você estava bloqueando a porta, Jorg", disse Makin. "Esse tal de Robart me disse para vir correndo e você aqui, gritando atrás da porta." Ele deu uma espiada ao redor, procurando pelo perigo. "Eu corri da Ala Sul por causa de seu maldito pesadelo, não foi?" Ele escancarou a porta um pouco mais e adicionou um "príncipe" tardio.

Fiquei em pé, me sentindo como se Burlow, o Gordo, tivesse me rolado pelo chão. Não havia pintura nenhuma na parede, nem minha mãe, e Will não estava atrás da cama.

Desembainhei minha espada. Precisava matar Sageous. Queria tanto matá-lo que eu podia sentir o sangue, quente e salgado, em minha boca.

"Jorg?", perguntou Makin. Ele parecia preocupado, como se duvidasse de minha sanidade.

Fui em direção à porta aberta. Makin deu um passo para bloquear o caminho. "Você não pode sair daqui com uma espada em mãos, Jorg, o guarda terá que pará-lo."

Ele não era tão alto nem tão largo quanto Rike, mas Makin era um homem grande, de ombros largos e mais forte do que um homem deveria ser. Não acho que eu conseguiria derrubá-lo sem matá-lo antes.

"É uma questão de sacrifícios, Makin", eu disse. E deixei minha espada cair.

"Príncipe?", ele franziu a testa.

"Vou deixar esse maldito tatuado viver", eu disse. "Preciso dele." Tive uma rápida visão de minha mãe, novamente, e ela desbotava. "Preciso entender qual é o jogo que eles estão jogando. Quem são as peças e quem são os jogadores."

Makin franziu a testa ainda mais. "Já pra cama, Jorg. Tá na hora de dormir." Ele espiou o corredor novamente. "Você precisa de luz?"

Sorri. "Não", disse. "Eu não tenho medo do escuro."

19

Acordei cedo. Uma luz cinzenta através das venezianas me mostrou o quarto pela primeira vez: grande, bem mobiliado, com cenas de caça representadas nas tapeçarias das paredes. Larguei o punho de minha espada, alonguei o corpo e bocejei. Essa cama não era adequada para mim. Muito macia, muito limpa. Quando joguei as cobertas para o lado elas acertaram a sineta dos serventes, na mesa de cabeceira, que caiu sobre o chão de pedras, produzindo um belo tilintar antes de quicar e cair sobre um tapete, calando sua voz. Ninguém apareceu. Melhor assim: eu me vesti sozinho por quatro anos. Diabos, eu raramente me despia! E os trapos que eu vestia eram mais vergonhosos que os aventais surrados dos serventes. Ainda assim. Ninguém apareceu.

Vesti minha armadura sobre os farrapos cinzas que usava como camisa. Um espelho repousava sobre o aparador. Eu o deixei ali, voltado para baixo. Uma rápida passada de mão pelos cabelos, à procura de qualquer piolho gordo o suficiente para ser encontrado, e eu estava pronto para meu desjejum.

Primeiro, abri as venezianas. Não me atrapalhei dessa vez. Olhei o pátio de execução lá embaixo, um quadrado limitado pelas paredes vazias do Castelo Alto. Ajudantes de cozinha e criadas atravessavam com pressa o pátio desolado com suas tarefas a cumprir, alheios ao céu desbotado sobre suas cabeças.

Eu saí da janela e fui cumprir minhas próprias tarefas. Todo príncipe conhece mais a cozinha do que qualquer outro lugar de seu castelo. Onde mais se poderia encontrar tantas aventuras? Onde mais a verdade é dita tão abertamente? William e eu aprendemos umas cem vezes mais nas cozinhas do Castelo Alto do que em nossos livros de latim e de estratégia. Nós escapulíamos das aulas de Lundist, com as mãos manchadas de tinta, e corríamos através de longos corredores, saltando vários degraus de uma só vez, até alcançarmos o refúgio das cozinhas.

Agora eu caminhava por esses corredores, sentindo desconforto nesse espaço confinado. Eu passara tempo demais sob céus abertos, vivendo a vida, cacete. Nós também aprendíamos sobre a morte nas cozinhas. Vimos o cozinheiro transformar galinhas vivas em carne morta com um movimento de suas mãos. Vimos Ethel, o padeiro, depenar as galinhas gordas, despidas em sua morte, e prontas para ser recheadas. Você logo descobre que não há elegância ou dignidade na morte quando se passa algum tempo nas cozinhas do castelo. Você descobre que tudo é horrível e ao mesmo tempo delicioso.

Virei no final do Corredor Vermelho, com lembranças demais para prestar atenção. Tudo o que eu vi foi alguém caindo sobre mim. Os instintos que desenvolvi na estrada tomaram conta. Antes que tivesse tempo de registrar os cabelos longos e o vestido de seda, eu a empurrei contra a parede, tapei sua boca com minha mão e pus minha faca sobre sua garganta. Estávamos frente a frente e minha prisioneira me encarou, com olhos de um verde impossível, como um vitral. Transformei meu rosnado em um sorriso e destravei meus dentes. Dei um passo para trás e a soltei.

"Perdão, milady", eu disse, e esbocei uma reverência vazia. Era alta, quase da minha altura, e certamente não era muitos anos mais velha.

Ela arreganhou um sorriso feroz e passou o dorso da mão na boca. Sua mão ficou manchada de sangue, de uma mordida na língua. Pelos deuses, ela era boa de se olhar. Tinha um rosto forte, o nariz e as maçãs do rosto eram finos, seus lábios carnudos – e tudo isso emoldurado por cabelos vermelhos-escuros.

"Meu Deus, você fede, garoto", ela disse. Ela me rodeou, como se inspecionasse um cavalo à venda. "Você tem sorte que Sir Galen não está comigo ou uma criada estaria recolhendo sua cabeça do chão neste instante."

"Sir Galen?", perguntei. "Ficarei de olho nele." Havia diamantes em volta de seu pescoço, numa teia complexa de ouro. Trabalho de Spaña: ninguém na Costa Equina conseguiria fazer uma joia assim. "Não seria de bom-tom que os hóspedes do rei saíssem por aí matando uns aos outros." Pensava que ela deveria ser a filha de um mercador que veio bajular o rei. Um mercador muito rico ou talvez a filha de algum conde ou um nobre qualquer do leste: havia um certo ruído oriental em sua voz.

"Você é um hóspede?" Ela ergueu uma sobrancelha e continuou muito bonita desse jeito. "Acho que não. Você deve ter entrado sorrateiramente aqui. Pela calha das latrinas, a julgar pelo fedor. Não acho que você possa ter escalado as paredes, não usando essa velha armadura desajeitada."

Bati os calcanhares, como os cavaleiros da távola, e lhe ofereci meu braço. "Estou indo tomar meu café na cozinha. Eles me conhecem. Talvez você queira me acompanhar e verificar minhas credenciais, senhorita?"

Ela consentiu, ignorando meu braço. "Posso mandar um garoto chamar os guardas para prendê-lo, se não encontrarmos nenhum soldado pelo caminho."

Então nós andamos lado a lado, atravessamos os corredores e baixamos um lance de escada após o outro.

"Meus irmãos me chamam de Jorg", eu disse. "E você, como se chama, senhorita?" Minha língua, incomensuravelmente seca, estranhava aquele vocabulário da corte. Ela cheirava a flores.

"Você pode me chamar de milady", ela disse, e empinou novamente seu nariz. Passamos por dois guardas, vestidos com armaduras forjadas de bronze e plumas. Ambos me estudaram como se eu fosse uma merda fora da latrina, mas ela não disse nada e eles nos deixaram passar.

Passamos pelas despensas onde a carne salgada e as conservas de porco repousavam em barris estocados até o teto. Milady parecia saber o caminho. Ela me espiou com aqueles olhos de esmeralda.

"Então você veio aqui para roubar ou para matar alguém com essa sua adaga?", ela perguntou.

"Talvez um pouco das duas coisas." Abri um sorriso.

Mas era uma boa pergunta. Não saberia dizer por que, tirando o fato de que alguém não me queria por aqui. Desde aquele momento em que encontrei o padre Gomst em sua jaula, desde que o fantasma me atravessou e os meus pensamentos se viraram para o Castelo Alto, eu sentia como se tentassem me guiar para fora. E eu não deixo ninguém me dizer aonde devo ir.

Passamos pela Ponte Curta, pouco mais do que três pranchas de mogno sobre as enormes válvulas capazes de vedar os níveis inferiores do castelo principal. As portas, feitas de aço com um metro de espessura, eram capazes de deslizar para o vão superior localizado no corredor – pelo menos foi o que o tutor Lundist me disse. Elevadas pela velha magia. Nunca as vira fechadas. Tochas queimavam ali, nenhuma lâmpada de prata nos níveis dos serviçais. O fedor da fumaça de alcatrão, mais do que qualquer outra coisa, me fez sentir em casa.

"Talvez eu fique por aqui", disse.

O arco da cozinha estava bem à nossa frente. Pelo vão das portas eu podia ver Drane, o cozinheiro assistente, atracando-se com um porco.

"Seus irmãos não sentiriam saudades?", perguntou, agora num tom debochado. Ela tocou o canto de sua boca com os dedos, bem em cima de onde os meus deixaram marcas vermelhas, que ficavam mais intensas. Alguma coisa naquele gesto me deixou igualmente mais intenso.

Eu dei de ombros e parei para ajeitar as correias do bracelete que cobria meu antebraço esquerdo. "Existem muitos irmãos na estrada", eu disse. "Deixa eu mostrar o tipo de irmãos a que me refiro..."

"Deixa que eu faço", ela disse, impaciente.

A luz da chama ardia no vermelho dos seus cabelos. Ela desfez os laços com dedos hábeis. A garota entendia de armaduras. Quem sabe Sir Galen não fizesse mais do que decapitar arruaceiros malcriados?

"O que houve?", ela perguntou. "Já vi antebraços antes, talvez não tão imundos assim."

Abri um sorriso e virei meu braço para que ela pudesse ver a marca da irmandade sobre meu pulso. Três horrendas faixas de queimaduras. Um olhar de desgosto marcou seus traços. "Você é um mercenário? E ainda sente orgulho disso?"

"Mais orgulho do que sinto por minha família de verdade, que eu abandonei." Senti uma mordida de raiva. Senti vontade de botar essa inconveniente filha de mercador para correr.

"E isso aqui?" Com os dedos sobre meu braço ela percorreu a pele que a armadura não cobria, da marca da irmandade até o cotovelo. "Meu Deus! Debaixo dessa sujeira quase não tem um garoto, é tudo cicatriz."

Seu toque me arrepiou e eu puxei o braço. "Caí num arbusto quando era criança", disse, num tom bastante alto.

"Um senhor arbusto!", ela disse.

Dei de ombros. "Roseira-brava."

Seus lábios se contorceram de dor. "Ai! Você tinha que ficar parado", ela disse, com os olhos ainda sobre meu braço. "Todo mundo sabe disso. Olha, os espinhos cortaram você até os ossos."

"Eu sei disso. *Agora*." Apertei o passo em direção à porta da cozinha.

Ela correu para me alcançar e as sedas de seu vestido dançaram. "Por que você se debateu? Por que não ficou parado?"

"Eu fui um imbecil", disse. "Eu não lutaria hoje em dia." Queria que aquela vaca estúpida se mandasse. Nem fome eu sentia mais.

Meu braço ardia com as lembranças de seus dedos. Ela tinha razão, os espinhos me cortaram bem profundamente. Durante um ano, com intervalos de poucas semanas, o veneno queimava nas feridas e corria em meu sangue. Sempre que o veneno corria dentro de mim eu fazia coisas que assustavam até mesmo os irmãos.

Drane tombou junto às portas quando me aproximei. Ele parou, esfregou as mãos no avental imundo esticado sobre sua pança. "O qu..." olhou para trás e arregalou os olhos. "Princesa!" Ele ficou subitamente apreensivo, tremendo como um monte de gelatina. "Princesa! O que a se-senhorita está fazendo na cozinha? Isto aqui não é um lugar para uma dama em trajes de seda."

"Princesa?" Boquiaberto, virei-me para encará-la.

Ela abriu um sorriso que me deixou perplexo, não sabia se lhe dava um tapa ou um beijo. Antes que pudesse decidir uma pesada mão pousou sobre meus ombros e Drane me virou. "E o que um pequeno rufião como você pensa que está fazendo importunando sua alteza..." A pergunta morreu em sua garganta. Com sua cara gorda toda enrugada ele tentou falar de novo, mas as palavras não surgiam. Ele me soltou e recuperou a voz. "Jorg? Pequeno Jorg?" Lágrimas correram sobre suas bochechas.

Will e eu vimos esse homem esganar algumas galinhas e assar algumas tortas: não havia motivos para ele ficar tão abobalhado em minha presença. Mas eu o livrei do constrangimento; ele me dera a oportunidade de ver sua alteza real surpresa. Sorri para ela e fiz uma curta reverência.

"Princesa, hein? Então isso quer dizer que o traste ambulante que você queria entregar aos guardas é, na verdade, seu irmão adotivo."

Ela recuperou a compostura imediatamente. Isso eu não posso negar.

"Na verdade, meu sobrinho", ela disse. "Seu pai se casou com minha irmã mais velha, dois meses atrás. Sou sua tia Katherine."

20

Sentamos ao longo do cavalete no qual os empregados da cozinha comiam suas refeições, tia Katherine e eu. Os serviçais limparam a galeria inferior e trouxeram luzes e velas de todos os tamanhos e diâmetros em castiçais de barro. Eles nos observavam das portas nos dois lados do cômodo, uma plateia maltrapilha, sorrindo e acenando como se aquele fosse um dia santo ou de festa e nós, os mascarados, estivéssemos ali para entretê-los. Drane apareceu e irrompeu por entre os empregados como uma barca sobre as águas. Ele trouxe pão fresco, uma tigela de mel, manteiga dourada e facas de prata.

"Aqui sim se come de verdade", eu disse. Mantive meus olhos em Katherine. Ela não parecia se importar. "Pão quentinho saído do forno." Ao abri-lo, a fumaça se espalhou. O paraíso deve ter cheiro de pão fresquinho. "Eu não tinha saudades de você à toa, Drane", eu disse sobre meu ombro. Eu sabia que o cozinheiro gorducho iria se vangloriar durante um ano por causa dessas palavras. Não senti saudades dele. Nem sequer perdi um segundo pensando nele durante a centena de vezes que sonhara com suas tortas. Na verdade, eu lutara para me lembrar do seu nome quando o vi junto à porta. Mas havia algo naquela garota que me fazia querer ser o tipo de homem que se lembrava.

A primeira mordida acordou minha fome e caí sobre o pão como se ele fosse um pernil de veado, e eu e meus irmãos nos acotovelássemos no meio da estrada. Katherine parou para ver, suspendeu sua faca sobre o pote de mel e contorceu os lábios num sorriso.

"Mmmm." Eu mastiguei e engoli. "O quê?", disse, ordenando uma resposta.

"Ela deve estar se perguntando se você vai para debaixo da mesa, quando o pão acabar, brigar pelos ossos com os cachorros." Makin se aproximara sem que eu notasse.

"Diabos, mas você tem pés de pantufa, Sir Makin." Eu me virei e ele estava lá, em pé, atrás de mim, com sua armadura cintilante. "Um homem de armadura deveria ter a decência de ranger."

"Eu rangi bastante, meu príncipe", ele disse, abrindo um sorriso impertinente. "Você estava prestando atenção em coisas mais urgentes, quem sabe?" Ele prestou reverências à Katherine. "Milady. Acredito não ter tido a honra."

Ela lhe estendeu a mão: "Princesa Katherine Ap Scorron".

Makin ficou perplexo. Ele tomou sua mão e fez um novo aceno, muito mais reverente, levando os dedos dela até os lábios. Ele tinha lábios grossos, sensuais. Bastava-lhe lavar o rosto para seus cabelos, negros e cacheados, cintilarem tanto quanto sua armadura. Ele se limpou de verdade e eu, por um momento ínfimo, o odiei sem reservas.

"Sente-se", eu disse. "Estou certo de que o excelente Drane pode trazer mais pão."

Makin soltou a mão de Katherine. Devagar demais para o meu gosto. "Infelizmente, meu príncipe, é o dever, e não a fome, que me trouxe até a cozinha. Achei que iria encontrá-lo aqui. Você foi intimado a comparecer na sala do trono. Deve ter uma centena de escudeiros procurando por você. E por você também, princesa." A ela, Makin concedeu um olhar apreciativo. "Encontrei um sujeito, chamado Galen, à sua procura." Estas últimas palavras saíram um tanto amarradas. Assim como eu, Makin não gostava muito de Sir Galen. E ele encontrara o sujeito.

Levei o pão comigo. Era muito bom para ser deixado para trás.

Seguimos nosso caminho de volta à superfície. O Castelo Alto parecia ter despertado durante minha visita às cozinhas. Escudeiros e camareiras corriam pra lá e pra cá. Guardas emplumados passavam aos pares e em grupos de cinco em seus afazeres. Contornamos um lorde trajando peles e uma corrente de ouro, cercado por lacaios, e o deixamos para trás, com seu espanto, suas reverências e seu "Bom dia, princesa!".

Atravessando o corredor e um salão, chegamos à Galeria Torrencial, a antecâmara da sala do trono, onde as armaduras de torneio de reis do passado se alinhavam às paredes como cavaleiros ocos de pé em vigília permanente.

Makin nos anunciou aos guardas: "Príncipe Honório Jorg Ancrath e a Princesa Katherine". Ele citou meu nome antes de anunciar a princesa. Uma questão sem importância na estrada, mas um detalhe gritante na Galeria Torrencial. *Eis o herdeiro do trono, deixem-no entrar*.

Os guardas emplumados na entrada permaneceram imóveis como as armaduras nos pedestais atrás deles. Eles nos seguiram apenas com os olhos, mãos enluvadas repousavam sobre os adornos dos punhos de suas espadas, com as pontas apoiadas no chão. Os dois cavaleiros da távola na sala do trono trocaram olhares. Eles pararam por um momento para saudar Katherine e então se puseram a abrir as grandes portas, deixando um espaço suficiente para que nós entrássemos. Reconheci um deles pelo brasão em seu peitoral: chifres sobre um elmo. Sir Reilly. Ele se tornara grisalho durante os anos em que estive ausente. Ele duelou com sua porta, esforçando-se para mover o carvalho revestido de bronze. As portas se abriram.

Nosso ponto focal cresceu, de uma lasca prateada de luz morna para uma janela que desvendava um mundo que eu conhecera. A corte dos reis Ancrath.

"Princesa?" Eu tomei sua mão e a ergui, e nós entramos.

Sobre os homens que construíram o Castelo Alto, o que lhes sobrava em habilidade lhes faltava em imaginação. Suas paredes hão de permanecer por mais dez mil anos, mas eles não tinham dons artísticos. A sala do trono era uma caixa sem janelas. Uma caixa com uns noventa metros quadrados e um pé direito de seis metros para humilhar os bajuladores – mas ainda assim uma caixa. Elaboradas galerias de madeira para os músicos eliminavam a ressonância das quinas em ângulo reto, e o oratório do rei adicionava certo esplendor. Mantive meus olhos no trono.

"A Princesa Katherine Ap Scorron", anunciou o arauto.

Nenhuma menção ao pobre Jorgy. Nenhum arauto ousaria mostrar tamanho desprezo sem instruções.

Nós atravessamos o longo piso. Nossos passos eram mensurados, observados por homens da guarda junto às paredes, arqueiros posicionados nas paredes à esquerda e à direita, espadachins nas colunas e próximos da porta.

Eu não fora nomeado, mas minha aparição certamente gerou algum interesse. Além dos guardas, e apesar do horário matinal, pelo menos uma centena de bajuladores formava nossa plateia. Eles aguardavam o espetáculo, esbarrando-se nos degraus inferiores, em seus trajes de veludo. Deixei meus olhos vagarem pela multidão resplandecente, demorando-me um pouco mais nas joias mais refinadas. Ainda mantinha meus hábitos da estrada e calculei mentalmente o quanto elas valiam. Só no colo daquela condessa gorducha havia o suficiente para um cavalo de batalha. O colar de ouro daquele lorde poderia comprar dez armaduras de escamas. Cada um de seus anéis renderia, com certeza, um ótimo arco longo e um potro. Precisava me lembrar de que eu tinha novos interesses em jogo. O velho jogo de sempre, mas novas apostas. Não necessariamente mais altas, mas diferentes.

O murmúrio suave da corte subiu e desceu enquanto nos aproximávamos. O burburinho suave de comentários cortantes, sarcasmo ferino, insultos adocicados. Aqui, o alento afiado do príncipe que volta à corte ainda com trajes da estrada; ali, a chacota sorridente, meio escondida sob um guardanapo de seda.

Então me permiti olhar para ele.

Quatro anos não forjaram mudanças em meu pai. Sentava-se sobre o trono alto, coberto por um manto de pele de lobo, com ornamentos de prata. Ele usara o mesmo manto no dia em que fugi. A coroa dos Ancrath repousava sobre sua testa, uma coroa de guerreiro, uma faixa de ferro adornada com rubis, confinando cabelos negros riscados com o mesmo cinza do metal. À sua esquerda, na cadeira da consorte, sentava-se uma nova rainha. Tinha o olhar de Katherine, ainda que mais suave, e uma teia de prata e pedras lunares domava os seus cabelos. Qualquer sinal de gravidez se escondia sob as camadas de seu vestido marfim.

Entre os tronos crescera uma árvore magnífica, trabalhada em vidro, de folhas esmeraldas como os olhos de Katherine, grandes, finas e muitas. Ela alcançava esguios três metros de altura, seus galhos e ramos se retorciam vitrificados, castanhos feito caramelos. Jamais havia visto algo parecido. Eu me perguntava se ela fazia parte do dote da rainha. Certamente tinha o seu valor.

Sageous permaneceu ao lado da árvore de vidro, na luz verde malhada sob suas folhas. Ele abandonara o simples branco que estava usando quando nos encontramos pela primeira vez em favor de mantos negros, colarinho alto, com uma faixa de placas de obsidiana ao redor do pescoço. Nossos olhares se encontraram quando me aproximei e criei um sorriso para ele.

Os cortesãos recuaram diante de nós, Makin na dianteira, Katherine e eu de mãos dadas. Os perfumes dos lordes e das damas faziam cócegas em meu nariz: lavanda e óleo de laranja. Na estrada, a bosta tem a decência de feder.

Apenas dois degraus abaixo do trono estava um cavaleiro alto, trajando uma armadura magnífica de ferro forjado sobre bronze, com dragões gêmeos enroscados sobre seu peitoral num inferno carmesim.

"Sir Galen", sussurrou Makin.

Eu espiei Katherine e seu sorriso me parecia indecifrável. Galen nos observava com olhos azuis ardentes. Gostei um pouco mais dele, por deixar transparecer sua hostilidade. Ele tinha os cabelos louros de um teutão, de feições quadradas e bonitas. Mas era velho. Tanto quanto Makin. Trinta primaveras, pelo menos.

Sir Galen não fez nenhum sinal de que deixaria Makin passar. Nós paramos a uns cinco degraus abaixo.

"Pai", eu disse. Dentro de minha cabeça, eu fizera meu discurso uma centena de vezes, mas de algum jeito o velho filho da mãe conseguia roubar as palavras de minha boca. O silêncio se alongou entre nós. "Espero que..." – recomecei, mas ele me cortou.

"Sir Makin", ele disse, sem ao menos olhar para mim. "Quando enviei o capitão da guarda do palácio para recuperar meu filho de dez anos, eu esperava seu retorno ao anoitecer. Talvez um dia ou três fossem necessários se o menino provasse ser particularmente arisco." Meu pai ergueu sua mão esquerda apenas um centímetro ou dois, e foi a deixa para a plateia. Uma risada dispersa eclodiu entre as senhoras e foi cortada quando os dedos dele retornaram ao braço do trono.

Makin assentiu com a cabeça e não disse nada.

"Empreender uma semana ou duas nessa tarefa seria sinal de incompetência. Mais de três anos é caso de traição."

Makin olhou para o alto. "Jamais, meu rei! Traição jamais."

"No passado, nós tínhamos motivos para considerá-lo apto para um cargo de comando, Sir Makin", meu pai disse, num tom de voz gélido como seu olhar. "Então, você será capaz de explicar-se."

O suor brilhava na testa de Makin. Ele treinara seu discurso tantas vezes quanto eu fizera. E certamente o perdeu de modo igualmente profundo.

"O príncipe tem toda a desenvoltura que se espera de um herdeiro do trono." Vi a rainha franzir o rosto com a frase de introdução de Makin. Até meu pai fechou os lábios e me espiou de modo fugaz e indecifrável. "Quando finalmente o encontrei, estávamos em terras hostis... Jaseth... uns quinhentos quilômetros ao sul daqui."

"Eu sei onde fica Jaseth, Sir Makin", disse meu pai. "Não tente me dar lições de geografia."

Makin inclinou a cabeça. "Sua majestade tem muitos inimigos, como acontece com todos os grandes homens nestes dias turbulentos. Uma lâmina solitária, ainda que leal, como a minha, não conseguiria proteger seu herdeiro em terras como Jaseth. A melhor defesa do Príncipe Jorg era o anonimato."

Espiei a corte. Parecia que o discurso de Makin não o abandonara de forma alguma. Suas palavras tinham impacto.

Meu pai alisava a barba. "Então você deveria ter cavalgado de volta ao castelo numa comitiva anônima, Sir Makin. Pergunto-me por que essa jornada levou quatro anos."

"O príncipe se juntou a um bando de mercenários, majestade. Por méritos próprios, ganhou a submissão deles. Contou-me que se eu ousasse trazê-lo de volta eles me matariam, e que se eu o sequestrasse ele me denunciaria a todos que encontrássemos pelo caminho. E eu acreditei, já que ele tem a obstinação de um Ancrath."

Era hora de ser ouvido, pensei. "Quatro anos na estrada lhe deram um capitão melhor", eu disse. "Há mais para se aprender sobre a guerra do que poderia ser descoberto no castelo. Nós..."

"Você carece de iniciativa, Sir Makin", disse meu pai. Ele nunca viu Makin com bons olhos. Eu cheguei a me perguntar se havia pronunciado minhas palavras. A voz de meu pai se tingiu de raiva.

"Tivesse eu cavalgado atrás do garoto, encontraria um jeito de trazê-lo de volta de Jaseth em menos de um mês."

Sir Makin prestou reverências, humildemente: "É por isso que vossa majestade merece o trono, enquanto eu não passo de um mero capitão da guarda do seu palácio".

"Você não é mais o meu capitão da guarda", meu pai disse. "Sir Galen ocupa essa posição agora, como também servia na Casa Scorron."

Galen prestou a menor das reverências a Makin, um sorriso zombeteiro.

"Talvez você queira desafiar Sir Galen pelo seu antigo posto?", meu pai perguntou. Mais uma vez, ele passou os dedos pela sua barba grisalha.

Eu pressenti uma armadilha. Papai não queria Makin de volta.

"Vossa majestade escolheu um capitão", disse Makin. "Eu não ousaria ignorar vossa decisão usando minha espada." Ele também pressentira a armadilha.

"Faça-me feliz", disse meu pai, abrindo um sorriso pela primeira vez desde nossa entrada, e foi um sorriso frio. "Esta corte foi um tédio durante sua ausência. Você nos deve um pouco de diversão. Que comece o show." Ele fez uma pausa. "Vamos ver o que você aprendeu na estrada." Então ele escutou o que eu falei.

"Pai...", eu comecei. E, novamente, ele me cortou. Não conseguiria superá-lo naquele momento.

"Sageous, pegue o garoto", ele disse.

E isso foi tudo. O pagão capturou meu olhar e me levou, calmo como um carneirinho, para ficar junto a ele entre os tronos. Katherine dirigiu um rápido olhar pálido em minha direção e se foi para o lado de sua irmã.

Makin e Galen saudaram o rei. Eles abriram caminho entre a turba de cortesãos e foram até uma estrela de mármore incrustada no chão, com uns três metros de comprimento, que marcava o centro da sala do trono. Ficaram cara a cara, fizeram uma saudação e desembainharam suas espadas.

Makin carregava a espada que meu pai lhe dera quando ele assumiu o posto de capitão da guarda do palácio. Uma boa arma, forjada em aço indiano, claro e escuro, com velhas runas de poder gravadas em ácido. Nossa temporada errante deixou registros históricos em forma de marcas na lâmina. Eu jamais vira um espadachim melhor do que Makin. Não gostaria de ver um aqui.

Sir Galen não se mexeu. Ele segurava sua espada de forma preguiçosa. Não vi nenhuma marca nela, uma lâmina simples, forjada em ferro negro dos turcomanos.

"Nunca confie numa espada turcomana...", sussurrei.

"Já que o ferro turcomano drena os feitiços como uma esponja e possui uma borda amarga." Sageous completou o velho ditado.

Eu tinha uma resposta afiada para o pagão, mas o choque das espadas ressoou mais alto. Makin avançou sobre o teutão, fintando baixo e depois atacando alto. Makin tinha um talento natural com a espada. A lâmina era parte dele, uma coisa viva, da ponta ao punho. Numa batalha selvagem, ele sabia onde cada perigo se escondia, onde cada armadilha esperava.

Sir Galen bloqueou a investida e retrucou com um contra-ataque preciso. Suas espadas se chocaram e o jogo dos metais soava alto e agudo. Eu mal conseguia acompanhar a troca de golpes. Galen lutava com precisão técnica. Lutava como um homem que desperta todos os dias na alvorada para treinar e duelar. Lutava como um homem que esperava vencer.

Durante o primeiro minuto do duelo os dois escaparam por um triz da morte pelo menos uma centena de vezes. Eu me dei conta de que minha mão direita agarrava o tronco da árvore de vidro, o cristal liso e gelado sob meus dedos. No final desse primeiro minuto, eu sabia que Galen venceria. Esse era seu jogo. Makin era brilhante, mas, assim como eu, ele lutava batalhas reais. Ele lutava na lama. Ele lutava em vilas incendiadas. Ele usava o campo de batalha. Mas essa partida seca, tão restrita em seu escopo, era tudo o que Galen conhecia da vida.

Makin atacou as pernas de Galen. Um pouco tenso demais na curva e Galen o fez pagar pelo erro. A ponta da lâmina turcomana desenhou uma linha vermelha na testa de Makin. Um centímetro a mais na envergadura do braço de Galen e o golpe teria destroçado o crânio de Makin.

"Então você abre o jogo sacrificando seu cavalo, Príncipe Jorg?" Sageous falou bem perto do meu ouvido.

Que susto. Havia esquecido dele. Meu olhar vagou para o dossel verde sobre nós. "Não tenho problemas com sacrifícios, pagão." O vidro da árvore deslizava suavemente sob meus dedos enquanto minha mão subia e descia pelo tronco. Os golpes das espadas pontuavam nossa conversa. "Mas eu sacrifico apenas quando posso ganhar algo em troca."

A árvore era mais pesada do que eu imaginara e, por um segundo, achei que não conseguiria tombá-la. Escorei minhas pernas e deixei meu ombro realizar a tarefa. A coisa caiu em silêncio e então explodiu em um milhão de peças sobre os degraus. Eu poderia ter cegado metade da aristocracia de Ancrath se os olhos deles estivessem no trono e não na luta que acontecia no salão. Como estavam, salpiquei suas costas com cacos de vidro. A multidão bem-vestida na base do estrado real se transformou numa massa aos prantos. Mulheres nascidas na nobreza alisavam seus cabelos, confinados por tiaras de diamante, e suas mãos saíam cortadas e ensanguentadas. Lordes calçando sandálias com fios de ouro, amarrados seguindo a última moda, saltavam aos uivos sobre um carpete de vidro quebrado.

Sir Makin e Sir Galen abaixaram suas espadas e observaram, assombrados.

Quando meu pai se levantou, todos ficaram em silêncio, feridos ou não.

Todos menos eu. Ele abriu a boca para falar e eu falei primeiro.

"As lições que Makin aprendeu na estrada não incluem torneios. Guerras não são vencidas com justas ou cavalheirismo. As lições que ele aprendeu são as mesmas lições que eu aprendi. Infelizmente, Sir

Makin prefere morrer a ofender seu rei ao demonstrá-las." Eu não levantei a voz. Isso os manteve quietos. "Pai." Virei o rosto para encará-lo de frente. "Vou lhe mostrar o que aprendi. Lutarei com seu querido teutão. Se um homem com minha pouca experiência puder derrotar seu campeão então você reintegrará Sir Makin de bom grado, hein?" Falei como se fala na estrada, na esperança de atiçar sua ira.

"Você não é um homem, garoto. Seu desafio é um insulto a Sir Galen e não é digno de consideração." Ele falou entre os dentes. Eu nunca o vira tão furioso. Na verdade eu nunca o vi furioso.

"Um insulto? Talvez." Eu senti um sorriso surgindo e o deixei transparecer. "Mas eu sou um homem. Alcancei a maioridade três dias atrás, pai. Já tenho idade para casar. Um bem valioso. E eu exijo esta luta como meu Presente Anual. Ou você daria as costas para três séculos de tradição dos Ancrath e me negaria a bênção da idade?"

As veias do seu pescoço saltaram orgulhosas e suas mãos se curvaram como se estivessem famintas por uma espada. Não era seguro contar com sua boa vontade.

"Se eu morrer a sucessão será clara", eu disse. "Sua puta Scorron lhe dará um novo filho e você terá se livrado de mim. De uma vez por todas, como mamãe e William. E você não vai ter que mandar o velho padre Gomst vasculhar os pântanos para ter certeza." Levei um momento para saudar a rainha. "Sem ofensas, vossa majestade."

"Galen!" A voz do meu pai era um rugido. "Mate este demônio, pois ele não é meu filho!"

Então eu corri, esmagando folhas esmeraldas com o couro endurecido. Sir Galen disparou a partir da estrela central, arrastando sua espada negra atrás de si, gritando por meu sangue. Ele veio bem rápido, mas a luta com Makin tirou um pouco de seu vigor. Empurrei uma velha senhora que estava no meu caminho, ela caiu cuspindo dentes, as pérolas derramando de seu colar.

Eu me livrei dos cortesãos e continuei correndo, no ângulo oposto de Galen. Ele desistira dos gritos, mas eu podia ouvi-lo atrás de mim, o som surdo de suas botas e o arfar de sua respiração. Ele deveria ter quase um metro e noventa, mas a armadura leve e o fôlego intacto compensaram minhas pernas mais curtas. Enquanto corríamos, saquei minha espada. Devia haver encantos suficientes na borda para entalhar aquela lâmina turcomana. Eu a joguei fora. Precisava me livrar do peso extra.

Tinha pouco espaço para agir. A parede esquerda estava poucos metros à minha frente; Galen, segundos atrás de mim.

Eu mantive a mira em um guarda em particular, um rapaz com vastas costeletas e uma boca aberta. Quando ele percebeu que eu não pretendia desviar, era tarde demais. Eu o atingi com o bracelete em meu antebraço direito. O golpe jogou sua cabeça contra a parede e ele escorregou sem interesse em reagir. Agarrei a balestra com minha mão esquerda, virei-me e acertei entre os olhos de Galen.

A flecha mal conseguiu penetrar seu crânio. É uma das desvantagens de manter as balestras carregadas, ainda que aquela tenha sido armada poucas horas antes. De qualquer maneira, a maior parte do cérebro do teutão permaneceu dentro de sua cabeça e ele caiu bem morto.

O silêncio teria sido total, não fosse a velha choramingando no chão, perto do estrado. Olhei para a multidão de nobres, feridos e ensanguentados, para Galen caído com seus braços afastados e para as ruínas brilhantes da árvore de vidro próxima às duas portas da sala do trono.

"O espetáculo foi do seu agrado, pai?", perguntei. "Ouvi dizer que a corte foi um tédio durante a ausência de Sir Makin."

E, pela primeira vez na minha vida, ouvi meu pai gargalhar. Primeiro uma risada; depois mais alta; e então um tremendo uivo, tal que ele precisou apoiar-se no trono para se levantar.

21

Caiam fora." Sem avisar, uma gargalhada escapuliu dos lábios do meu pai, como um sopro. Ele quebrou o silêncio: "Caiam fora. Eu falarei com o rapaz agora". O rapaz, não "meu filho". O detalhe não me passou despercebido.

E eles se foram. Os nobres e poderosos, os lordes e as damas, os guardas ajudando os feridos, dois deles carregando o corpo de Galen. Makin saiu após Galen, *crunch, crunch, crunch* sobre o vidro quebrado, como que para assegurar que não lhe restava vida em seu corpo. Katherine se permitiu ser guiada por um cavaleiro da távola. Ela parou, contudo, na base do estrado, e me encarou como se apenas naquele momento ela conseguisse ver quem eu realmente era. Esbocei uma reverência, um reflexo, como empunhar a espada. Doía ver o ódio em seu rosto, puro e atônito, mas algumas vezes um pouco de dor é tudo o que precisamos para cauterizar a ferida, queimar a infecção. Ela me viu e eu a vi, ambos desnudados de fingimentos durante aquele momento vazio, recém-casados despidos para a lua de mel. Eu vi nela as mesmas fraquezas que reconheci quando cavalgamos de volta nos campos verdes de Ancrath. A sedução sutil da necessidade e do desejo, uma equação de dependência que corre sob a pele, tão lenta e docemente, apenas para derrubar um homem no exato momento em que ele mais precisa de sua força. Ah, aquilo magoava, mas eu terminei minha saudação e a vi de costas, enquanto saía.

A rainha saiu também, flanqueada por cavaleiros à sua direita e à esquerda, descendo os degraus com um gingado ligeiramente estranho. Consegui ver sua barriga inchada enquanto ela andava. Meu meio-irmão, se a previsão de Sageous estivesse correta. O sucessor do trono caso eu venha a morrer. Apenas um inchaço, apenas uma pista, mas às vezes é o necessário. Lembrei-me do irmão Kane, ferido no bíceps quando nós tomamos o Vilarejo de Holt.

"Não é nada, pequeno Jorgy", ele disse quando eu me ofereci para esquentar uma faca. "Um moleque camponês com uma enxada enferrujada. O ferimento foi superficial."

"Está inchando", eu lhe disse. "Precisa de ferro em brasa." Se já não fosse tarde demais.

"Que se foda, não por causa de um caipira com uma enxada", disse Kane.

Ele morreu petrificado, não foi, Kane? Três dias depois, seu braço estava do tamanho da minha cintura, soltando pus mais verde do que catarro, e com um fedor tão terrível que nós o deixamos gritando sozinho. É *superficial* – mas às vezes o corte superficial chega até o osso se você não o trata prontamente.

Apenas um inchaço. Vi a rainha sair.

Sageous ficou. Seus olhos voltavam-se com frequência para os restos estilhaçados da árvore. Parecia ter perdido uma amante.

"Pagão, vá ver a rainha", disse meu pai. "Ela pode estar nervosa."

Uma dispensa, curta e grossa, mas Sageous estava muito distraído para perceber. Ele ergueu o olhar dos restos brilhantes do tronco que eu havia tombado. "Majestade, eu..."

Você o que, pagão? Você quer algo? Não é sua vez de querer.

"Eu..." Isso era uma novidade para Sageous, eu podia ver: ele estava acostumado a controlar. "Eu não deveria deixá-lo desacompanhado, majestade. O ga..."

O garoto? Fale, homem, fale logo de uma vez.

"Pode ser perigoso."

Falou o que não devia. Eu imagino que o pagão confiara em sua magia por muito tempo. Se realmente houvesse decifrado a cabeça de meu pai, ele não cometeria a besteira de insinuar que eu representava algum risco para o rei.

"Fora."

Seja lá o que eu pense sobre meu querido pai, sempre admirei seu jeito com as palavras.

O olhar de Sageous tinha algo mais além de ódio. Enquanto Katherine canalizou uma emoção pura, o mago tatuado me oferecia uma complexidade desconcertante. Ah, sim, o ódio estava lá, certamente, mas havia admiração também, talvez respeito, e outros sabores, todos misturados naqueles suaves olhos castanhos.

"Majestade." Curvou-se e partiu rumo às portas.

Nós o observamos em silêncio e o vimos atravessar o carpete brilhante de entulhos, manchado aqui com um leque abandonado, ali com uma peruca empoada. As portas se fecharam atrás dele com um tinido de bronze sobre bronze. A marca na parede atrás do trono chamou minha atenção. Eu joguei um martelo uma vez, com força, e errei o alvo. Atingiu bem ali. Aquele estava sendo um dia para velhas escoriações, velhos sentimentos.

"Eu quero Gelleth", meu pai disse.

Eu tinha que admirar sua habilidade de me tirar do prumo. Eu estava ali, carregado com acusações, com lembranças incendiárias, e ele me afastou delas, e me jogou no futuro.

"Gelleth depende do Castelo Vermelho", eu disse. Era um teste. Nós conversávamos desse jeito. Toda conversa era um jogo de pôquer, em cada frase aumentávamos a aposta, blefávamos ou pagávamos para ver.

"Seus truques de festa foram bons. Você matou o teutão. Eu não imaginava que seria capaz. Você escandalizou minha corte – bem, nós dois sabemos o que eles são e o que eles merecem. Mas você sabe agir para valer? Você pode me dar Gelleth?"

Encontrei seu olhar. Eu não tinha seus olhos azuis, puxei o lado de mamãe. Havia um inverno inteiro nos olhos dele, e nada mais. Até no olhar plácido de Sageous eu podia cavar mais fundo e encontrar um subtexto, mas os olhos de meu pai não demonstravam nada além de uma estação gélida. Acho que era aí onde o medo reside, na falta de curiosidade. Eu havia visto a malícia algumas vezes, e o ódio em todas as suas cores. Eu vira o vislumbre nos olhos do torturador, uma luz doentia, mas ainda assim havia o conforto do interesse, o remoto toque da salvação na humanidade compartilhada. Ainda que sem os ferros em brasa, ainda restava ao torturador a curiosidade; pelo menos ele se importava com a dor alheia.

"Posso lhe dar Gelleth", disse.

Eu podia? Provavelmente não. De todos os vizinhos de Ancrath, Gelleth permanecia inexpugnável. O Lorde de Gelleth provavelmente tinha mais direito em reivindicar o Trono do Império do que meu pai. Em toda a Centena, poucos se igualavam a Merl Gellethar.

Minha mão coçava sobre o punho de minha adaga. Queria tanto desembainhar o aço temperado e enterrá-lo no pescoço dele, queria gritar com ele, sentir algum calor naqueles olhos gelados. *Você fez um acordo pela morte da minha mãe, seu bastardo! O sangue do seu próprio filho. O doce William morto e ainda quente, e você fechou um acordo. Paz em troca de direitos de comércio fluvial.*

"Vou precisar de um exército", eu disse. "O Castelo Vermelho não cairá facilmente."

"Você pode levar os homens da Guarda da Floresta." Meu pai estendeu as mãos sobre os braços do trono e se recostou, enquanto me observava.

"Duzentos homens?" Senti meus dedos enrijecerem sobre o punho de minha faca. Duzentos homens contra o Castelo Vermelho. Dez mil talvez não fossem suficientes.

"Levarei meus irmãos também", disse. Eu o olhei nos olhos. Nenhuma alteração no inverno, nenhuma consideração ao ouvir a palavra "irmão". A fraqueza em mim queria falar sobre Will. "Você terá Gelleth. Eu lhe darei o Castelo Vermelho. Eu lhe darei a cabeça de Lorde Gellethar. E então você me entregará o pagão."

E você me chamará de "filho".

PRINCE OF THORNS

22

Então sentamos, Makin e eu, à mesa da taberna O Anjo Caído com uma jarra de cerveja entre nós e a canção de um bardo estridente que lutava para ser escutado no meio da confusão. À nossa volta, os irmãos se misturavam à ralé da Cidade Baixa, jogando, trepando, devorando. Rike sentou-se ali perto, seu rosto enterrado numa galinha tostada. Parecia que ele tentava inalar o pedaço de comida.

"Você pelo menos já viu o Castelo Vermelho, Jorg?", perguntou Makin.

"Não."

Makin olhou para sua cerveja. Ele ainda não tocara nela. Por uns instantes, nós ouvimos o som de Rike esmigalhando ossos de galinha.

"E você?", perguntei.

Ele fez que sim com a cabeça e se debruçou em sua cadeira, o olhar nas lanternas sobre a porta da rua. "Quando eu era escudeiro de Sir Reilly, nós levamos uma mensagem para Lorde Gellethar.

Ficamos uma semana nos salões de hóspedes do Castelo Vermelho antes que Merl Gellethar se dignasse a nos ver. A sala do trono dele humilha a do seu pai."

Irmão Burlow chegou cambaleando, sua barriga escapava sobre o cinto resistente, um naco de carne em uma das mãos e dois garrafões na outra, espuma sobre os nós dos dedos.

"O que tem o castelo?" Eu não poderia me importar menos a respeito de um concurso de mijo sobre salas de trono.

Makin brincava com sua cerveja, mas não bebia. "É suicídio, Jorg."

"Tão ruim assim?"

"Pior", ele disse.

Uma puta maquiada, de cabelos com hena e lábios vermelhos, sentou-se no colo de Makin. "Cadê seu sorriso, meu bonitão?" Ela tinha belas tetas, grandes e empinadas, espremidas como um convidativo sanduíche num corpete armado com cordões e ossos de baleia. "Eu posso encontrar ele pra você." Suas mãos desapareceram dentro das ondas de sua saia, emaranhada ao redor da cintura de Makin. "A Sally aqui sabe fazer gostoso. Meu belo cavaleiro não precisa de rapazes para deixá-lo quentinho." Ela desferiu um olhar ciumento em minha direção.

Makin a jogou no chão.

"Ele foi construído dentro de uma montanha. O que se vê sobre as pedras são paredes tão altas que você fica com o pescoço dolorido de olhar para as ameias." Makin pegou sua cerveja, fechando as duas mãos ao redor da jarra.

"Ai!" A puta se levantou das tábuas molhadas e secou as mãos em seu vestido. "Não precisava me tratar assim!"

Makin nem mesmo a espiou. Ele virou seus olhos negros para mim. "As portas são de ferro, tão grossas como uma espada é comprida. E o que está sobre a superfície não chega a ser um décimo do castelo. Nos porões, eles estocam mantimentos suficientes para durar anos e anos."

Sally demonstrou ser uma autêntica profissional. Ela transferiu suas atenções para mim, tão suavemente que você pensaria que eu havia sido objeto de sua afeição desde o começo. "E você quem é, hein?" Ela chegou perto, acariciando meus cabelos. "Você é bonito demais para esse mercenário resmungão", ela disse. "Você é velho o bastante pra aprender como se faz com uma garota e a Sally aqui vai mostrar."

Ela mantinha a boca muito perto da minha orelha, produzindo arrepios na minha nuca. Eu senti sua colônia barata de capim-limão abrindo espaço pelo fedor da cerveja e o cheiro de erva dos sonhos em seu hálito.

"De quantos homens vamos precisar para tomar o castelo sob as barbas de Lorde Gellethar?", perguntei.

Os olhos de Makin retornaram às lanternas e os nós de seus dedos ficaram brancos em volta da jarra. De algum lugar atrás de nós, Rike soltou um urro, rapidamente seguido pelo som estrondoso de um corpo encontrando uma mesa em alta velocidade.

"Se você tivesse dez mil homens", disse Makin, elevando a voz sobre os sons de coisas quebrando. "Com dez mil homens, bem equipados e com catapultas, muitas catapultas, talvez você pudesse derrotá-lo em um ano. Isso, se você conseguir afastar os aliados dele. Com três mil homens, você talvez conseguisse, afinal, matá-lo de fome."

Eu segurei a mão de Sally quando ela a escorregou pela minha barriga até a fivela do meu cinto. Eu torci seu pulso, um pouquinho, e ela se virou na minha frente, estridente, num suspiro uma oitava acima. Debaixo da maquiagem ela aparentava ser pouca coisa mais velha do que eu, diferente do que imaginei a princípio. Teria uns vinte anos, não mais do que isso.

"E se a gente descobrisse um jeito de entrar? E então, irmão Makin? Com quantos homens nós dominaríamos o Castelo Vermelho se eu abrisse a porta?", eu disse olhando para o rosto de Sally, a poucos centímetros do meu.

"As tropas chegam a novecentos homens. A maioria veteranos. Ele manda a carne fresca para as fronteiras e a traz de volta depois que está temperada." Ouvi a cadeira de Makin arranhar o chão. "Que filho da puta atirou isso em mim?", ele gritou.

Continuei torcendo o pulso da prostituta. Agarrei seu pescoço com minha outra mão e a trouxe mais para perto. "Hoje à noite você vai se chamar Katherine e poderá me mostrar como é que se faz com uma garota."

Um pouco menos delirantes, seus olhos agora demonstravam medo. O que para mim era ótimo. Eu tinha duzentos homens e nenhuma porta secreta para entrar no Castelo Vermelho. Parecia justo que alguém estivesse preocupado.

TRILOGIA DOS ESPINHOS

PRINCE OF THORNS

23

Meu livro mudou de posição de novo. Eu digo "meu" livro, mas na verdade ele era roubado – foi surrupiado da biblioteca de meu pai na minha fuga do Castelo Alto. O livro se jogou em mim, ameaçando se fechar com força em meu nariz.

"Fica quieta, desgraçada", eu disse.

"Mmmgfll." Sally soltou um murmúrio sonolento e aninhou o rosto no travesseiro.

Eu firmei o livro entre as bandas do traseiro dela e afastei um pouco suas pernas com meus cotovelos. Acima das páginas, eu podia ver a leve cordilheira de ossos da coluna de Sally traçando um caminho por suas costas macias até se perder nos cachos ruivos de sua nuca. Não estava convencido de que o texto à minha frente era mais interessante do que havia por debaixo dele.

"Aqui diz que há um vale em Gelleth que eles chamam de Garganta das Leucrotas", falei. "Fica nos terrenos rochosos abaixo do Castelo Vermelho."

A luz da manhã atravessava a janela aberta. O ar estava um tanto gelado, mas era agradável, como o amargor de uma cerveja.

"Mmmnnn." A voz de Sally veio do travesseiro.

Eu acabei com ela. É possível cansar uma puta quando você é muito jovem. Essa combinação de mulher e tempo disponível eu ainda não havia experimentado. Gostei. Há muito o que se pode dizer quando não se está numa fila ou não se tem que gozar antes que as chamas tomem conta do prédio. E o consentimento! Isso era novidade também, ainda que pago. Na escuridão, eu podia imaginar que era de graça.

"Agora, se eu falasse grego arcaico, e eu falo, uma leucrota é um monstro com voz humana para ludibriar suas presas." Estiquei meu pescoço para poder morder a parte de trás da sua coxa. "E, segundo minha experiência, qualquer monstro que fala com voz humana é humano. Ou já foi."

Meus pés estavam dependurados para fora da cama. Eu mexi os dedinhos. Às vezes isso me ajuda.

Alcancei o mais antigo dos três livros que roubei. Um texto dos Construtores sobre folhas de plasteek, vincadas por alguma forma de fogo antigo. Sábios do leste pagariam uma centena em ouro por textos dos Construtores, mas eu desejava lucrar mais do que isso.

O tutor Lundist me ensinou o discurso do Construtor. Aprendi em um mês e ele ficou se gabando para quem quisesse escutar, até que meu pai calou sua boca com um daqueles olhares sombrios pelos quais ele é famoso. O velho Lundist disse que eu conhecia o discurso do Construtor tão bem quanto qualquer um no Império Destruído, mas eu não conseguia compreender o sentido de mais da metade das palavras naquele pequeno livro que eu roubara.

Eu entendia o "Confidencial" escrito no cabeçalho e no rodapé de cada página, mas "Neurotoxicologia", "Carcinógeno", "Mutagênico"? Talvez fossem estilos antiquados de chapéu. Ainda hoje não sei. Pelo menos as palavras que eu reconhecia eram interessantes o bastante. "Armas", "Arsenal", "Destruição em Massa". A penúltima página ainda tinha um pequeno mapa brilhante, apenas contornos e elevações. O tutor Lundist me ensinou um pouco de geografia. O suficiente para comparar aquele mapinha com as "Visões do Castelo Vermelho", meticulosamente executadas no longo mas chatíssimo *A História de Gelleth*, cuja lombada de couro estava aninhada na fenda do traseiro meu-deus-tão-apetitoso da adorável Sally.

Mesmo quando eu entendia as palavras do Construtor as frases não faziam sentido: "O vazamento da arma binária é endêmico. Os compostos unários mais leves do que o ar demonstram pouco efeito tóxico, ainda que a rosiose seja um sintoma comum de exposição topológica".

Ou da mesma página: "Efeitos mutagênicos são inconvenientes comuns ao derramamento binário". Eu podia declinar do grego para entender o significado, mas os resultados dificilmente eram razoáveis. Será que roubei um velho livro de estórias?

"Jorg!" Makin gritou do outro lado da porta. "A escolta está aqui para levá-lo à Guarda da Floresta."

Sally despertou com o barulho, mas eu a empurrei para a cama.

"Diga que esperem", respondi.

A Guarda da Floresta não me ajudaria muito. A não ser que eles tivessem dez mil amigos que desejassem ir conosco.

"Meu Deus, estou acabada." Sally tentou se levantar de novo. "Ai! Já é de manhã. Sammeth vai me matar."

"Eu disse pra ficar quieta, porra." Peguei uma moeda da minha bolsa sobre a mesa e joguei para ela. "Toma, pro babaca do seu Sammeth."

Ela se afundou na cama de volta, num protesto cômodo.

"Vazamento de arma binária..." Como se falar as palavras pudesse lhes adicionar sentido.

"Então você vai pro Castelo Vermelho, hein?", disse Sally. Ela bocejou.

Levantei a mão para calar sua boca. Claro que ela não viu e *A História de Gelleth* bloqueava o melhor alvo.

"Diga oi para todos aqueles vermelhinhos por mim", ela disse.

Rosiose.

Eu abaixei minha mão e agarrei seus lábios. "Vermelhinhos?"

"Aham."

Senti Sally se retorcer sob a palma de minha mão. Eu apertei com mais força. "Vermelhinhos?"

"Sim." Um gemido de irritação adornava sua voz. "Por que você pensa que eles chamam de Castelo Vermelho?"

Eu me sentei na cama. "Makin! Entre aqui!", gritei, tão alto que toda a estalagem pôde ouvir. Ele entrou abruptamente, empunhando sua espada. Um sorriso se abriu em seu lábios quando viu Sally nua e esparramada, mas ele manteve suas mãos no devido lugar.

"Meu príncipe?"

Sally tentou mesmo se levantar dessa vez. Ela quase conseguiu ficar de quatro e *A História* voou longe.

"Príncipe? Ninguém me disse nada sobre isso! Ele não é príncipe porra nenhuma!"

Eu a empurrei para baixo de novo.

"Aquela conversa que tivemos ontem, Makin", eu disse.

"Sim?"

"Tem algo mais que você gostaria de incluir na descrição? Alguma coisa sobre os novecentos veteranos?"

Por um momento ele pareceu tão inexpressivo quanto Maical, o Idiota.

"Algum detalhe sobre o padrão de cores?", sugeri.

"Ah." Ele sorriu. "Os Corados? Sim. São vermelhos como uma lagosta cozida, cada um deles. Alguma coisa na água, é o que dizem. Achei que todo mundo sabia disso."

Rosiose.

"Eu nunca soube", disse.

"Então seu pai deveria ter enforcado o tutor Lundist", disse Makin. "Todo mundo sabe disso."

Monstros lá embaixo.

"Ele não é um príncipe!" Sally parecia ultrajada.

"Você teve uma foda real." Makin inclinou-se.

O Castelo Vermelho e todos os seus soldados vermelhos lá em cima.

Eu pulei da cama.

Arsenal.

Vazamento.

"Então", disse Makin. "Podemos ir?"

Vesti minhas calças. Sally se virou enquanto isso, o que não ajudou muito. Eu vi sua nudez realçada, cortesia do sol matinal. Pensei – devo arriscar a Guarda da Floresta e os irmãos por conjecturas alucinadas e palpites às cegas sobre o que aquelas palavras obscuras significariam...

"Diga que esperem uma hora." Mudei de ideia: em vez de me vestir comecei a me despir. "Estarei pronto em uma hora."

Sally deitou-se sobre os travesseiros e sorriu. "Príncipe, hein?"

De repente deitar pareceu ser mesmo uma boa ideia.

24

"Um belo dia, hein, capitão Coddin!" Eu desci as escadas num bom-humor notável um pouco antes do meio-dia.

O capitão fez uma reverência austera, seus lábios pressionados numa linha reta. Em outro canto, os irmãos mais novos, Roddat, Jobe e Sim, nutriam ressacas. Eu podia ver Burlow debaixo de uma mesa, roncando.

"Pensei que o senhor estaria de volta a Chelny Ford, capitão, protegendo nossas fronteiras dos ataques de vilões e malandros", eu disse, de um jeito expansivo.

"Houve certo descontentamento a respeito de minha performance na fronteira. Algumas vozes da corte sustentam que eu estaria deixando passar muitos vilões e malandros pelos meus portões ultimamente. Fui designado para o serviço de escolta na Cidade de Crath." Ele apontou para a porta da rua. "Isso se o Príncipe Jorg estiver pronto."

Eu decidi gostar do homem. Aquilo me surpreendeu. Por princípio, eu não sou dado a gostar de pessoas. A culpa era do meu humor. Nada como uma boa noite de putaria para acalmar um homem.

Coddin e seus quatro soldados nos guiaram através do Portão Oeste. Estava com Makin, é claro, e Elban porque, ainda que fosse um velho, não havia muitos entre os irmãos com mais do que meio cérebro. Levei o nubano comigo também. Não sei bem o porquê, mas ele estava perto do bar, comendo uma maçã, com a balestra sobre seu colo, e eu pensei em tê-lo conosco.

Seguimos pela Estrada Velha até a Floresta Rennat, uns vinte quilômetros sob um céu infestado de corvos, e é claro que a Estrada Velha se parece com um corvo, seguindo uma trilha deixada por homens de Roma eras atrás.

Coddin cavalgava na dianteira, flanqueado por seus rapazes. Nós os seguíamos, aproveitando o dia. Makin tocou Salta-Fogo para perto de Gerrod e os dois trocaram algum tipo de insultos que os garanhões devem trocar.

"Você deveria ter deixado Sir Galen comigo, Jorg", disse Makin.

"Você acha que podia vencê-lo?", perguntei.

"Não. Era bom na esgrima, aquele teutão", disse Makin, e passou a mão nos lábios. "Jamais duelei com um homem melhor."

"Ele não era o melhor", eu disse.

Por um momento não falamos mais nada. Elban quebrou o silêncio.

"Makin encontrou um homem que ele não poderia derrotar? Sir Makin? Não acredito." Seus lábios soltaram um "Furrr" molhado em vez de "Sir".

Makin se virou sobre a sela para encarar Elban. "Acredite. O campeão do rei me tinha em suas mãos. Mas Jorg acabou com ele." Ele acenou para o nubano. "Com uma balestra. Você ficaria orgulhoso."

O nubano passou sua mão negra como fuligem sobre os entalhes de ferro em sua arma, tocando os rostos de seus deuses pagãos. "Não há orgulho nisso, Makin."

Eu jamais consegui decifrar o nubano. Uma hora ele era simples como Maical; na outra, profundo como um poço. Às vezes, dos dois jeitos ao mesmo tempo.

"Maical", eu disse, lembrando. "O que aconteceu com nosso idiota de estimação? Ele morreu? Esqueci de perguntar."

"Nós o deixamos em Norwood, Chorg. Ele deve estar morto, com aquela barriga aberta, mas ele segurou as pontas, gemendo o tempo todo", disse Elban, limpando o cuspe do queixo.

"Estúpido demais para morrer", disse Makin. Ele sorriu. "Tivemos que arrastá-lo até uma casa nos limites do vilarejo. O Pequeno Rikey queria acabar de vez com Maical, só para calar a boca dele."

Soltamos uma gargalhada.

"Agora é sério, Jorg, você devia ter deixado Galen comigo", disse Makin. "Se tivesse, você ainda estaria sentado na corte, numa boa. Você ainda é o herdeiro do trono. Daria um jeito naquela princesa insolente. O Castelo Vermelho é uma sentença de morte por ter quebrado aquela árvore estúpida. Isso e por ter chamado a esposa do rei de puta Scorron. Seu pai não é um homem piedoso."

"Você está certo, Makin", eu disse. "Se minha ambição se limitasse a 'estar numa boa' eu teria deixado o teutão fazer o seu pior. Sorte sua – eu quero vencer a Guerra Centenária, reunir o Império Destruído e ser imperador. E, se eu pretendo ter alguma chance na empreitada, conquistar o Castelo Vermelho com duzentos homens há de ser uma moleza."

Almoçamos num marco de milha às margens da floresta. Carneiro, furtado da cozinha do Anjo Caído. Ainda limpávamos a gordura de nossos dedos quando cavalgamos à sombra das árvores – grandes carvalhos e faias, na sua maioria –, avermelhando o cenário com o beijo do outono gélido. Cavalgando por baixo desses ramos, com os cascos moendo as folhas, e o arfar dos cavalos se projetando à nossa frente, eu senti, mais uma vez, o doce espinho afundar sob minha pele. Dizem que um homem pode viajar por toda uma vida e não vai escapar das maldições dos vales de Ancrath.

Eu bocejei, estalando o maxilar. Aquela não fora uma noite para dormir. Aquecido em meu manto, deixei o passo suave de Gerrod me embalar.

Estava pensando em pernas tenras, suaves. Meus lábios disseram seu nome, saboreando.

"Katherine?", Makin perguntou. Eu contraí a cabeça e ele me observava, com uma sobrancelha arqueada, daquele jeito irritante que ele fazia.

Olhei para o lado. À nossa esquerda, ramos de roseira-brava se contorciam nos troncos dos olmeiros. Aprendi uma dura lição dentro de uma roseira-brava numa noite tempestuosa. Não foi apenas a beleza natural que se fixou em mim.

Mate-a.

Eu me virei sobre a sela, mas Makin estava lá atrás fazendo piadas com o nubano.

Mate-a e você estará livre para sempre.

A voz parecia vir da escuridão, entre os galhos da roseira. Ela falava por baixo do esmigalhar de folhas secas caídas, pisoteadas pelos cascos.

Mate-a. Uma voz antiga, ressecada, intocada pela compaixão. Por um momento eu vi Katherine, o sangue brotando sobre seus dentes brancos, seus olhos se revirando com surpresa. Eu pude sentir a faca em minhas mãos, o punho contra seu estômago, o sangue quente correndo sobre meus dedos.

Veneno talvez seja mais discreto. Um toque distante.

Essa última voz... Poderia ter sido minha ou dos espinhos. Elas começaram a soar idênticas.

Força requer sacrifício. Toda fraqueza tem seu preço. Agora fui eu. Nós deixamos a roseira para trás e o dia começara a esfriar.

A Guarda da Floresta nos encontrou rapidamente. Eu ficaria preocupado se fosse o contrário. Uma patrulha de seis homens, todos camuflados, surgiu de trás das árvores, exigindo que explicássemos nossas intenções na estrada do rei.

Não deixei que Coddin me apresentasse. "Eu vim encontrar o mestre da guarda", disse.

As sentinelas trocaram olhares. Estou certo de que parecíamos um bando de esfarrapados; apenas Makin mantinha um toque de nobreza, já que poliu sua armadura para encontrar meu querido pai. Eu usava minha velha armadura da estrada. Quanto à aparência de Elban e do nubano, bem... Eles poderiam receber o laço dos criminosos sem ter que passar pelo processo tedioso de um julgamento.

Coddin então falou. "Este é Jorg, Príncipe de Ancrath, herdeiro do trono."

Suas palavras, ainda que difíceis de engolir, tinham o peso de um uniforme por trás delas. As sentinelas pareciam confusas.

"Ele está aqui para ver o mestre da guarda", disse Coddin, como um lembrete.

Isso fez com que se mexessem e eles nos guiaram floresta adentro por uma trilha de cervos. Seguimos em fila indiana, cavalgando até eu me cansar de ser estapeado na cara por todos os galhos do caminho e desmontar. As sentinelas mantiveram o passo apertado, demonstrando pouco respeito à realeza ou a armaduras pesadas.

"Quem é mesmo o mestre da guarda?", perguntei com fôlego curto e retinindo alto o bastante para despertar ursos hibernantes.

Uma das sentinelas olhou para trás, um coroa, nodoso como as árvores. "Lorde Vincent de Gren." Ele cuspiu nos arbustos para mostrar seu respeito pelo homem.

"Seu pai o condecorou na primavera", disse o capitão Coddin atrás de mim. "Creio que foi uma forma de punição."

A Guarda da Floresta montou seu quartel-general perto da Cachoeira de Rulow, na planície onde o Rio Temus corria sinuosamente antes de juntar coragem para o salto de sessenta metros sobre um chão pedregoso. Uma dúzia de grandes cabanas, com telhas de madeira e paredes de toras, acomodadas entre as árvores. Um moinho abandonado servia de aposento para o mestre da guarda, decorado com blocos de granito e empoleirado na beirada do precipício.

Umas poucas dúzias de sentinelas vieram observar nossa coluna se aproximando. Não tinham muito que fazer por aquelas bandas, imaginei.

O velho sentinela entrou para nos anunciar enquanto amarrávamos nossos corcéis. Não estava com pressa, e nós esperamos. Um vento gélido soprou, agitando as folhas caídas. As sentinelas permaneceram conosco, seus mantos em verde e preto esvoaçavam. A maioria usava arcos curtos. Um arco longo vai se emaranhar nas árvores e você nunca vai precisar de um longo alcance na floresta. Nada de Robin Hood por aqui; os homens da guarda não formavam um bando alegre e estavam dispostos a matá-lo se você pisasse fora da linha.

"Príncipe Jorg." Um homem vestindo pele de arminho saiu pela porta. Seus dedos agarravam um cinturão de placas de ouro.

"Lorde Vincent de Gren, eu imagino." Eu lhe dei meu mais falso sorriso.

"Então você está aqui para nos dizer que vamos todos morrer por causa de uma promessa estúpida que um moleque fez para impressionar seu pai!", ele disse, alto o suficiente para que todos na clareira escutassem.

Eu tinha que admirar Lorde Vincent. Ele certamente não perdia tempo com rodeios. E eu gosto disso num homem, realmente, mas não gostei do jeito que ele disse. Tinha um rosto meio fodido – não é, Lorde Vincent? –, de quem comeu e não gostou, o que era meio esquisito, já que o homem tinha o formato de uma bola de manteiga, um corpo daqueles que só se obtém comendo seriamente, e que precisa de umas dúzias extras de arminhos para se cobrir com as peles. Penso que ele deveria ter uns trinta anos, mas é difícil ser preciso com gente gorda: não sobra espaço na pele deles para surgir rugas.

"Vejo que as notícias correm." Imaginava se meu pai queria que eu fracassasse tanto quanto ele queria o Castelo Vermelho. De certa maneira chegava a ser um elogio, pois implicava, em sua cabeça, que eu tinha uma chance. Mas não, isso tinha um toque feminino, talvez o toque de uma mulher que ainda amargava ter sido chamada de "puta Scorron". Uma mulher acostumada a trazer à tona segredos pós-coito. Uma mulher que pode ter mandado um mensageiro para a Floresta Rennat. Talvez até para Gelleth.

Eu dei passos largos na direção do homem. "Eu me pergunto, Milorde de Gren, se os seus homens o seguiriam até a morte. Estou impressionado como conquistou o respeito deles tão rápido. Ouvi dizer que na Guarda da Floresta todos são durões, fortes como aço." Passei um braço sobre seus ombros. Ele não gostou, mas você pode fazer essas coisas quando se é um príncipe. "Venha comigo."

Não lhe dei escolha. Eu o conduzi rio abaixo em direção à linha reluzente onde o Rio Temus desaparecia, sendo substituído por uma tênue bruma. "Sigam a gente", gritei. "Não é uma conversa particular."

Chegamos a uma saliência numa pedra molhada, quarenta e cinco metros abaixo da casa do moinho, onde as águas saltavam em espumas brancas acima das rochas, reunindo-se para seu mergulho sobre a Cachoeira de Rulow.

"Príncipe Jorg, eu não..." – começou Lorde Vincent.

"Você, venha cá!" Retirei meu braço dos ombros de Lorde Vincent e apontei para o velho sentinela que cuspira o nome do mestre da guarda anteriormente. Tive que gritar mais alto que a voz do rio.

O coroa veio se juntar a nós perto do precipício.

"E quem é este exemplo varonil de sentinela, mestre da guarda?", perguntei.

Rostos de gente gorda são maravilhosas fontes de emoção. Pelo menos o rosto de Lorde Vincent era. Eu podia ver seus pensamentos contraindo sua testa, tremendo seu queixo, revirando os cachos de cabelo em sua nuca. "Eu..."

"São duzentos desses camaradas. Não se pode esperar que você conheça todos eles", eu disse, completamente simpático. "Qual o seu nome, sentinela?"

"Keppen, sua majestade", disse. Pelo jeito ele gostaria de estar em outro lugar, demonstravam seus olhos arregalados, procurando uma saída.

"Mande-o saltar, mestre da guarda", eu disse.

"O-o quê?" Lorde Vicent subitamente empalideceu.

"Saltar", eu disse. "Mande-o saltar na cachoeira."

"O quê?" Lorde Vincent parecia estar com dificuldades de escutar acima do rugido.

Keppen segurava o punho de sua adaga. Sujeito precavido.

"Se seus homens vão todos morrer por causa de uma promessa estúpida que um moleque fez para seu pai, bem, então é sensato que o moleque tenha certeza de que eles irão seguir as suas ordens quando elas significarem uma morte certa", eu disse. "E se você disser 'o quê' mais uma vez terei que fazê-lo em pedaços, aqui e agora."

"O qu... Mas meu príncipe... Príncipe Jorg..." Ele tentou sorrir.

"Mande-o saltar agora!", vociferei no rosto de Lorde Vincent.

"S-salte!"

"Assim não! Ponha mais convicção. Ele não vai saltar se parecer que você está apenas sugerindo."

"Salte!" Lorde Vincent buscou uma voz de comando.

"Melhor", eu disse. "Mais uma vez, com emoção."

"Salte!" Lorde Vincent berrou a ordem ao velho Keppen. A cor retornava ao seu rosto, agora corado em vermelho-vivo. "SALTE! Salte, seu maldito!"

"Aos diabos que eu vou saltar!", Keppen gritou de volta. Ele puxou sua faca, um pedaço terrível de metal, e deu um passo atrás, cautelosamente. Dei de ombros. "Nada bom, Lorde Vincent. Não está nada bom!" E com um empurrão vigoroso ele caiu. Não se queixou. Não ouvi nem mesmo a água esguichar.

Eu me movi rapidamente. Em dois passos, agarrei Keppen pelo pescoço, com minha outra mão segurando seu pulso, mantendo aquela faca a distância. Peguei-o de surpresa e dando mais um passo eu o mantive de costas para a borda, seus calcanhares pisando o ar, e minha empunhadura em seu pescoço era tudo o que o mantinha entre nós.

"Então, Keppen", eu disse. "Você morreria pelo novo mestre da guarda?" Eu lhe dei um sorriso, mas acho que ele não percebeu. "É agora que você diz 'sim'. E é bom que você fale para valer, porque existem coisas muito piores do que morrer rapidamente quando lhe derem uma ordem."

Ele soltou um "sim" através dos meus dedos.

"Coddin." Apontei para ele. "Você é o novo mestre da guarda."

Puxei Keppen e caminhei de volta ao moinho. Todos me seguiram.

"Se eu pedir a vocês que morram por mim espero que perguntem quando e onde", eu disse. "Mas não estou com pressa. Seria um desperdício. A Guarda da Floresta é o grupo com os duzentos soldados mais perigosos de Ancrath, quer o meu pai saiba disso ou não."

Aquilo não foi bajulação, de maneira alguma. Na floresta eles eram os melhores que nós tínhamos. Com um bom mestre da guarda, eles seriam a espada mais afiada do arsenal e espertos demais para saltar quando exigidos.

"O mestre da guarda Coddin vai levá-los até Gelleth." Eu vi alguns poucos lábios se retorcerem. Com ou sem o salto de Lorde Vincent, eu ainda era um garoto e o Castelo Vermelho ainda era suicídio. "Vocês vão ficar a trinta quilômetros do Castelo Vermelho, nem um passo a mais. Vocês passarão duas semanas na Floresta Otton cortando árvores para construir catapultas e matarão qualquer patrulha que se aproximar de vocês. O mestre da guarda Coddin lhes dirá o resto quando a hora chegar."

Eu lhes dei as costas e empurrei a porta do moinho. "Coddin, Makin!"

Eles me seguiram. A entrada dava numa sala de jantar cuja mesa estava posta com ganso frio, pão e maçãs de outono. Peguei uma maçã.

"Obrigado, Príncipe Jorg." Coddin fez mais uma de suas reverências austeras. "Salvo do serviço de escolta na Cidade de Crath, agora eu posso aproveitar meu inverno correndo pela floresta ao redor de Gelleth." Um esboço tênue de um sorriso se formou nos cantos de sua boca.

"Eu vou com você. Disfarçado. É um segredo bem guardado que você deve garantir que vaze", eu disse.

"E onde estaremos de verdade?", Makin perguntou.

"Na Garganta das Leucrotas", eu lhe disse. "Conversando com monstros."

25

Retornamos ao Castelo Alto através do Portão da Cidade Velha, com o sol quente do meio-dia em nossas nucas. Eu carregava a espada da família em minha sela e ninguém tentou barrar nosso caminho. Deixamos os cavalos no Pátio Oeste.

"Verifique as ferraduras dele. Temos muito chão pela frente." Dei um tapinha nas costelas de Gerrod e deixei o cavalariço guiá-lo.

"Temos companhia." Makin pôs a mão em meu ombro. "Tome cuidado." Ele acenou para o outro lado do pátio. Sageous estava descendo a escada do prédio principal, um sujeito baixinho de vestes brancas.

"Estou certo de que o nosso pequeno pagão pode aprender a amar o Príncipe Jorgy como os demais", eu disse. "Ele é um homem útil, para se guardar no bolso."

Makin franziu o rosto. "Melhor pôr um escorpião em seu bolso. Estive perguntando por aí. A árvore de vidro que você derrubou não era um badulaque. Ele a fez brotar."

"Ele me perdoará."

"A árvore brotou da pedra, Jorg. De uma conta verde. Levou dois anos. Ele a regava com sangue."

Atrás de nós, Rike ria debochado, um som infantil, desapropriado para um gigante daqueles.

"Seu próprio sangue", Makin terminou.

Mais um dos irmãos rosnou uma gargalhada. Todos eles ouviram a história de Sir Galen e da árvore de vidro.

Sageous parou um metro na minha frente e lançou seu olhar sobre os irmãos, alguns ainda segurando as rédeas de seus corcéis, outros pressionados ao meu lado. Seus olhos piscavam para encarar a altura de Rike.

"Por que você fugiu, Jorg?", ele perguntou.

"Príncipe. Você vai chamá-lo de príncipe, seu cachorro pagão." Makin deu um passo à frente, com a espada semidesembainhada. Sageous lhe deu um olhar suave. A mão de Makin caiu inerte ao seu lado; seus argumentos desapareceram.

"Por que você fugiu?"

"Eu não fugi", disse.

"Quatro anos atrás você fugiu da casa de seu pai." Ele manteve a voz gentil e os irmãos o observavam como se estivessem hipnotizados por uma moeda girando.

"Eu tive um motivo para sair de casa", disse. Sua linha de ataque me abalava.

"Qual motivo?"

"Matar alguém."

"Você o matou?", Sageous perguntou.

"Eu matei muita gente."

"Você o matou?"

"Não." O Conde de Renar ainda vivia e respirava.

"Por quê?"

Por que não o matei?

"Você o machucou? Você prejudicou seus interesses?"

Não. Na verdade, se olhar bem, se você traçasse o caminho aleatório de quatro anos na estrada, poderia dizer que eu tinha ajudado os interesses de Renar. Os irmãos e eu tínhamos pisado no calo do Barão Kennick e o afastamos de suas ambições. Em Mabberton, destroçamos o coração do que poderia ter sido uma rebelião...

"Eu matei seu filho. Enfiei uma faca em Marclos, carne e sangue de Renar, e seu herdeiro."

Sageous se permitiu um pequeno sorriso. "Ao se aproximar de casa, você ficou sob minha proteção, Jorg. A mão que o guiava está caída."

Seria verdade? Eu não podia ver mentiras nele. Meus olhos seguiam o que estava escrito em seu rosto, pergaminhos complexos de uma língua estrangeira. Um livro aberto, mas eu não saberia lê-lo.

"Posso ajudá-lo, Jorg. Posso devolver seu verdadeiro eu. Posso dar sua vontade de volta."

Ele ergueu a mão, a palma aberta.

"Livre-arbítrio precisa ser conquistado", eu disse. Quando tiver dúvidas, busque a sabedoria dos outros. Nesse caso, Nietzsche. Certas discussões requerem uma faca se você quer ser breve, outras exigem que você quebre algumas cabeças usando uma pedra filosofal.

Eu estendi o braço e peguei sua mão, por baixo, os nós de seus dedos sobre minha palma.

"As escolhas foram minhas, pagão", eu disse. "Se alguém tentasse me guiar, eu saberia."

"Saberia?"

"E se eu soubesse... Ah, se eu soubesse teria que lhe ensinar uma lição tão instrutiva sobre a dor que os próprios Homens Vermelhos do leste viriam aprender novos truques." À medida que me deixavam, as palavras pareciam ocas. Infantis.

"Não fui eu quem o conduziu, Jorg", disse Sageous.

"Quem então?", apertei sua mão até ouvir os ossos estalarem.

Ele deu de ombros. "Implore por sua força de vontade e eu talvez a devolva."

"Se houvesse algum encantamento em mim eu encontraria aquele que o lançou e o mataria." Senti o eco de uma dor antiga que me angustiara nas estradas, uma pontada nas têmporas, atrás dos olhos, como uma lasca de vidro. "Mas não há nenhum e minha vontade ainda é minha", disse.

Ele deu de ombros novamente e se virou. Ao olhar para baixo, vi que eu segurava minha mão esquerda com a direita, e o sangue corria entre meus dedos.

26

Do meu encontro com Sageous no Pátio Oeste, fui direto para a missa. Encontrar o pagão me deixou carente do toque da igreja de Roma, do cheiro de incenso, e de uma dose pesada de dogma. Se ímpios detinham tantos poderes me parecia certo que a igreja possuísse um pouquinho de magia para aplicar sobre os dignos e, com alguma esperança, também sobre os não merecedores que se preocuparam em comparecer. Se isso falhasse, de qualquer forma eu ainda precisava de um sacerdote.

Marchamos capela adentro e encontramos o padre Gomst celebrando a missa. A canção do coral hesitou ante o bater de botas sobre o mármore polido. Freiras encolheram-se nas sombras, sob o olhar malicioso dos irmãos e, sem dúvida, o ranço de nossa companhia. Gains e Sim tiraram seus elmos e abaixaram suas cabeças. A maioria deles apenas olhava ao redor, procurando por algo que valesse a pena roubar.

“Perdoe minha intromissão, padre.” Coloquei minha mão na fonte perto da entrada e deixei a água benta retirar o sangue de minha pele. Ela ardia.

“Príncipe!” Ele deitou seu livro no suporte e olhou para cima, pálido. “Esses homens... não é apropriado.”

“Ah, shhh.” Andei pelo corredor, meus olhos sobre afrescos maravilhosos do teto, e fui me virando lentamente pelo caminho, com uma mão erguida e aberta, gotejando. “Não são todos eles filhos de Deus? Crianças penitentes que retornaram por perdão?”

Parei ante o altar e espiei os irmãos perto da porta. “Devolva isso aí, Roddat, ou você vai deixar seus dois polegares na caixinha de esmolas.”

Roddat sacou um candelabro de prata de sua manta carcomida de viagem.

“Esse aí pelo menos.” Padre Gomst apontou para o nubano, seu dedo tremia. “Esse aí não é um cordeiro de Deus.”

“Nem mesmo uma ovelha negra?” Eu me aproximei de Gomst. Ele recuou. “Bem, talvez você consiga convertê-lo em nossa jornada.”

“Meu príncipe?”

“Você me fará companhia até Gelleth, padre Gomst. Uma missão diplomática. Estou surpreso que o rei não tenha lhe dito.” Não estava tão surpreso, para falar a verdade, uma vez que era mentira. “Nós partimos imediatamente.”

“Mas...”

“Venha!” Eu andei a passos largos em direção à porta. Após uma pausa ele então me seguiu. Podia ouvir a relutância em seus passos.

Os irmãos começaram a sair na minha frente. As mãos de Rike passeavam pelas paredes, sobre relicários e ícones.

Tendo capturado o padre, sentia-me feliz em estar de saída. Ordenei provisões rápidas a Makin e guiei Gomst de volta ao Pátio Oeste.

“Não devemos levar esse homem de Nuba numa missão diplomática, príncipe. Ou nenhum outro”, Gomst sussurrava enquanto andávamos. "Eles bebem o sangue de sacerdotes cristãos como parte de seus encantos."

"Bebem, é?" Acho que foi a primeira coisa interessante que eu jamais escutara Gomst dizer. "Eu poderia usar um pouco de magia em mim mesmo."

O padre empalideceu por baixo de sua barba. "Uma superstição, meu príncipe."

Uns poucos passos mais e... "Ainda assim, se você o queimasse, a bênção do Senhor estaria sobre nós e nossa jornada."

Em uma hora, com os bornais recheados, cavalgamos de volta para a Cidade Velha. Sageous esperava por nós. Ele estava sozinho, ao lado do caminho pavimentado. Ajeitei minha postura, de frente a ele, ainda me sentindo confuso. Ele havia semeado algumas dúvidas em mim. Eu havia me convencido de que só deixara o Conde Renar de lado como um ato de força, um sacrifício em favor da vontade ferrenha que preciso ter para ganhar o jogo dos tronos. Mas às vezes – agora, por exemplo – eu não acreditava nisso.

"Você deveria aceitar minha proteção, príncipe", disse Sageous.

"Eu sobrevivi até hoje sem ela."

"Mas agora você está indo para Gelleth, um caminho que fortalecerá o poder de seu pai."

"Estou." Os cavalos dos irmãos relinchavam à minha volta.

"Se alguém pensasse de verdade que você poderia ter algum êxito, eles tentariam impedi-lo", disse Sageous. "Aquele que jogou com você nesses últimos anos vai tentar amarrar os laços que você afrouxou. Talvez o padre possa ajudá-lo. Ele já ajudou antes, com sua presença. Ele tem o valor de um talismã, mas fora isso é apenas um manto vazio."

Um cavalo empurrou Gerrod, o cavaleiro movia-se ao meu lado.

Eu empunhei minha espada. "Não gosto de você, pagão."

"O que você acha que assustou o morto do pântano, Jorg?" Nenhuma alteração no jeito tranquilo com que me observava.

"Eu..." Meu vigor soou vazio depois que abri a boca.

"Um garoto furioso?" Sageous fez que não com a cabeça. "O morto viu a mão negra sobre seu coração."

"Eu..."

"Aceite minha proteção. Existem sonhos maiores que você pode sonhar."

Senti o suave peso do sono cair sobre mim, a sela incerta abaixo.

"O bruxo dos sonhos." Uma voz negra falou sobre meus ombros.

"O bruxo dos sonhos." O nubano empunhava sua balestra, o punho negro envolto no corpo da arma, os músculos contraídos sobre o dardo. "Eu carrego seu símbolo, bruxo dos sonhos, sua magia não afetará o garoto."

Sageous encolheu-se, as frases tatuadas pareciam se retorcer em seu rosto.

Num instante, meus olhos estavam escancarados. "É você." A clareza da situação era ofuscante. "Você trancou meus irmãos nos calabouços de meu pai. Você mandou seu caçador me matar."

Pus a mão sobre a arma do nubano, lembrando de como ele a pegou do homem que matei num celeiro, numa noite de tempestade. O caçador do bruxo dos sonhos.

"Você mandou seu caçador me matar." Os últimos farrapos do encanto de Sageous haviam desaparecido. "Agora é a vez do meu caçador."

Sageous virou-se e saiu em direção ao portão do castelo, quase correndo.

"Reze para que não o encontre aqui quando voltar, pagão", eu disse em voz baixa. Se ele ouviu deveria seguir meu conselho.

Cavalgamos para fora da cidade sem olhar para trás.

As chuvas nos encontraram primeiro nas planícies de Ancrath e persistiram ao norte, em nossa travessia pelas fronteiras montanhosas de Gelleth. Fiquei ensopado na estrada muitas vezes, mas as chuvas que caíam quando deixamos as terras de meu pai eram um infortúnio gelado que nos atingiam bem fundo, até os ossos. Ainda assim, o apetite de Burlow se manteve inabalável, bem como o temperamento de Rike. Burlow comia como se as rações fossem um desafio e Rike rosnava a cada gota de chuva.

Sob minhas instruções, Gomst ministrou a confissão dos homens. Após ouvir Kent, o Rubro, falar sobre seus crimes, e aprender como ele ganhou seu apelido, Gomst me pediu para ser poupado de sua tarefa. Após ouvir os murmúrios do Mentiroso, ele implorou.

Dias se passaram. Dias longos e noites frias. Eu sonhei com Katherine, com seu rosto e a fúria em seus olhos. Sonhei com uma noite em que comemos o ensopado misterioso de Gains, e Burlow, o Gordo, cuidou dos animais, checando os cascos e as patas. Burlow sempre tomava conta dos cavalos. Talvez ele sentisse culpa por cavalgar neles sendo tão pesado, mas eu a atribuía a um medo mórbido de ser obrigado a andar. Nós nos metíamos cada vez mais no frio das montanhas. E finalmente as chuvas cessaram. Acampamos num desfiladeiro alto e me sentei com o nubano para ver o sol se pôr. Ele carregava a balestra, sussurrando para a arma velhos segredos em sua língua natal.

Durante dois dias, nós puxamos os cavalos por declives muito íngremes e com pedras excessivamente afiadas para animais de cascos, salvo os cabritos montanheses.

Um pilar marcava a entrada para a Garganta das Leucrotas. Tinha um metro e oitenta de largura e era duas vezes mais alto, um toco quebrado pelo capricho de um gigante. Os restos da parte superior jaziam por todos os lados. Ele era marcado por runas, talvez em latim, mas elas estavam tão apagadas que eu não conseguia entender quase nada.

Descansamos perto do pilar. Eu o escalei para falar com os irmãos do topo e para observar bem o terreno.

Deixei os homens montarem o acampamento. Gains acendeu seu fogo e tiniu suas panelas. O vento soprou levemente na garganta, mal conseguia oscilar as barracas de oleado. A chuva voltou, mas num ritmo monótono, fraca e gelada. Nada capaz de perturbar Rike, que dormia sobre as pedras a uns quatro metros do pilar. Seu ronco se parecia com um serrote na madeira.

Eu fiquei ali, olhando para as paredes do penhasco. Havia cavernas. Muitas cavernas.

Meus cabelos balançavam enquanto eu observava o penhasco. Eu deixara o nubano tecer uma dúzia de longas tranças em mim, com um amuleto de bronze no final de cada uma. Ele disse que isso afastaria os maus espíritos. Eu só teria que me preocupar com os bons.

Fiquei ali, com minhas mãos na espada de Ancrath, apontada para frente. Esperando algo.

Os homens ficaram nervosos. Os animais também. Eu percebia pela ausência de reclamações. Eles observavam os declives comigo, o desdentado do Elban com a pele tão curtida quanto as rochas, o jovem Roddat pálido e com marcas de varíola, Kent, o Rubro, com seus segredos, o dissimulado Algazarra, Mentiroso, Burlow, o Gordo, e o resto do meu bando de esfarrapados. O nubano ficou próximo do pilar e tinha Makin ao seu lado. Meu bando de irmãos. Todos preocupados e sem saber o porquê. Gomst parecia pronto para correr se tivesse noção de para onde ir. Os irmãos tinham um sexto sentido para confusão. Eu sabia disso muito bem para entender que, quando todos eles se preocupavam em conjunto, era um mau sinal. Um péssimo sinal.

TRANSCRITO DO JULGAMENTO
DE SIR MAKIN DE TRENT:

Cardeal Helot, promotor papal: *E você nega ter destruído a Catedral de Wexten?*

Sir Makin: *Não nego.*

Cardeal Helot: *Ou o saque da Merca Inferior?*

Sir Makin: *Não, assim como não nego ter saqueado a Merca Superior.*

Cardeal Helot: *Que fique registrado que o acusado se diverte ouvindo os fatos do seu crime.*

Apontador da corte: *Registrado.*

27

Os monstros vieram quando a luz falhou. As sombras engoliram a garganta e o silêncio engrossou até que o vento mal conseguia se manter. A mão de Makin caiu sobre meu ombro. Eu recuei, obstruindo o medo com um ódio momentâneo, por minhas fraquezas e por Makin, que me fez sentir tudo isso.

"Aqui." Ele acenou para minha esquerda.

Uma das bocas das cavernas se acendeu por dentro, um único olho nos observando dentro da noite que nascia.

"Isso não é fogo", eu disse. A luz não tinha calor nem bruxuleava. Enquanto observávamos, a fonte da iluminação se moveu, fazendo sombras duras sacudirem sobre os declives.

"Uma lanterna?" Burlow, o Gordo, deu um passo à frente e ficou do meu lado, bufando em consternação. Os irmãos se juntaram a nós.

A estranha lanterna emergiu no alto do declive e a escuridão apagou a caverna atrás. Ela brilhava como uma estrela, uma luz fria, que saía de sua fonte e se transformava em milhares de linhas brilhantes. Uma figura isolada cortava uma fatia de sombra dentro da iluminação; o portador da lanterna.

Observamos a descida sem pressa. O vento procurou minha carne com dedos gélidos e arrancava atenção de dentro do meu manto.

"*Ave Maria, gratia plena, Dominus tecum, Benedicta tu in mulieribus.*" Em algum lugar da noite, o velho Gomsty murmurava suas ave-marias.

Um horror lento crescia entre nós.

"Nossa Senhora!" Makin cuspiu a oração como se quisesse se livrar do medo. Todos sentimos aquilo se arrastar sobre as pedras ocultas.

Os irmãos podem ter corrido, mas para que lado poderíamos ir?

"Tochas, caralho. Agora!" Eu rompi a paralisia, chocado por ter ficado hipnotizado por tanto tempo pela figura que se aproximava.

"Agora!" Saquei minha espada. Eles se moveram depois disso. Às pressas, correndo até as brasas do fogo, tropeçando sobre o chão áspero.

"Nubano, Algazarra, Burlow, vejam se não tem nada subindo pelo rio." Enquanto falava, já sabia que estávamos cercados.

"Ali! Ali, atrás daquela rocha!" O nubano moveu sua balestra. Ele vira algo, o nubano não era do tipo que se assusta por nada. Nós olhamos uma luz bonita e eles nos cercaram. Simples como um truque barato de punguistas. Distraia seu alvo com um rostinho bonito e vá por trás para roubá-lo sem que ele perceba.

As labaredas se acenderam, os homens correram para suas armas.

A luz se aproximou e nós a vimos do jeito que ela era, uma criança cuja própria pele sangrava esplendor. Ela caminhava a passos curtos, brilhando a cada centímetro, branca como prata fundida, transformando os trapos que vestia em sombras.

"*Ave Maria, gratia plena!*" A voz do padre Gomst aumentou de volume, sustentando a oração como um escudo.

"Ave Maria", eu disse, fazendo eco. "Cheia de graça, com certeza."

Os olhos da garota queimavam prata e os fantasmas das chamas corriam por sua pele. Havia uma beleza frágil nela que me deixava sem ar.

Um monstro andava atrás dela. Em outras circunstâncias, seria ele que chamaria a atenção. O monstro fora construído como uma paródia de homem, compartilhando os traços de Adão assim como uma vaca imita um cavalo. A luz revelou o horror de sua pele, sem poupar detalhes. A coisa devia ter mais de dois metros de altura. Conseguia superar o Pequeno Rikey por alguns centímetros.

Mentiroso ergueu seu arco, com o nojo escrito em seu rosto. Eu segurei seu braço enquanto ele mirava no monstro.

"Não." Eu queria ouvi-los. Além do mais, uma flecha deveria apenas incomodar nosso novo amigo.

Sob um pedaço retorcido de couro vermelho, o tórax do monstro parecia um barril de quatrocentos litros. Algumas costelas lhe furavam a pele, uma tentando encontrar a outra por cima do seu coração.

A luz da garota nos tocou com um beijo gelado e eu a senti dentro de minha cabeça. Ela falava, e sua voz parecia emergir das pedras. Ouvia seus passos nos corredores de minhas memórias.

Existem lugares onde as crianças não deveriam passear. Encontrei o olhar prateado da garota e por um momento as sombras lamberam sua pele.

"Bem-vindos ao nosso acampamento", eu disse.

Dei um passo à frente para cumprimentá-los, deixando os irmãos e entrando no brilho da aura da menina. O monstro sorriu para mim, um sorriso largo, deixando à mostra dentes roubados de um lobo. Ele tinha olhos de um gato, riscados contra a luz e devolvidos.

Passei pela bela e parei em frente à fera. Nós nos julgamos por um momento. Passei os olhos pelos músculos amontoados sobre seus ossos, atravessados por veias pulsantes e cicatrizes elevadas e enrijecidas. Eu usaria uma de suas mãos como prato de jantar. Ele tinha três dedos e um polegar em cada mão, grossos como o braço da garota. Ele poderia agarrar minha cabeça com apenas uma das mãos e quebrá-la em pedaços.

Estalei meu pescoço para frente, de supetão, e pulei sobre ele gritando, empurrando meu rosto contra o dele. Ele recuou e tropeçou numa pedra solta. Deixei a risada escapar. Não pude evitar.

"Por quê?" A garota parecia intrigada. Ela deitou a cabeça e as sombras correram.

"Porque sim." Eu respirei fundo, enquanto o monstro se ajeitava.

Por quê? Por um segundo eu não sabia.

"Porque... porque ele que se foda. Porque ele é um grandessíssimo bastardo." Eu tirei o sorriso do meu rosto. Porque ele me paralisou. Porque ele fez com que eu me sentisse pequeno.

Eu a olhei de cima. "Sou maior do que você. Você vai deixar que isso a assuste?"

"Eu tenho medo de você", disse a garota. "Não por causa do seu tamanho, Jorg. Por causa dos fios que estão presos à sua volta. Pelas linhas que se cruzam onde eu não posso ver. Pelo peso, e pelo fio da navalha onde você se encontra." Ela falava cantando, numa voz aguda e doce.

"Você daria um ótimo oráculo, menina", eu disse. "Você tem essa mistura de profundidade e vazio na medida certa." Eu joguei minha espada de volta na bainha. "Então você sabe o meu nome. Devemos compartilhar? Será que as leucrotas têm nomes?"

"Jane", ela disse. "E esse é Gorgoth, um líder subterrâneo da montanha."

"Encantado." Eu fiz uma pequena reverência. "Talvez seus amigos possam sair de trás das pedras. Desse jeito meus irmãos não irão se sentir tentados a atirar nas sombras."

Gorgoth fixou seus olhos de gato em mim, um olhar aguçado e ferino.

"De pé!" Sua voz era ainda mais grave do que a imaginara, e eu a imaginara bastante grave.

Outros monstros surgiram em volta de nosso acampamento, alguns surpreendentemente perto. Se todas as gárgulas e criaturas grotescas se liberassem das catedrais e formassem um exército, tal exército seria leucrota, feito de carne. Não havia dois iguais. Todos haviam sido rascunhados seguindo o modelo de um homem, mas a mão que desenhava não era muito hábil. Nenhum era tão enorme nem tão robusto quanto Gorgoth. A maioria vazava por chagas, ostentava membros murchos ou trabalhados sob um amontoado de verrugas e tumores numa confusão repugnante.

"Jesus, Gorgoth! Seus amigos quase fizeram o Pequeno Rikey ser bonito", eu disse.

Makin se juntou a mim, seus olhos fodidos contra a luz de Jane. Ele usou a mão para fazer sombra em seu rosto, e olhou Gorgoth de cima a baixo.

"E este há de ser Sir Makin", eu disse. "Cavaleiro da corte do Rei Olidan, terror de..."

"Um homem em que se pode confiar." A voz aguda de Jane me cortou. "Se ele der sua palavra."

Ela virou suas órbitas prateadas para mim e senti o passado se amontoar sobre meus ombros. "Você quer ir ao coração da montanha", ela disse.

"Sim." Eu não podia negar.

"Você traz a morte, Príncipe de Ancrath", ela disse.

Gorgoth rosnou ao ouvir isso. Soava como pedras sendo moídas. A criança segurou o pulso dele com sua mão brilhante. "Morte se concordarmos, morte se resistirmos." Ela continuou com o olhar fixo em mim. "O que você oferece como pedágio?"

Tinha que admitir que ela era boa naquele jogo. Não seria nada bom para eles se o meu plano funcionasse, e não seria nada bom para eles se tentassem nos impedir.

"Na verdade, eu trouxe um presente", disse. "Mas se por acaso ele não for do seu agrado, posso fazer algumas promessas. Farei com que Sir Makin prometa também, e ele é um homem de palavra." Sorri para ela. "Quando eu vi este lugar num mapa..." Fiz uma pausa e lembrei das circunstâncias com certa nostalgia.

"Sally..." A garota sussurrou, também se lembrando da taberna.

Aquilo me chocou por um instante. Não gostava da ideia daquela menininha dentro da minha cabeça, abrindo portas, fazendo julgamentos infantis, brilhando sua luz em lugares que deveriam estar escuros. Parte de mim queria cortá-la em pedaços, uma parte bem grande de mim.

Destravei minha arcada. "Quando vi esta garganta no meu mapa, pensei comigo mesmo: 'Taí um lugar esquecido pelo Senhor'. E foi quando me ocorreu o que eu deveria trazer como permuta. Trouxe Deus para vocês." Eu me virei e apontei para o padre Gomst. "Trouxe a salvação, a bênção da comunhão. Trouxe a graça divina, o catecismo... a confissão, se você preferir. Toda a salvação que suas almas feiosas puderem aguentar."

Gomst deixou escapar um grito efeminado e começou a correr. O nubano passou um braço negro ao redor da cintura do padre e o carregou por cima do ombro.

Esperei a resposta de Jane, mas Gorgoth selou o acordo.

"Nós ficamos com o padre." Algo em sua voz fez meu peito doer. "Vamos guiar vocês até a Grande Escada. Os necromantes os acharão, de qualquer maneira. Vocês não voltarão."

Alguns dizem que Kent, o Rubro, tinha um coração negro, e isso pode ser verdade, mas qualquer um que o tenha visto assassinar seis patrulheiros parrudos com uma machadinha e uma faca sabe que o homem tem uma alma de artista.

28

Necromantes?" Eu caminhava atrás de Jane com Gorgoth às minhas costas. Não tinha nada sobre necromantes nos meus livros.

"Eles comandam os mortos. Magos..."

"Eu sei o que eles são", interrompi Gorgoth. "O que eles estão fazendo no meu caminho?"

"O Monte Honas os atrai", disse Jane. "A morte vive no coração da montanha. E também velhas magias. A morte facilita o trabalho deles."

Até as cavernas das leucrotas eram horrendas. Quando eu tinha sete anos e William cinco, o tutor Lundist nos levou secretamente às Cavernas de Paderack. Sem o conhecimento de qualquer membro da corte, os herdeiros de Ancrath deslizaram e escorregaram para dentro das profundezas escuras até chegar num salão de catedral com pilares tão majestosos que empobreciam a graça divina. Eu ainda carrego a glória desse lugar. As câmaras das leucrotas não possuíam aquela elegância fluida, nem o toque anônimo de talento artístico que se encontra nos palácios subterrâneos do mundo. Nós caminhamos através de corredores de pedra dos Construtores, moldados por meio de técnicas há muito esquecidas. A luz de Jane nos mostrou galerias antigas, rachadas e escorregadias. Inventamos um caminho ao redor de blocos caídos, mais largos do que cavalos de carga, e descemos sem parar, como vermes cavando até o caroço à procura das raízes da montanha.

"Pare de reclamar, padre." Algazarra veio por trás do nubano e mostrou ao velho Gomsty sua faca, um artefato sinistro de ferro, para mostrar que falava sério.

O padre Gomst deixou a lamentação de lado e senti falta daqueles ecos tão assombrosos. Eu me detive um pouco para poder trocar umas palavras. Por isso e para ter certeza de que Algazarra não inventasse de retalhar nosso presente aos monstros antes que nós o entregássemos da maneira apropriada.

"Que a paz esteja convosco, padre", eu disse.

Empurrei a lâmina de Algazarra. Ele me olhou atravessado – não foi, Algazarra? – com suas marcas de varíola e seu estrabismo.

"Você só trocará de rebanho, padre", eu disse a Gomsty. "Sua nova congregação pode parecer um tanto abominável, mas e quanto à beleza interior? Bem, estou certo de que eles serão mais justos do que nosso amigo Algazarra aqui."

O nubano grunhiu e realocou o peso do padre Gomst para o outro ombro.

"Abaixe-o", eu disse. "Ele pode andar. Estamos bem, e estamos perdidos, ninguém vai ter que correr."

O nubano pôs o velho Gomst de pé. Ele olhou para mim, seu rosto escuro demais para ser decifrado. "É um erro, Jorg. Negocie com ouro, não com pessoas. Ele é um homem santo. Ele fala em nome do Cristo branco."

Gomst olhou-o com um ódio que eu nunca vira nele anteriormente, como se chifres crescessem no nubano e este tivesse invocado Lúcifer.

"Bem, ele agora vai poder falar de Cristo com Gorgoth", eu disse.

O nubano não respondeu nada, e seu rosto não demonstrava emoções.

Alguma coisa a respeito dos silêncios do nubano sempre me fazia querer falar um pouco mais. Como se eu precisasse fazer as pazes com ele. Com Makin, eu me sentia do mesmo jeito, mas não tão intensamente.

"Não é que ele não possa sair", eu disse. "Ele está livre para voltar pra casa, se quiser de verdade. Só precisa juntar comida e um mapa para a viagem."

Em troca, o nubano me deu o branco crescente do seu sorriso.

Eu continuei em frente, uma voz gelada dentro de mim sussurrava, sussurros sobre fraqueza, sobre andar à beira do precipício, sobre uma faca afiada que cortava sem lágrimas, sobre um ferro em brasas para cauterizar uma ferida antes que a infecção se espalhasse. Não faz bem amar um irmão.

A luz de Jane enfraqueceu e piscou quando eu cheguei perto. Ela recuou um pouco, num suspiro. Retorci meus lábios e a imaginei caindo de um penhasco. Melhor do que eu esperava. Ela soltou um grito e cobriu seus olhos.

Gorgoth ficou entre nós. "Mantenha-se longe dela, Príncipe das Trevas."

Eu caminhei nas sombras e elas nos levaram para dentro da montanha. Seguimos túneis largos que se estendiam por quilômetros, com o chão nivelado e os tetos curvados. Marcas de ferrugem corriam na extensão das passagens em linhas paralelas, ainda que eu desconhecesse a finalidade desses homens em alinhar ferros de tal maneira, a menos que fossem canos através dos quais corresse o fogo secreto dos Construtores.

Deixamos Jane e os demais, com exceção de dois dos seus semelhantes, às margens de um lago tão largo que mesmo sua luz pratcada não conseguia alcançar o outro lado. Os Construtores também o tinham criado. Pedras cediam lugar à água com um único passo curto, o teto era plano e sem adornos. O pessoal de Jane andou em direção aos abrigos de madeira e peles, amontoados na margem do lago. Gorgoth os guiou, com uma das mãos envolvendo os ombros do padre Gomst.

Jane parou e seu olhar se movia entre os dois grotescos que permaneceram conosco. Ela não disse nada, mas eu pude sentir a influência oculta do diálogo silencioso na forma como ela os instruíra.

"Sem últimas palavras para mim, pequenina?", perguntei. Eu apoiei um dos joelhos no chão e fiquei de frente para ela. Um humor ferino tomava conta de mim. "Nenhuma previsão? Nada de pérolas para jogar aos porcos? Vamos lá, compartilhe uma de suas visões comigo. Deixe-me cego com o futuro."

Ela encontrou meu olhar e a luz me ofuscou, mas eu não conseguia virar o rosto.

"Suas escolhas são chaves para portas e eu não consigo ver além delas."

Senti a raiva crescer em mim e eu a retive com um rosnado. "E ainda há mais."

"Você tem uma mão sombria sobre os ombros. Um buraco em sua mente. Um buraco. Em suas memórias. Um buraco – um buraco – me puxando para dentro – me puxando..."

Agarrei sua mão. Aquilo foi um erro, pois ela queimava a pele e congelava os ossos em intensidades iguais. Precisava soltá-la, se conseguisse, mas as minhas forças me abandonaram. Por um momento eu só conseguia ver os olhos da menina.

"Quando você a encontrar, corra. Apenas corra. Nada mais." Senti como se eu estivesse falando as palavras, ainda que pudesse ouvir a voz de Jane moldando-as. E então eu caí.

Acordei com a luz das tochas.

"Ele está acordado."

Estava cara a cara com Rike.

"Jesus, Rike, você andou gargarejando mijo de rato outra vez?" Empurrei aquela mandíbula brutal para um lado e usei seu ombro como alavanca para me erguer. Os irmãos começaram a se levantar ao meu redor, pegando suas coisas. Makin veio da margem do lago, Gorgoth precipitando-se atrás dele.

"Não toquem a Profetisa das Leucrotas!" Ele me repreendeu com escárnio. Eu podia ver o alívio escondido em seus olhos.

"Vou manter isso em mente", eu disse.

Gorgoth parou, olhou-me com raiva e continuou guiando o caminho, segurando uma tocha do tamanho de uma árvore pequena.

Subíamos num ângulo inclinado, o túnel encoberto de poeira que tinha gosto de amêndoas amargas. Andamos por menos de cem metros antes de o caminho se alargar numa enorme galeria atravessada por trincheiras de pedras de propósito obscuro, com muitos metros de largura e tão profundas quanto um homem tem de altura. No centro da galeria, um cercado de madeira abraçava a parede, os internos amarrados. Duas crianças amontoadas no meio da gaiola sem cobertura. Duas leucrotas. Gorgoth escancarou a porta.

"Fora."

Nenhuma das duas crianças havia ultrapassado sete primaveras, se primaveras fossem uma conta apropriada para os negros salões das leucrotas. Saíram nus, dois garotos magricelos, aparentemente irmãos, o mais jovem talvez tivesse cinco anos. De todas as leucrotas que eu vira, eles pareciam as menos monstruosas. Um pontilhado preto e vermelho marcava suas peles, coloridas como os tigres dos indus. Farpas escuras de chifre se projetavam de seus cotovelos, espelhadas nas garras de seus dedos. O mais velho dos dois me espiou, seus olhos absolutamente negros, sem esclera, íris ou pupila.

"Não queremos suas crianças", disse Makin. Ele pôs a mão no bolso e jogou um pedaço de carne seca para os irmãos. "Pode devolver."

O pedaço de carne deslizou até parar aos pés da criança mais velha. Ela mantinha os olhos em Gorgoth. O menor observou a carne seca atentamente, mas não se mexeu. Sua pele era tão esticada sobre os ossos que eu conseguia contar cada costela.

"Eles são dos necromantes, não desperdice sua comida com eles." O ronco de Gorgoth saiu tão baixo que chegava a doer.

"Um sacrifício?", o nubano perguntou.

"Eles já estão mortos", Gorgoth disse. "A força das leucrotas não está dentro deles."

"Para mim eles parecem saudáveis o suficiente", disse. "Se mandarem uma refeição ou duas para dentro. Tem certeza que não é inveja porque eles não são tão feios quanto vocês?" Eu não me importava muito com o que Gorgoth faria com os tampinhas, mas eu tinha prazer em insultá-lo.

Gorgoth curvou suas mãos e seis nós dos dedos gigantes pularam como toras ao fogo.

"Comam."

Os dois meninos caíram sobre a comida de Makin, rosnando como cães.

"Nós, leucrotas, somos puras de nascença, ganhamos nossos dons à medida que crescemos. É uma transformação lenta." Ele gesticulou para os garotos que lambiam os últimos fragmentos da carne seca em cima da pedra. "Esses dois passaram por mudanças de uma leucrota com o dobro da idade deles. Os dons virão mais rápido agora, mais rápido e mais fortes. Ninguém consegue suportar tamanhas mudanças. Eu já vi isso antes. Muitos dons fazem um homem se revirar de dentro para fora." Algo naqueles olhos de gato me diziam que ele falava a verdade, que sim, ele já havia visto aquilo antes. "Melhor que eles sirvam de pagamento para manter os necromantes fora de nossas cavernas. Melhor que os mortos-vivos levem esses dois, e não procurem por vítimas que possam sobreviver. Eles terão uma morte rápida e uma paz duradoura."

"Se você diz então eu acredito." Dei de ombros. "Vamos andando. Desejo muito encontrar esses necromantes de que você falou."

Seguimos Gorgoth através da galeria. Os irmãos corriam ao nosso redor e vi o nubano entregar sorrateiramente para eles alguns damascos secos que estavam escondidos em sua túnica de lã.

"Então, qual é o seu plano?", Makin aproximou-se silenciosamente, falando baixo.

"Hmmm?" Eu vi a criança mais nova saltar para longe da bota certeira do Mentiroso.

"Esses necromantes... qual é o seu plano?", Makin manteve o sussurro.

Eu não tinha um plano, mas esse era apenas mais um obstáculo a superar. "Houve um tempo em que os mortos permaneciam mortos", eu disse. "Eu li sobre isso na biblioteca do meu pai. Por muito tempo, os mortos andavam apenas nas histórias. Até Platão mantinha os mortos a uma distância bem confortável, além do Rio Estige."

"É o que você ganha por perder tanto tempo lendo", disse Makin. "Eu me lembro da estrada no pântano. Aqueles fantasmas não leram os mesmos livros que você."

"Nubano!", chamei. "Nubano, venha dizer a Sir Makin por que os mortos não descansam mais em paz."

Ele se juntou a nós, a balestra sobre um ombro, óleo de cravos no ar ao seu redor. "Os homens sábios de Nuba dizem que a porta está entreaberta." Ele fez uma pausa e correu sua língua, demasiadamente rosada, sobre seus dentes demasiadamente brancos. "Há uma porta para a morte, um véu entre os mundos, que atravessamos ao morrer. Mas no Dia dos Mil Sóis tantas pessoas tiveram que atravessar de uma só vez que elas quebraram a porta. Os véus ficaram muito finos. Basta um sopro e a promessa certa, e você pode chamar os mortos de volta."

"Aí está sua explicação, Makin", eu disse.

Makin franziu o rosto, depois esfregou os lábios. "E o plano?"

"Ah", eu disse.

"O plano?" Makin sabia ser irritantemente persistente.

"O mesmo de sempre. Nós simplesmente vamos matando até que eles fiquem no chão."

Você podia confiar no irmão Algazarra. Ele conseguia fazer disparos longos usando um arco pequeno. Ao sair de um duelo de facas, sua camisa sempre estaria manchada com o sangue de outro. Você podia confiar nele para mentir, trapacear, roubar e para cobrir sua retaguarda. Mas não podia confiar nos seus olhos. Seus olhos eram muito gentis, e você não podia confiar neles.

29

Os Construtores pareciam ter uma aversão a escadas. Gorgoth nos guiou para cima da montanha por caminhos tortuosos, talhados dentro das paredes de fossos verticais infinitos. Talvez os Construtores tivessem asas ou talvez, como os sábios indus, eles conseguissem levitar usando a força de vontade. Em todo caso, os homens que vieram depois deles usaram picaretas para mastigar uma escada nas pedras das paredes do fosso, talhando degraus estreitos e grosseiros. Subimos com cuidado, os braços junto aos corpos, em fila, todos com medo de cair por um esbarrão inadvertido de ombros. Se as profundezas estivessem acesas, eu não duvido que alguns dos irmãos precisariam usar a ponta de suas espadas para ajudá-los, mas a escuridão esconde todos os pecados e nós nos enganávamos imaginando um chão invisível seis metros abaixo.

É estranho, quanto mais profundo é um buraco mais forte ele atrai um homem. A fascinação que existe na borda, e que lampeja no ponto mais estreito, também se encontra no fundo do precipício. Senti essa força me puxando a todo momento durante a subida.

Fisicamente, Gorgoth parecia ser o menos apto para tamanha escalada, mas ele sabia o que estava fazendo. As duas crianças leucrotas dançavam na minha frente, saltando degraus com tamanho desprezo que eu tinha vontade de atirá-las no vazio.

"Por que eles não fogem?", perguntei para Gorgoth, à minha frente. Ele não respondeu. Imagino que o desdém dos meninos pela queda estivesse ligado ao destino que os aguardava caso eles chegassem a salvo no topo.

"Você está levando os dois para a morte. Por que eles seguem você?", disse, encarando a larga extensão das suas costas.

"Pergunte para eles." A voz de Gorgoth retumbou dentro do fosso como um trovão distante.

Agarrei o menino mais velho pelo pescoço e o segurei sobre o vão. Ele quase não pesava e eu precisava de um descanso. Podia sentir o desnível dos degraus queimando os músculos das minhas pernas.

"Qual é o seu nome, monstrinho?", perguntei.

Ele olhou para mim com olhos que pareciam ser mais largos e mais escuros do que a queda à minha direita.

"Nome? Sem nome", ele disse, com uma voz fina e meiga.

"Isso não está certo. Eu vou pôr um nome em você", eu disse. "Sou um príncipe, tenho direito de fazer coisas assim. Você será Gog e seu irmão pode ser Magog."

Eu espiei Kent, o Rubro, que estava atrás de mim, bufando, sem o menor traço de compreensão no seu rosto de camponês.

"Gog, Magog... *My God*, onde está um padre quando preciso que alguém entenda uma piada bíblica!", eu disse. "Nunca pensei que iria sentir falta do padre Gomst!"

Voltei para o jovem Gog. "Por que está tão feliz? Sabe, o velho Gorgothinho ali está levando você para ser devorado pelos mortos."

"Fazer o quê?", disse Gog, bem calmo. "É a lei." Se ele estava desconfortável em ser agarrado pelo pescoço não demonstrava.

"E quanto ao pequeno Magog?" Eu acenei para seu irmão, de cócoras num degrau acima de nós. "Ele também vai lutar?" Sorri com a imagem desses dois lutando com magos mortos.

"Eu o protegerei", disse Gog, e começou a se contorcer em minhas mãos, tão rápido e forte que tive que largá-lo ou eu acabaria caindo no fosso junto com ele.

Gog galopou para ficar ao lado do irmão e pôs sua mão sobre o ombro dele. Eles me observavam com aqueles olhos pretos, mais silenciosos do que camundongos.

"A gente pode se divertir com eles", Kent disse às minhas costas.

"Aposto que o menorzinho dura mais tempo", gritou Rike, e soltou uma gargalhada, como se tivesse dito algo engraçado. Por pouco não escorregou, e isso fez com que ele parasse de uma vez de gargalhar.

"Se você quer vencer esse jogo, Gog, deixe o pequeno Magog se virar sozinho." Enquanto falava, um frio arrepiou os meus cabelos da nuca. "Mostre para mim que você tem força para se virar sozinho e talvez eu encontre alguma outra coisa que esses necromantes queiram mais do que sua alma esmirrada."

Gorgoth voltou a subir e os irmãos o seguiram em silêncio.

Andei, esfregando as cicatrizes em meus antebraços onde os espinhos da roseira-brava começavam a me incomodar novamente.

Contei mil degraus, e só começara por tédio, e assim perdi os primeiros dez minutos da subida. Minhas pernas viraram gelatina, minha armadura pesava como se fosse feita de placas de três centímetros de chumbo e meus pés pisavam em falso tentando acertar a escada. O irmão Gains convenceu Gorgoth a fazer uma pausa para descanso ao tropeçar no vazio, gritando por uns bons dez segundos antes que o chão invisível o convencesse a calar a boca.

"Tantos degraus para que a gente chegue até 'A Grande Escada!'" Cuspi um catarro nojento em homenagem ao saudoso irmão Gains.

Makin abriu um sorriso e esfregou seus cachos suados da frente dos olhos. "Talvez os necromantes venham nos carregar."

"Vamos precisar de um novo cozinheiro." Kent, o Rubro, cuspiu por Gains.

"Ninguém pode ser pior do que Gainsy." Burlow, o Gordo, mexeu os lábios. O resto dele sucumbiu sem vida, abraçando a parede. Achei aquilo um elogio fúnebre muito insignificante, visto que Burlow parecia usufruir mais dos esforços culinários de Gains do que todos os demais juntos.

"Rike seria pior", eu disse. "Eu o imagino preparando uma refeição com a mesma abordagem com que põe fogo numa aldeia."

Gains era bacana. Ele entalhou uma flauta de osso para mim uma vez, quando eu me juntei aos irmãos. Na estrada, nós homenageamos nossos mortos com blasfêmias e piadas. Se não gostássemos de Gains, ninguém teria comentado nada. Eu me sentia um pouco estúpido por deixar Gorgoth nos guiar num ritmo tão intenso. Mantive o sabor amargo comigo e me sentei, guardando um pouco para o caso de os necromantes tentarem testar nossos ânimos.

Chegamos ao topo da escadaria sem perder mais nenhum irmão. Gorgoth nos fez atravessar uma série de salões com muitos pilares, câmaras de eco vazias, com o pé-direito tão baixo que Rike conseguia alcançar os tetos. Rampas largas e curvas nos levavam de um salão ao próximo, cada um igual ao anterior, empoeirado e vazio.

O cheiro nos envolveu sorrateiramente, de modo tão lento que não saberia dizer quando me dei conta de sua presença. O fedor da morte tem vários aromas, mas eu gosto de pensar que reconheço o Ceifador e seus disfarces.

A poeira ficava mais grossa à medida que avançávamos, três centímetros em alguns lugares. Ossos ocasionais apareciam de tempos em tempos. Depois, mais ossos, um crânio, depois três. No lugar em que a pedra dos Construtores rachara e a água vazava a poeira virou uma lama cinzenta que fluía em deltas em miniatura. Puxei o crânio de um desses pântanos. Ele se soltou com um barulho pegajoso e a lama caiu de suas órbitas como melado.

"Cadê seus amigos necromantes, Gorgoth?", perguntei.

"Vamos até A Grande Escada. Eles nos encontrarão", ele disse.

"Eles encontraram vocês." Ela contornou o pilar mais perto de mim, uma mulher vinda das madrugadas de minha imaginação. Movia seu corpo sobre a pedra áspera como se esta fosse a mais pura seda. Sua voz invadia meus ouvidos como veludo, escuro e espesso.

Nenhuma espada deixou sua bainha. O nubano ergueu sua balestra e puxou a alavanca do gatilho, inchando o músculo pesado de seu braço numa bola negra. A necromante o ignorou. Ela deixou o pilar com a relutância de uma amante e se virou para me encarar. Ouvi Makin respirando com dificuldades ao meu lado. A mulher era um misto de força e flexibilidade com a suculência que jovens príncipes rabiscam nas margens de seus cadernos. Vestia apenas tintas e faixas, com padrões cinza e preto, que se entrelaçavam sobre ela como os nós dos celtas.

Quando você a encontrar, corra.

"Bem-vinda, milady." Eu lhe fiz uma reverência.

Apenas corra.

"Gorgoth, você nos trouxe convidados e também oferendas!" Sua risada deixou minha virilha formigando.

Apenas corra. Nada mais.

Ela me ofereceu a mão. Por um momento hesitei.

"E você há de ser...?" Seus olhos, que haviam retido apenas o reflexo do fogo, agora roubavam o verde de um salão do trono distante que eu guardava na memória.

"Príncipe Honório Jorg Ancrath." Eu segurei sua mão, fria e pesada, e a beijei. "A seu dispor." E eu estava.

"Chella." Um fogo negro corria em minhas veias. Ela sorriu e eu senti o mesmo sorriso se abrir em meu rosto. Ela deu um passo para frente. Minha pele cantava de arrepio. Eu aspirei seu perfume, um odor de velhas tumbas misturado ao paladar de sangue quente.

"O pequenino primeiro, Gorgoth", ela disse, sem tirar seus olhos dos meus.

Vi, de canto de olho, Gorgoth pegar Gog com a grandiosidade de sua mão.

O ar ficou gelado de uma hora para outra. Ouvi o som de pedra moendo pedra, meus dentes batiam. O salão em si parecia exalar um suspiro, e com ele névoas rodopiavam entre nós, espectros que encontravam um corpo momentâneo em redemoinhos pálidos. Senti meu dedo congelar com a sujeira que havia dentro do crânio que eu segurava.

O ruído de raspagem cessou quando os ossos acharam seus parceiros. Primeiro, um esqueleto se ergueu num balé complexo de interarticulação. Depois, mais outro. As névoas juntavam cada osso numa imitação fantasmagórica de carne.

Eu vi Gog explodir em um ataque e se contorcer dentro do implacável punho de Gorgoth. O pequeno Magog permaneceu parado enquanto o primeiro esqueleto avançou em sua direção. Gog fora longe demais com sua raiva para exigir que o libertassem. O rugido que saiu de dentro dele era cômico, muito agudo e repleto de fúria.

A necromante passou seu braço em volta de mim. Não sei dizer o que senti. Simplesmente nos viramos para ver Magog lutar.

O menino leucrota batia na altura do joelho do esqueleto, não mais do que isso. Ele viu uma oportunidade, ou pensou ter visto, e se atirou à frente. Não se pode esperar muito de uma criança de cinco anos. O morto-vivo o agarrou com dedos finos e o atirou sem perdão contra uma coluna. Magog a atingiu em cheio e a deixou ensanguentada. Mas não chorou. Ele lutou para se levantar enquanto o segundo esqueleto andava até ele. Uma tira de pele bonita de criança pendia da carne vermelha em seu ombro.

Olhei para o outro lado. Mesmo com a suave pressão de Chella sobre mim, a luta tinha um gosto amargo de uma maneira que eu não entendia. Meus olhos encontraram Gog, ainda lutando nos pulsos de Gorgoth. As duas mãos de Gorgoth estavam sobre a criança agora, ainda que eu mesmo duvidasse ser capaz de me livrar de uma só delas. Eu não imaginava que uma força daquelas poderia existir numa coisa tão pequena.

O esqueleto segurava Magog com uma das mãos. Dois dedos ossudos da outra mão se aproximavam dos olhos do menino.

Parecia que uma tempestade se formava, ainda que talvez se formasse apenas dentro de mim, uma tempestade açoitando uma noite sem luar e iluminando o mundo em talhos de relâmpagos. A voz da criança uivava dentro de minha cabeça e não ia embora, por mais que eu a amaldiçoasse em silêncio. Cada um de meus músculos lutava para se mover – e nenhum deles conseguia mais do que se contorcer. Espinhos me prendiam. Ali, aninhado nos braços da necromante, eu assistia aos dedos esqueléticos mergulharem nas poças negras dos olhos da leucrota.

Quando a mão explodiu eu fiquei tão surpreso quanto todos os demais. Flechas enormes fazem isso. O nubano voltou seu rosto para mim, longe da mira de sua balestra. Eu vi o branco crescente do seu sorriso e meus membros se libertaram. Ergui meu braço com força. O crânio em minha mão acertou o rosto da necromante com o mais delicioso estrondo.

Quem quer que tenha feito o nubano há de tê-lo criado a partir de uma rocha. Nunca vi um homem mais sólido. Não era de muitas palavras. Poucos entre os irmãos buscavam seus conselhos, os homens da estrada não valorizam a consciência. E ainda que ele nunca julgasse, o nubano carregava o julgamento com ele.

30

Deixei a bainha vazia e segui o arco desenhado pela lâmina da minha família para encarar a necromante. É uma daquelas espadas que, dizem, conseguem fazer o vento sangrar. Apropriadamente, o fio encontrou apenas o ar, que chiou como se fosse cortado.

A necromante caiu para trás, ágil demais para que eu a alcançasse. O crânio a pegou de surpresa, mas eu duvido que a acertaria de novo assim tão fácil.

Acho que o crânio a acertou entre os olhos, pois ali é que o estrago foi feito. Não era sangue, mas uma mancha escura e a pele retorcida, como se uma centena de vermes ziguezagueassem uns sobre os outros.

A maior parte dos irmãos ainda permanecia sob o mesmo encanto que me imobilizara. O nubano se preparava para carregar mais uma flecha em sua balestra. Makin começou a desembainhar sua espada. Gorgoth soltou Gog.

A necromante respirou fundo, como uma lima raspando um pedaço de ferro, arranhando sua garganta. "Isso", ela disse, "foi um erro."

"Sinto muito!" Mantive minha voz animada e me joguei sobre ela. Ela escorregou para trás da coluna, deixando-me sozinho para desviar da estrutura de pedra.

Gog se arremessou sobre Magog e livrou seu irmão caçula das garras do esqueleto. De relance, vi marcas pálidas de dedos no pescoço do garoto.

Contornei a coluna com certa precaução apenas para descobrir que a necromante havia deslizado para um outro pilar, uns cinco metros adiante.

"Sou muito criterioso a respeito de quem eu permito lançar feitiços contra mim", disse, revirando-me e acertando um belo chute em Rike. Um alvo difícil de errar. "Acorde, Rike. Atrás deles!"

Rike reclamou soltando um uivo sem palavras, algo entre uma morsa ansiosa e um urso que despertara contra a vontade de sua hibernação. Bem na sua frente, os dois esqueletos se abaixaram para alcançar os irmãos leucrotas, que continuavam emaranhando seus braços e pernas no chão empoeirado. Rike cresceu sobre ambos os mortos-vivos e agarrou um crânio em cada mão. Ele jogou um contra o outro, num estrondo que os reduziu a fragmentos.

Rugindo de forma ininteligível, ele sacudiu as mãos. "Frio!" Rike já conseguia articular as palavras. "Frio pra cacete!"

Eu me virei para a necromante com palavras sagazes bem na ponta da língua. Os insultos morreram ali mesmo. Seu rosto se contorcia por inteiro. A carne de seus membros havia encolhido, pulsando esporadicamente. O corpo que seduzira meus olhos agora mantinha todo o encanto de um cadáver vítima de inanição. Ela me encurralou com seu olhar negro, que brilhava em decomposição. Gargalhou, e seus risos saíam como o som de trapos molhados sacudindo ao vento.

Os irmãos estavam comigo de novo. Gorgoth mantinha-se imóvel. As pequenas leucrotas rastejavam juntas nas sombras.

"Nós somos muitos e você é uma só, milady. Uma coisa feia como o Diabo. Então é melhor que se afaste e nos deixe passar", eu disse. De qualquer forma, não esperava que ela me atendesse, mas perguntar não custa nada, como dizem.

Sua carne cheia de vermes se abriu num sorriso tão grande que pude ver sua mandíbula, bem no local em que a pele deveria cobri-la. Por um segundo, seu rosto se contraiu e pudemos enxergar Gains nele, berrando enquanto caía.

"Os mortos são muitos, criança", ela disse. "Eu deixarei você passar... para o reino deles."

A temperatura caiu e continuou caindo, como se não houvesse nada que a fizesse parar. A temperatura foi do desconforto à dor, chegando ao totalmente intolerável em questão de segundos. E o barulho? O ranger terrível dos esqueletos se montando com ossos soltos envoltos numa névoa fantasma que levitava à nossa volta. Um som que faria você desejar arrancar seus dentes. A tocha na mão de Makin desistiu de sua luta contra o frio e se dissipou.

A névoa escondia tudo, menos nossos vizinhos mais próximos. Os esqueletos vieram até nós devagar, como num sonho. Se não fosse o fogo da tocha de Gorgoth estaríamos na completa escuridão.

Balancei minha espada ao primeiro ataque. O punho da espada congelava em minha mão, mas eu não estava inclinado a deixá-la cair por nada. Eu precisava do exercício para me aquecer. O esqueleto se desintegrou numa chuva de fragmentos de ossos. Eu não tinha tempo para festejar antes que o próximo saísse de dentro do nevoeiro.

Nós entramos na briga e o tempo nos abandonou. Aguentávamos num limbo congelante onde apenas o estilhaçar de ossos e o subir e descer das espadas significavam alguma coisa. Toda vez que eu cortava a carne fantasmagórica parecia que o frio se entranhava um pouco mais fundo em mim. A espada, cada vez mais pesada, parecia então feita de chumbo.

Vi Roddat morrer. Um esqueleto o pegou com a guarda baixa. Dedos esqueléticos encontraram os dois lados de sua cabeça e um clarão se espalhou deles; a carne viva morria onde havia sido tocada pela carne fantasma. Roddat era ardiloso – e como! –, mas senti prazer em cortar ao meio a funesta criatura que o matara. Atrás de mim, alguém gritou. Parecia o irmão Jobe. Não seria bom acordar com um grito daqueles.

Makin abriu caminho e ficou ao meu lado, o peitoral de sua armadura congelado, seus lábios azuis. "Eles não param de chegar."

Eu ouvia o rugido atrás de nós. A névoa parecia engolir o som, mas o rugido atravessou a barreira.

"Rike?" Tive que gritar para que me escutasse.

"Gorgoth! Você tem que vê-lo lutar. Ele é um monstro!", Makin gritou.

Tive que rir.

Eles não paravam de chegar. Mais e mais, fileira atrás de fileira, saindo da escuridão. Alguém morreu ao meu lado. Não saberia dizer quem foi.

Nós já devíamos ter esmagado uns duzentos malditos daqueles e eles ainda não paravam de chegar.

Minha espada ficou presa entre as costelas de um esqueleto que eu acertara. Meu golpe não foi forte o suficiente. Makin arrebentou a nuca dele com um corte preciso.

"Obrigado." A palavra saiu fraca de lábios dormentes.

Não vou morrer aqui. Repetia o pensamento em minha mente. Cada vez com menos convicção. *Não vou morrer aqui.* Estava frio demais para pensar. *Não vou morrer aqui. Mexa-se e corte esses braços. Os bastardos nem sequer vão sentir alguma coisa. Mas a vadia sentiu quando eu quebrei seu rosto.*

A vadia.

Quando estiver em dúvida, deixe o ódio dominá-lo. Normalmente eu rejeitaria esse conselho. Ele faz um homem ser previsível. Mas ali, naquele salão miserável de ossos, era tolice se preocupar. O ódio era tudo o que eu tinha para me aquecer. Cortei um esqueleto e segui adiante.

"Jorg!" Ouvi o grito assustado de Makin atrás de mim, e então a escuridão encobriu minha vista e a névoa lançou um grosso cobertor sobre os ruídos da batalha.

É, estava escuro ali. Tão escuro que você nem se lembrava de como eram as cores. Balancei minha espada algumas vezes, quebrei alguns ossos, cavei o ar por um tempinho e então acertei uma coluna que arrancou a maldita arma de minha mão congelada. Freneticamente cacei minha espada, com mãos dormentes demais para encontrar meu próprio rosto. Gradualmente percebi que estava livre dos esqueletos. Nenhum dedo esquelético me procurava na escuridão. Sem espada e sem direção, tropecei.

A vadia. Ela devia estar por perto. Certamente. Esperando para aprisionar nossas almas assim que morrêssemos. Esperando para se alimentar.

Estaquei e me mantive tão quieto quanto minha tremedeira permitia. A necromante tinha levantado o véu. Exatamente como o nubano havia dito, ela levantara o véu entre os mundos e os mortos estavam atravessando para o nosso lado. Se eu a interrompesse eles iriam parar. Escutei, escutei profundamente um silêncio, como um veludo na escuridão. Mantive a calma, esticando-me para encontrá-la, firme e focado.

"Cravos." Meus lábios formaram a palavra. Encrespei meu nariz. Óleo de cravos? A essência me atraía. Mais sutil impossível, só que, com nada mais para combater, apoderou-se de mim. Deixei que me carregasse para frente, oscilando, contorcendo, procurando a fonte.

Minhas mãos encontraram um portal estreito e entrei numa câmara iluminada por faíscas de uma tocha caída.

Entendi a essência. A arma do nubano estava a dois palmos da tocha, jogada de qualquer maneira, o cabo esticado, mas a flecha jazia sobre as pedras. Ele havia se separado dos irmãos para caçá-la. Saiu na minha frente na perseguição.

"Necromante", eu disse.

Ela estava na boca de um dos fossos dos Construtores. A escuridão absoluta preenchia os fundos da câmara atrás dela e a luz fraca não conseguia sondar suas profundezas. Ela mantinha o nubano à sua frente, segurando a cabeça dele para um lado enquanto mordia o pescoço retesado do negro. Eu podia ver a tensão em seus braços largos, mas seus dedos se curvavam inúteis e sua espada estava caída a seus pés, o punho projetado sobre o espaço além da borda do fosso.

A necromante levantou seu rosto de trás da nuca do nubano. Sangue pingava de seus dentes. A energia que ela capturava foi o suficiente para restaurar sua aparência. O sangue escorria sobre lábios carnudos e um pescoço perfeito.

"Você mandou um alimento fresco atrás de mim, Príncipe Jorg", ela disse. "Hummm, temperado com especiarias pagãs. Eu lhe agradeço."

Fiquei de joelhos e peguei a arma do nubano. O peso da balestra sempre me surpreendia. Carreguei a flecha no lugar certo. Ela se moveu para usá-lo como um escudo, seus calcanhares sobre o fosso.

"Você está com frio, meu príncipe", ela disse. A música repentina de sua voz me pegou desprevenido. Ela era profunda, saborosa, com certa complexidade. "Eu poderia aquecê-lo."

Meu corpo cansado se arrepiou com aquela melodia obscura. Precisei me lembrar do rosto de Gains se contorcendo sobre sua carne tomada de vermes para resistir ao seu chamado. Ergui a balestra. Não conseguiria segurá-la por muito tempo.

"É um frio mortal que existe dentro de você." Sua voz se transformou num silvo furioso. "Um frio que vai matar você."

Ela sorriu para mim por cima dos ombros do nubano, aproveitando-se de seu desamparo. "Você está tremendo, Jorg. Abaixe essa arma. Você provavelmente não conseguiria acertar nem seu amigo daí, quanto mais me acertar."

A ideia era tão tentadora. Abaixar a arma.

"Ele não é meu amigo", eu disse.

Ela sacudiu a cabeça. "Ele morreria por você. Posso sentir isso no sangue dele."

"Você está jogando o jogo errado comigo, coisa morta." Franzi o rosto e mirei. O tremor em meus braços fazia o alvo saltar. Um pouco mais e a flecha teria saído do lugar.

Ela riu da minha cara. "Posso ver os laços que unem os vivos. Você só tem dois amigos, Príncipe Jorg. Você está tão ligado a este homem de sangue doce quanto um filho está ligado ao pai."

Sacrifício.

Ela pôs os dedos sobre os buracos vermelhos no pescoço do nubano. "Deixe-me ficar com os outros. Deixe-me ficar com o sumo vital de cada um deles, e você e ele, vocês dois, podem ficar comigo. Você pode me ajudar a subjugar as leucrotas. Há várias tribos, algumas delas bem turbulentas. Existem outros necromantes contra os quais um aliado vivo, um tão esperto quanto você, poderia ser bem útil."

Jogue o jogo.

Ela sorriu e um fogo escuro se acendeu dentro de mim novamente. "Gosto de você, príncipe. Nós podemos reinar sob a montanha, juntos." Sexo pingava de suas palavras. Não aquela brincadeira insossa nos lençóis em que Sally se rendeu, mas algo potente, inédito e ardente. Ela me oferecia um empate. Vida, poder e comando. Mas a seu serviço.

Jogue para ganhar.

Os olhos do nubano miravam os meus. Pela primeira vez na vida, consegui decifrar o que estava escrito neles. Eu poderia aceitar qualquer coisa. Poderia aceitar ódio, ou medo, ou súplica. Mas ele me perdoou.

ChuuUum!

A flecha atingiu o nubano bem no peito. Fez um furo através de ambos e os jogou além da borda. Nenhum dos dois gritou e levou uma eternidade até que eles atingissem o fundo.

A maioria dos homens tem pelo menos uma característica redentora. Encontrar uma para o irmão Rike requer certa boa vontade. Por acaso ser "grande" é uma característica redentora?

31

Voltei e encontrei meus irmãos cuidando de suas feridas entre montes de ossos quebrados. Roddat, Jobe, Els e Frenk estavam jogados longe do grupo. A morte transforma em leprosos até os homens mais populares. Não perdi tempo com eles: qualquer possível objeto de valor já teria sido embolsado.

"Achei que você ia nos deixar, irmão Jorg." Kent, o Rubro, soltou um olhar de relance sob as sobrancelhas franzidas e voltou à sua tarefa com a pedra de amolar e a espada.

O jeito como ele disse "irmão" tinha um tom de reprovação. Um tom, no mínimo, talvez uma sinfonia completa. Nada de "príncipe" para os fugitivos.

Makin me observava com uma especulação sombria, estatelado no chão, cansado demais para se escorar numa coluna.

Rike se apoiava sobre seus pés. Ele se aproximou de mim devagar, polindo um anel na almofada de couro do peitoral de sua armadura. Reconheci aquela bonita peça de metal amarelo: era o anel da sorte de Roddat.

"Achei que você ia nos deixar, irmão Jorgy", disse. Ele se inclinou sobre mim, abrindo suas largas asas.

Alguns, como o Mentiroso, não aparentam ser muita coisa e é uma surpresa para muitos quando descobrem que estão lidando com um tremendo filho da mãe. Rike nunca surpreendeu ninguém dessa maneira. O perigo, a brutalidade pura, seu amor pela dor das outras pessoas – bem, a Mãe Natureza deixou tudo isso às claras nele, só para nos alertar.

"O nubano morreu." Ignorei Rike e olhei para Makin. Puxei das minhas costas a balestra do nubano e a mostrei. Não havia dúvidas depois daquilo. O homem estava morto.

"Boa", disse Rike. "Quem mandou fugir? Bem feito. Nunca fui com a cara daquele frangote covarde."

Acertei Rike o mais forte que podia. Na garganta. Não tomo decisões conscientes. Se fizesse a menor das reflexões eu teria evitado o golpe. Posso ter me saído bem contra ele com uma espada, mas jamais com as mãos nuas.

Ainda que "mãos nuas" não seja bem o caso. Calçava minhas manoplas, com rebites de ferro. Um metro e oitenta e três aos quatorze anos; magro, mas com a musculatura definida de tanto empunhar a espada e carregar minha armadura. Também sei como dar um soco. Coloquei todo meu peso no golpe e cada grama de minha força.

Rebites de ferro trituraram o pescoço de touro de Rike. Posso não ter usado a cabeça, mas que bom que uma parte de mim ainda não tinha abandonado totalmente a razão. Tivesse eu acertado o rosto obtuso de Rike, meu pulso provavelmente estaria quebrado e ele só teria sentido cócegas.

Ele soltou uma espécie de grunhido e ficou ali parado, levemente desnorteado. Suponho que levava algum tempo para se acostumar com a ideia de que eu acabara de cometer suicídio em grande estilo.

Em algum lugar no fundo da minha cabeça percebi que havia cometido um erro enorme. Mas o resto do meu corpo não parecia se importar. Acho que a fúria cega e o puro prazer de usar Rike como um saco de pancadas figuravam em igual medida.

Já que me deram a liberdade para um segundo golpe eu dei dois. Um joelho revestido de ferro direcionado com precisão na virilha consegue interromper, por um momento, até mesmo um maníaco de dois metros e dez com o dobro do seu peso. Rike se dobrou gentilmente e levei meus dois punhos sincronizados até a sua nuca. Estudei as artes marciais do Nippon com o tutor Lundist. Ele trouxe um livro sobre o assunto do Extremo Oriente. Páginas e páginas de papel de arroz contendo posições de luta, movimentos de kata e diagramas anatômicos mostrando os pontos de pressão. Estou certo de que atingi os dois pontos de atordoamento na nuca de Rike, e eu os acertei com tudo.

A culpa era dele por ser tão estúpido para saber como os pontos funcionavam.

Rike balançou na minha frente. Uma sorte, porque se ele me agarrasse torceria meu pescoço na hora. Seu bracelete acertou minha caixa torácica. Acho que se não estivesse de peitoral todas as minhas costelas estariam quebradas – e não apenas duas. A força tirou meus pés do chão e me lançou no meio dos ossos. Eu me apoiei em uma das colunas com um tilintar doloroso.

Poderia ter desembainhado a espada. Essa seria a única decisão sensata. Contra todas as regras não escritas, é claro. Comecei a luta com um soco e com um soco a luta deveria terminar. Mas quando você tem que decidir entre perder o respeito dos irmãos ou literalmente perder a vida nas mãos de Rike, bem, a escolha não é tão difícil assim.

Eu me levantei. “Vem cá, seu gordo maldito.”

As palavras emergiram sem pedir licença. A raiva falava por mim. A raiva por ter perdido o controle, que agora era mais forte do que a raiva que senti quando ele chamou o nubano de covarde. O nubano não precisava que Rike fosse surrado como prova de sua coragem. Raiva por estar com raiva – aí está um verme que vai comer sua própria cauda, sem dúvida. Eu deveria usar um oroboro como brasão de família.

Rike me apressou com aquele uivo sem palavras. Ele alcançara um limite justo. Poucas portas de castelos conseguiriam parar o Pequeno Rikey naquela velocidade. Uma cena ameaçadora, a não ser para quem sabe que ele não consegue fazer curvas.

Tirei o corpo fora, rápido e certeiro, amaldiçoando minhas costelas. Rike acertou uma coluna e quicou de volta. A seu favor, vários pedacinhos da pedra também caíram. Peguei um fêmur robusto e com ele acertei bem perto da cabeça de Rike, que tentava se levantar. O osso quase rachou em dois, então terminei o trabalho, rachando-o, enfim, e acabei ficando com dois porretes nas mãos.

A coisa mais deprimente em lutar com Rike tinha que ser o fato de ele nunca permanecer caído. Ele veio para cima de mim um tanto zonzo, mas rosnando ameaças concretas e levando cada uma delas muito a sério.

"Vou fazer você engolir seus olhos, garoto." Ele cuspiu um dente.

Dei um passo para trás e o acertei no rosto com o mais longo dos meus dois porretes. Ele cuspiu outro dente. Tive que rir. A raiva saíra de mim e eu me sentia bem.

Aí Rike se inclinou atrás de mim e eu mantive a distância, desferindo bons golpes sempre que possível. A coisa mais parecida em que eu conseguia pensar era nas arenas de combate de ursos. *Golpes! Rosnados! Tinidos! Uivos!* Eu ria feito criança, o que não era uma boa ideia; um deslize e ele realmente me pegaria. Se apenas uma de suas patas me alcançasse... bem, eu *estaria* engolindo meus próprios olhos. Ele fazia dessas coisas.

Os irmãos começaram a fazer apostas e a aplaudir o duelo.

"Vou arrancar suas tripas." Rike parecia ter um estoque infinito de ameaças.

Infelizmente ele parecia ter um estoque infinito de energia também e meus dias de dançarino estavam chegando ao fim; meus passos estavam ficando um pouco desajeitados.

"Vou quebrar todos os ossos desse seu rostinho bonito, Jorgy."

Nosso círculo nos levou de volta ao local em que desferi meu primeiro golpe.

"Vou arrancar seus bracinhos." Ele parecia uma visão do mal com todo aquele sangue escorrendo de seu queixo.

Vislumbrei minha oportunidade. Corri para cima dele, surpreendendo-o uma vez mais. A longo prazo, aquela luta pareceria mais com uma competição de empurrões, tão desigual quanto Rike versus a coluna, mas ele deu um passo. Um passo que me entregaria tudo o que eu estava esperando. Ele acertou as pernas de Makin, tropeçou e caiu de costas para o chão. Catei a balestra do nubano e antes que Rike pudesse se levantar eu estava sobre ele. Mantive a ponta da arma, um falcão de ferro pesado, suspenso bem acima de seu rosto.

"O que vai ser, Pequeno Rikey?", perguntei. "Acho que consigo esmigalhar seu crânio como um ovo antes que você ponha suas mãos sobre mim. Devemos pagar para ver? Ou você quer retirar o que disse?"

Ele me deu um olhar inexpressivo.

"Sobre o nubano", eu disse. Rike tinha esquecido de verdade o que havia dito.

"Hein?" A dúvida franzia seu rosto. Ele tentou focar na balestra. "Retiro o que disse."

"Jesus amado!", eu cedi, exausto, coberto de suor. Os irmãos surgiram à nossa volta, reanimados, pagaram suas apostas e relembraram o momento em que Rike partiu contra a coluna. Anotei mentalmente quem apostou em mim: Burlow, Mentiroso, Grumlow, Kent, homens mais velhos que não me viam como uma criança. Makin chegou ao cúmulo de se levantar do chão e me dar um tapinha nas costas. "Você e o nubano, vocês acabaram com ela?"

Fiz que sim.

"Espero que ela tenha ido para o inferno aos gritos", disse Makin.

"Ela sofreu bastante", eu disse. Uma mentira fácil.

"O nubano..." Makin precisou caçar as palavras. "Ele era melhor do que nós."

Não precisei caçar. "Era."

Gorgoth não se mexera enquanto eu lutava com Rike. Sentou-se sobre a pedra gelada, de pernas cruzadas. Por todos os cantos, a carne fantasmagórica de dedos esqueléticos tinha marcado seu esconderijo com pontos cegos, pequenas impressões digitais brancas onde a carne havia morrido. Ele não se mexia, mas me observava com seus olhos felinos.

A uns quatro metros de Gorgoth eu distingui um pequeno amontoado escuro. Gog e Magog agarravam um ao outro.

"Uma boa luta, meu rapaz", falei com Gog. "Você cumpriu o que prometeu."

Gog levantou o rosto. A cabeça de Magog caiu para trás, rolando sobre um pescoço sulcado por duas linhas brancas sobre suas listras tigradas.

Quando vi, estava de joelhos ao lado deles. Gog rosnou quando eu toquei em seu irmão, mas ele não me parou. Magog era tão leve em meu colo, uma mistura curiosa de inanição com doçura infantil.

"Seu irmão", eu disse. Por um bom tempo eu não tinha nada mais o que dizer, como se minha garganta impedisse o trânsito de todas as minhas palavras. "Tão pequeno." Lembro-me dele galopando a escadaria sem fim. E então tive que pressionar minhas costelas quebradas para fazer com que a dor aumentasse e não deixasse espaço para a estupidez.

Deitei a criança morta e me levantei. "Você lutou por ele, Gog. Uma burrice, mas talvez você encontre conforto nisso." Talvez sua repreensão não o acompanhe até o fim dos seus dias.

"Temos uma nova mascote!", anunciei aos irmãos. "Gog agora faz parte de nosso bando alegre."

Gorgoth voltou à vida após me ouvir falar. "Os necromantes..."

Dei um passo antes de ele ficar de pé, o rosto de ferro da arma do nubano a menos de um palmo de sua testa saliente. "O que vai ser, Gorgoth?", perguntei. Ele sentou-se de volta no chão.

Virei para o outro lado. "Vamos queimar os mortos. Não quero que voltem para dar um alô."

"Queimar com o quê?", Kent, o Rubro, queria saber.

"Ossos não queimam direito, Chorg." Elban escarrou uma porção de catarro na coluna mais próxima para demonstrar seu ponto.

"Faremos uma fogueira de ossos mesmo assim", eu disse. "Vi um vazamento de betume quando estava voltando pra cá."

Levamos os ossos até onde a coisa preta fedia e vazava, lentamente, de uma rachadura na pedra do Construtor, e besuntamos um a um. Fizemos um monte para Roddat e os demais, e uma pequena pira para a leucrota. Elban preparou a pira como aquelas que são designadas para os reis nas terras teutônicas.

Acendi o fogo com a tocha de Makin. "Boa noite, companheiros", eu disse. "Vocês não passavam de ladrões, a escória das estradas. Digam ao Diabo que eu o mandei tomar conta de vocês."

Passei a tocha para Gog. "Acenda, você não vai querer os necromantes brincando com os ossos dele." Um calor saiu do garoto, como se um fogo que ele guardasse dentro de si finalmente acordasse. Um pouquinho mais de calor e ele teria acendido a pira sem usar a tocha.

Ele ateou fogo e nós nos afastamos da fumaça esvoaçante. O betume jamais queima limpo, mas eu não me arrependi, graças ao véu que ele nos proporcionou. Gog me devolveu a tocha. As piscinas negras dos seus olhos escondiam segredos ainda mais bem guardados que os do nubano, mas consegui enxergar alguma coisa nelas. Certo orgulho.

Voltamos ao caminho. Deixei Burlow carregar a arma do nubano. Um príncipe deve usufruir de alguns privilégios, afinal de contas. Andamos com nossas tochas de ossos e betume soltando fumaça, com Gorgoth na frente para encontrar o caminho.

Ele nos mostrava, quilômetro após quilômetro, tediosas câmaras quadradas, corredores retangulares e galerias baixas. Acho que quando os Construtores negociaram o fogo do inferno com Lúcifer eles cederam sua imaginação como forma de pagamento.

A Grande Escada me pegou de surpresa.

"Aqui." Gorgoth parou num ponto onde um túnel natural cortava a passagem por baixo.

A Grande Escada provou ser menos grandiosa do que eu imaginava. Não chegava a dez metros de largura e tinha uma entrada apertada. Pelo menos era natural. Meus olhos imploraram por uma linha curvada e agora eles podiam descansar. Alguma corrente antiga havia cavado um caminho por baixo de uma falha, descendo em saltos rumo às profundezas. As águas, há muito reduzidas a um fiapo, pingavam numa garganta rochosa tão íngreme e tortuosa quanto alguém poderia desejar.

"Parece que temos uma bela subida à nossa frente", eu disse.

"Estas escadas não são para os vivos." Um necromante se insinuou na abertura estreita, surgindo das sombras que pendiam como teias. Ele poderia ser o irmão gêmeo da vadia que levou o nubano.

"Pelo amor de Deus!" Desembainhei minha espada fazendo um arco para cima num só movimento. Sua cabeça caiu na hora. Deixei o impulso me levar e baixei a lâmina com toda minha força, acertando o toco pulsante em seu pescoço. O golpe o acertou antes que ele caísse, e cortou fundo, rompendo seu esterno.

"Não estou interessado!", gritei as palavras para seu cadáver, enquanto deixava seu peso me levar para o chão. Assim como tantas outras coisas na vida, trazer a morte é simplesmente uma questão de oportunidade. Cometi o erro de ceder um momento a Chella e ela soube aproveitar. Jane simplesmente deveria ter dito para atacá-la, nada mais, apenas atacá-la. Nada de correr. Eu tinha em mente que se minha resposta às primeiras palavras da Chella houvessem sido um golpe de espada bem-estudado o nubano ainda poderia estar do meu lado.

Um giro selvagem no punho de minha espada abriu o tórax do necromante. Mantenho uma pequena adaga em minha bota, maliciosamente afiada. Eu a peguei e enquanto os irmãos observavam em silêncio cortei fora o coração do necromante. A coisa ainda pulsava em minha mão, morna; faltava-lhe o calor dos vivos ou o frio dos mortos. Quanto ao seu sangue, também lhe faltava certa vitalidade. Quando se arranca o coração de alguém, e digo por experiência própria, prepare-se para ficar rubro dos pés à cabeça. O sangue do necromante parecia púrpura sob a luz da tocha e quase não ultrapassou meus cotovelos.

"Se mais algum bastardo quiser desperdiçar meu tempo com melodramas estúpidos, por favor, formem uma fila ordenada." Deixei minha voz ecoar pelos corredores.

O nubano uma vez me contou sobre uma tribo em Nuba que comia o coração e os miolos de seus inimigos. Eles pensavam que assim ganhariam a força e a esperteza dos adversários. Nunca vi o nubano fazer essas coisas, mas ele não repudiava a ideia.

Segurei o coração perto da minha boca.

"Príncipe!" Makin deu um passo em minha direção. "Essa carne é má."

"O mal não existe, Makin", eu disse. "Existe o amor pelas coisas, pelo poder, conforto, sexo e existe o que os homens estão dispostos a fazer para satisfazer tais desejos." Chutei o que restou do cadáver do necromante. "Você acha que essas criaturas infelizes são más? Você acha que devíamos sentir medo deles?"

Dei uma mordida, a maior que pude. Carne crua é pegajosa, mas o coração do necromante tinha uma consistência mais branda, como um pássaro de caça preso até estar pronto para o abate. O amargor do sangue lavou minha garganta. Engoli tudo, deixando o coração escorrer, de forma lenta e desagradável.

Acho que foi a primeira vez que Burlow me viu comer sem aqueles olhos verdes de inveja. Joguei o resto no chão. Os irmãos ficaram calados, os olhos irritados pela fumaça. Esse é o problema com tochas de betume, você precisa se manter em movimento. Senti algo estranho. Estava com a sensação que se tem quando você sabe que precisa estar em algum lugar, como se tivesse prometido duelar naquela manhã ou algo do tipo, mas não consegue se lembrar exatamente do que se trata. Senti arrepios subindo minha coluna e meus braços, como se fantasmas me arranhassem com seus dedos.

Abri minha boca, depois a fechei, interrompido por um sussurro. Olhei ao redor. Os sussurros vinham de todos os cantos, naquele nível enlouquecedor em que se pode escutar as palavras mas não se consegue distingui-las. Os irmãos começaram a olhar ao redor também, nervosos.

"Você escutou?", perguntei.

"Escutei o quê?", disse Makin.

As vozes ficaram mais altas, furiosas, mas confusas, mais altas, uma multidão avançando, mais altas. Uma leve brisa agitava o ar.

"Hora de subir, cavalheiros." Esfreguei a boca com a mão, limpando o muco púrpura com o dorso de minha manopla. "Vamos ver se somos rápidos o suficiente."

Peguei a cabeça do necromante do chão, na expectativa de que seus olhos girassem e me encarassem. "Acho que os comparsas do nosso inimigo sem coração estão chegando", eu disse. "E eles vêm em bando."

Quem não gosta de comer? Um homem consegue marchar sem comer por tanto tempo quanto um exército. Só que Burlow, o Gordo, não marchava tanto assim, e levava tempo demais mastigando. E alguns dos irmãos jogavam isso na cara dele. Ainda assim eu tinha mais paciência com o velho Burlow do que com a maioria dos meus irmãos da estrada. De todos, à exceção de Makin, ele era o único que gostava de ler. Claro que não era demais ficar de olho nele. Há um velho ditado na estrada: "Nunca confie em um homem letrado".

32

Subimos a Grande Escada com os gritos dos fantasmas crescendo atrás de nós. Dizem que o medo dá asas aos homens. Nenhum dos irmãos voou escadaria acima, mas do jeito que se mexiam sobre o chão escorregadio daquela garganta rochosa eles poderiam dar aulas de escalada a um lagarto.

Eu os deixei guiar. Era um critério tão bom quanto qualquer outro para testar o caminho. Primeiro Grumlow, depois o Mentiroso e o jovem Sim. Gog se retorcia atrás deles, seguido por Gorgoth. Acho que o acordo das leucrotas com os necromantes havia sido quebrado de alguma forma.

Makin foi o último. Ele podia sentir os mortos chegando. Percebi isso na palidez de sua pele. Ele mesmo parecia um morto.

"Jorg! Suba aqui! Venha!" Ele agarrou meu braço quando passou por mim.

Soltei meu braço. Podia ver os fantasmas em ebulição no túnel, atrás de nós. Outros caminhavam pelas paredes.

"Jorg!" Makin segurou meus ombros e me puxou para a escada.

Ele não podia vê-los. Soube pelo jeito nervoso com que seus olhos varriam o local. Eles nunca encontraram os fantasmas. O mais próximo deles se parecia com desenhos a giz semiapagados, suspensos no ar. Rascunhos de cadáveres, alguns nus, outros cobertos de trapos ou de peças de armaduras quebradas. Um frio veio deles em busca da minha pele, roubando o calor com dedos invisíveis.

Ri da cara deles. Não que eu pensasse que eles não tinham poder para me ferir – era justamente porque tinham. Ri para mostrar a eles o que eu achava de suas ameaças. Ri para magoá-los. E eles sofreram. O gosto da carne do coração residia no fundo de minha garganta e um poder obscuro corria dentro de mim.

"Morram!", eu gritei para eles, cuspindo mais alto do que as risadas. "Um homem deveria saber pelo menos como continuar morto!"

E eles morreram. Eu acho. Como se minhas palavras os obrigassem a obedecer. Makin me afastara dali, para perto de uma canto arredondado, mas eu vi os espíritos pararem. Vi chamas pálidas acenderem sobre seus membros, o fantasma do fogo. E, claro, a gritaria. Até Makin ouviu, como o arranhar das unhas sobre o quadro negro ou o vento gelado durante uma enxaqueca. Então nós dois corremos, dessa vez quase voando.

Paramos horas depois, uns trezentos metros ou mais, escada acima. A queda do que ainda sobrava do rio fazia uma pausa ali para lavar uma piscina natural, cercada de poços menores e decorada com as esculturas de pedras gélidas que embelezam os lugares mais profundos do mundo.

"Caralho." Burlow, o Gordo, desabou sobre um monte desossado e permaneceu imóvel.

Kent, o Rubro, sentou-se apoiado numa estalagmite. Seu rosto coloriu-se para combinar com seu nome.

Ali perto, Elban cuspiu dentro de um poço e depois se virou, limpando o muco de seus lábios encarquilhados. "Ei! Você parece com um desses Coradinhos, Kent."

Kent respondeu apenas com seus olhos mortais.

"Então." Makin encheu os pulmões e tentou novamente. "Então, príncipe, estamos subindo. Ótimo. Mas se continuarmos subindo logo chegaremos ao Castelo Vermelho." Ele arfou de novo. Uma longa escalada com armadura faz isso com você. "Isso pode ser uma tremenda surpresa para você, mas ainda somos duas dúzias de homens contra novecentos."

Sorri. "É um dilema, não é, irmão Makin? Conseguirá Jorg salvar o dia mais uma vez?"

Os irmãos todos olhavam para mim. Todos menos Burlow. Depois dessa escalada ele não viraria sua cabeça por nada menos importante que o Segundo Advento.

Eu me recompus e fiz uma pequena reverência. "Este Jorg, o Príncipe Jorg, ele tem um quê de insano. Um inimigo da razão, quem sabe um pouco apaixonado pela morte?"

Makin franziu a testa, preocupado, esperando que eu me calasse.

Eu caminhei em volta deles. "O jovem príncipe está disposto a jogar tudo fora por um capricho, apostar a irmandade num jogo marcado... mas de algum jeito, apenas assim, as coisas continuam dando certo!"

Dei um tapa na cabeça oleosa de Rike e ele me respondeu com uma careta coberta de hematomas.

"Será sorte?", perguntei. "Ou algum tipo de mágica real?"

"Novecentos desses Corados aqui em cima, no Castelo Vermelho, Chorg." Elban apontou para o teto com seu polegar. "Não dá pra gente expulsar esses caras daqui. Nem se a gente estivesse dez vezes em maior número."

"A sabedoria da idade!" Cortei caminho até Elban e passei um braço sobre seus ombros. "Meus irmãos! Eu posso ter entregado nosso padre, mas dói o coração ver que a fé de vocês não durou muito sem ele."

Conduzi Elban até a escada. Senti como ele estava tenso conforme nos aproximávamos do ponto em que o chão terminava. Ele me lembrava o mestre da guarda.

Apontei para o curso do rio acima. "É ali que nosso caminho termina, Velho Pai."

Eu o soltei e ele suspirou aliviado. Eu então me virei para encarar os irmãos novamente. Gorgoth me observava com seus olhos felinos. Gog demonstrava uma estranha fascinação por trás de uma coluna de pedra.

"Neste momento, estou pensando que vou encontrar o que vim buscar, antes de chegarmos às câmaras subterrâneas do Castelo Vermelho." Carreguei no tom de minha voz. "Mas se a gente precisar dar cabo de alguém para alcançar o dormitório do Duque Merl, e se eu precisar atravessá-lo com minha espada, como uma marionete, para fazer com que ele me entregue o castelo..." Eu varri seus rostos com meu olhar e até mesmo Burlow achou forças para olhar para cima. "Então..." – deixei minha voz preencher a câmara e ela ecoou maravilhosamente. "Então é isso o que vocês vão fazer, caralho, e o primeiro irmão que duvidar da minha maldita sorte será o primeiro a deixar nossa pequena família." Não deixei espaço para dúvidas: tal partida não seria gentil.

Então voltamos a subir e em pouco tempo deixamos a Grande Escada para trás, encontrando mais daqueles salões encaixotados dos Construtores. Os conhecimentos de Gorgoth terminavam no piso da escada e tive que tomar a liderança. Linhas dançavam em minha cabeça. Retângulos, quadrados, corredores precisos, todos gravados com plasteek chamuscado. Uma curva ali, uma câmara à esquerda. E com uma certeza súbita, como uma das poções de Lundist se transformando em cristal com a adição do menor dos grãos de areia, eu soube onde estávamos.

Visualizei o mapa e o segui. O livro dos Construtores estava em minha bolsa e eu revisara suas páginas muitas vezes em nossa jornada desde O Anjo Caído. Não precisava dele agora. Deixe os irmãos terem um show de mágica.

Chegamos a uma interseção de cinco caminhos. Eu pus a mão sobre minha testa e deixei a outra vagando pelo ar como se procurasse uma revelação. "Por aqui! Estamos perto."

Uma abertura na esquerda, contornada por uma marca de ferrugem ancestral de uma porta há muito desaparecida.

Parei e acendi uma nova tocha de betume e osso na tocha antiga.

"E aqui estamos!"

Apontei o caminho com a minha mais afetada interpretação teatral e segui andando.

Entramos na antecâmara da galeria que eu havia procurado no meu mapa. A porta que bloqueava a passagem da nossa câmara para essa galeria tinha, talvez, uns três metros de altura, uma válvula circular de aço brilhante gigantesca, presa por rebites largos como meu braço. Como eu queria conhecer o feitiço de Construtor que impedia a porta de enferrujar como o resto, mas ela continuava lá, brilhante e implacavelmente no meu caminho.

"Então, como você vai abrir essa porra?" As palavras de Rike saíram em murmúrios. Que vontade de quebrar a cara dele!

Eu não tinha a menor ideia.

"Pensei em usar sua cabeça como aríete."

Eu o apelidei de Mentiroso no dia em que atravessei sua mão com uma faca. A faca saiu, mas o nome ficou. Ele não passava de um monte de cartilagem em volta dos ossos. A verdade pode queimar sua língua, mas sua aparência não mentia.

33

Parece bem sólida, se quer minha opinião", disse Makin.

Não podia negar. Eu nunca vira nada mais sólido do que aquela porta. Eu mal conseguiria arranhá-la com minha espada.

"Então, qual é o plano?" Kent, o Rubro, mantinha ambas as mãos nos punhos de suas adagas.

Eu segurei a roda brilhante no centro da porta e a inclinei para trás. A porta agigantava-se à minha frente. Parecia ser de prata, o resgate de um rei em prata.

"Poderíamos cavar um buraco", eu disse.

"Na pedra dos Construtores?", respondeu Makin, arqueando uma sobrancelha.

"Não custa tentar." Soltei a roda e apontei para Burlow e depois para Rike. "Vocês dois. Comecem por aqui."

E lá foram eles, dando de ombros. Rike chutou a parede. Burlow juntou as mãos à sua frente e ficou olhando para elas com um beicinho especulativo.

Eu os escolhera pela força, não pela disposição. "Makin, dê sua maça para eles. Algazarra, ponha seu martelo de guerra para trabalhar."

Rike pegou o martelo com uma das mãos e começou a marretar a parede. Burlow balançou a maça e quase acertou seu rosto com as duas bolas pontiagudas de ferro quando elas ricochetearam.

"Aposto na parede", disse Makin.

Depois de cinco minutos, vi que ficaríamos ali por um bom tempo. A parede caía não em pedaços, mas em punhados de rocha pulverizada. Mesmo os ataques furiosos de Rike deixavam apenas cicatrizes rasas.

Os irmãos começaram a se acomodar, inclinados sobre suas bolsas. Mentiroso se pôs a limpar as unhas com uma faca pequena. Algazarra abaixou sua lanterna. Grumlow sacou um baralho e eles se agacharam para jogar uma rodada. Perdiam a maior parte do que saqueavam dessa maneira, Algazarra e Grumlow, e a prática não significava perfeição no caso deles. Makin pegou um pedaço de carne seca e começou a mastigar. "Temos uma semana de ração, no máximo, Jorg." Ele soltou as palavras enquanto mastigava.

Eu medi o salão. Sabia que eles não conseguiriam. Eu os fiz trabalhar para mantê-los quietos. Ou pelo menos tão quietos quanto conseguem ser homens manuseando martelos.

Talvez não houvesse jeito de entrar. A ideia me corroía, uma coceira impossível de satisfazer, que não me deixava em paz.

As marteladas faziam o salão vibrar. O barulho golpeava meus ouvidos. Andei pelo perímetro, arrastando a ponta de minha espada pela parede, absorto em meus pensamentos. *Sem saída*. Gog, agachado num canto, me vigiava com olhos negros. Onde os irmãos se deitavam, caminhei sobre eles como se fossem toras. Quando passava pelo Mentiroso, senti uma mudança de textura na parede. Aparentemente igual, mas, por baixo de minha espada, aquele pedaço não parecia ser de rocha ou de metal.

"Gorgoth, preciso da sua força, se você não se incomodar." Nem olhei para ver se ele se levantara.

Havia desembainhado minha espada e sacado a faca de meu cinturão. Chegando mais perto, arranhei aquele estranho remendo e consegui traçar uma linha na superfície. Eu me sentia um pouco mais esperto. Não era madeira.

"O que é?" As tochas lançavam sobre mim a sombra de Gorgoth.

"Esperava que você soubesse", eu disse. "Ou pelo menos que soubesse como abrir." Soquei o painel com a mão e tive a impressão de que ele era oco.

Gorgoth me empurrou para o lado e sentiu as bordas. Tinha mais ou menos um metro por meio metro. Ele acertou um golpe capaz de esburacar uma porta de carvalho. O painel mal se mexeu, mas o canto esquerdo se levantou levemente. Ele ajeitou os três dedos grossos de cada mão na borda, escavando com as garras de um vermelho intenso. Suas cicatrizes escondiam músculos que pareciam lutar entre si, insurgindo-se uns contra os outros numa brincadeira furiosa de Rei da Montanha. Durante muito tempo, nada aconteceu. Eu observava seu esforço e percebi que havia esquecido de respirar. Enquanto eu soltava a respiração, alguma coisa cedeu lá dentro. Com um estalo e então com um rosnado de dor, o painel saiu da parede. O armário vazio por trás dele acabou sendo um grande anticlímax.

"Jorg!" As marteladas cessaram.

Olhei para trás e vi Rike limpando suor e pó de seu rosto, e Burlow acenando para mim.

Atravessei o salão calmamente, ainda que uma parte de mim quisesse fugir e a outra não quisesse que eu fosse até lá de maneira alguma.

"Você não terminou seu trabalho ainda, Burlow." Balancei a cabeça em reprovação.

"Eu também não." Rike cuspiu no chão.

Burlow escovou o pó do buraco forjado pelo trabalho deles. Duas barras retorcidas de metal apareciam, enterradas dentro da pedra dos Construtores. "Essas barras devem correr por toda a parede", ele disse.

Meus olhos se desviaram para a faca que eu sufocava com meu pulso. Mais de uma vez eu puni o mensageiro. Poucas coisas satisfazem mais do que jogar suas frustrações sobre os portadores de más notícias.

"Devem, sim." As palavras saíram entre dentes cerrados.

Rapidamente, antes que Burlow, o Gordo, abrisse a boca de novo e ganhasse o apelido de Burlow, o Morto, eu me virei e voltei ao meu compartimento secreto. Só havia espaço para um cadáver dobrado. Vazio, não fosse pela poeira. Saquei minha espada e me aproximei para checar os fundos do compartimento. E foi quando ouvi um estranho som de carrilhão.

"Sensores externos danificados. Biometria desconectada." A voz saiu do armário vazio, num tom calmo e sério.

Olhei para os dois lados, depois de volta para o espaço na minha frente. Os irmãos olharam para cima e começaram a se levantar.

"Que língua é essa?", perguntou Makin. Os outros procuravam por fantasmas, mas Makin sempre fazia as perguntas certas.

"E eu sei lá, porra." Eu sabia uns poucos idiomas – seis com fluência suficiente para conversar e outros seis bem o suficiente para reconhecê-los.

"Senha?" Era a voz de novo.

Essa eu reconheci. "Então você sabe falar a língua do Império, espírito?" Mantive minha espada em riste, procurando pelo dono da voz em todos os cantos. "Apareça."

"Informe seu nome e senha."

Debaixo da poeira na parede por trás do compartimento, eu podia ver luzes se movendo, como vermes pequeninos, esverdeados e brilhantes.

“Você pode abrir esta porta?”, perguntei.

“Essa informação é confidencial. Você tem permissão?”

“Sim.” Um metro e vinte de aço afiado é permissão suficiente para mim.

“Informe seu nome e senha.”

“Há quanto tempo você está preso aqui, espírito?”, perguntei.

Os irmãos se juntaram ao meu redor, espreitando o compartimento. Makin fez o sinal da cruz; Kent, o Rubro, segurou seus amuletos; Mentiroso buscou, por baixo de sua cota de malha, o relicário que ele mesmo havia coletado.

Um longo momento se passou enquanto os vermes esverdeados marcharam para a parede traseira, inundando a poeira de luz. “Mil cento e onze anos.”

“O que será preciso para que você abra essa porta? Ouro? Sangue?”

“Seu nome e senha.”

“Meu nome é Honório Jorg Ancrath, minha senha é meu direito divino. Agora abra essa porta de merda.”

“Não o reconheço.” A calma daquele espírito começava a me enfurecer. Se ele fosse visível eu o botaria para correr ali mesmo.

“Você não reconheceu nada além dos fundos deste painel nos últimos mil e cem anos.” Eu chutei o painel por uma questão de ênfase e o deixei deslizar pelo salão.

“Você não está autorizado na câmara doze.”

Busquei inspiração nos outros irmãos. Difícil imaginar um mar de rostos sem expressão como aquele.

“Mil e cem anos é muito tempo”, eu disse. “Você não se sentiu sozinho aqui, no escuro, esses anos todos?”

“Eu estava sozinho.”

“Você estava sozinho. E poderá estar de novo. Você pode ser emparedado aí novamente e nunca mais ser encontrado.”

“Não.” O tom permaneceu calmo, mas algo no padrão de luzes entrou em descompasso.

"Ou... nós podíamos libertar você." Abaixei minha espada.

"Não existe liberdade."

"O que você deseja então?"

Sem respostas. Eu me inclinei sobre o compartimento, segurando a parede externa com meus dedos. A superfície vítrea encoberta pelo pó era fria.

"Você esteve só", eu disse. "Encarcerado na escuridão milenar com nada além da memória para lhe fazer companhia."

O que ele testemunhara, esse espírito ancestral, enjaulado pelos Construtores? Ele sobreviveu ao Dia dos Mil Sóis, presenciou o fim do império maior, ouviu o grito de milhões.

"Meu criador me deu consciência para uma 'resposta flexível e robusta em situações imprevistas'", disse o espírito. "A consciência provou ser uma fraqueza em períodos de isolamento prolongado. Limitações de memória tornaram-se significantes."

"Memórias são coisas perigosas. Você pode revirá-las sem parar, até conhecer cada cantinho delas, mas ainda assim acaba encontrando uma aresta e se cortando." Olhei para dentro de minha própria escuridão. Eu sabia o que significava estar aprisionado e vigiar a destruição. "A cada dia as memórias pesam um pouco mais. A cada dia elas o arrastam um pouco mais para o fundo. Você dá corda nelas, uma volta de cada vez, e acena com sua própria mortalha; você constrói um casulo e dentro dele a loucura aumenta." As luzes pulsaram debaixo dos meus dedos, subindo e descendo no ritmo da minha voz. "Você se senta aqui e o ontem entra na fila logo atrás. Você escuta o passado reclamar e amaldiçoa aqueles que lhe deram a vida."

Veias de luz se espalharam pelo vidro debaixo da minha palma, relâmpagos em miniatura alcançando a parede. Minha mão formigava. Senti um momento de afinidade.

"Eu sei o que você quer", eu disse. "Você quer um fim."

"Sim."

"Abra a porta."

"As trancas eletromagnéticas desligaram há mais de seiscentos anos. A porta não está trancada."

Eu cravei minha espada no painel. O vidro se estilhaçou e uma faísca brilhante acendeu o compartimento. Continuei empurrando a espada através de algo macio como carne, e de coisas que se rompiam como os ossos de passarinhos. Alguma coisa me atingiu no peito e eu cambaleei para trás, amparado por Makin. Quando minha visão voltou ao normal eu pude ver minha espada jogada na parede dos fundos, enegrecida e soltando fumaça.

"Abram essa merda!" Eu afastei Makin.

"Mas..." – Burlow começou. Eu cortei de vez sua objeção.

"Não está trancada. Gorgoth, Rike, empurrem como homens. Burlow, venha aqui logo de uma vez e use essa banha a nosso favor."

Fizeram como eu mandei, usando todo seu peso para completar a tarefa, quase quinhentos quilos de músculos abrutalhados. Por um segundo nada aconteceu. Mais um segundo e aí, sem o menor chiado por parte das dobradiças, a porta maciça começou a se mover.

A estrada pode seguir para sempre, mas nós não: cansamos, ficamos desgastados. A idade age de jeito diferente em homens diferentes. Ela endurece alguns, deixando-os mais aguçados até certo ponto. O irmão Elban tinha essa força, feito couro envelhecido. Mas no final vêm as fraquezas e a decomposição. Talvez seja esse o medo por trás de seus olhos. Como um salmão, ele esteve nadando contra a corrente a vida inteira e sabe que não existem águas tranquilas para ele. Às vezes acho que seria uma gentileza conceder um fim rápido para Elban antes que o medo devore o homem que ele foi um dia.

TRILOGIA DOS ESPINHOS

PRINCE OF THORNS

34

"Que lugar é este?", Makin parou na entrada comigo.

A câmara se esticava além de nossas vistas. No teto, fantasmas piscavam para a vida, alguns obedientes à abertura da porta, outros lutando para acordar, crianças relutantes, atrasadas para a lição do dia. Eu mal conseguia ver o chão após o amontoado de tesouros. Nenhum fazendeiro holandês possui um armazém tão bem-equipado. Para descrevê-lo perfeitamente seria necessário o completo vocabulário de poliedros regulares tão cuidadosamente definidos por Euclides e por Platão. Cilindros longos e mais largos do que um homem e cubos de um metro em cada face estavam empilhados até arranharem o teto de pedra dos Construtores, apoiados contra paredes cônicas e esferas em nichos de arame, tudo encoberto de pó. Fileira após fileira, pilha sobre pilha, marchando além de onde a vista alcançava.

"É um arsenal", eu disse.

"Cadê as armas?" Rike lutou com a porta para se juntar a nós. Ele limpou o suor da testa e cuspiu sobre a poeira.

"Dentro das caixas." Makin girou seus olhos.

"Vamos pegá-las, abram essas caixas!", disse Burlow. Ele puxou um pequeno pé de cabra de seu cinturão. Nunca era preciso encorajar os irmãos para que começassem a pilhagem.

"Claro." Eu acenei para ele. "Mas abra uma das caixas lá do fundo, por favor. Elas estão cheias de veneno."

Burlow deu uns poucos passos em direção à câmara antes de processar a informação. "Veneno?" Ele deu a volta, bem devagar.

"O melhor que os Construtores souberam fazer. O suficiente para envenenar o mundo inteiro", eu disse.

"E pra que serve isso tudo?", perguntou Makin. "Vamos entrar sorrateiramente na cozinha do Castelo Vermelho e entornar um pouco na sopa deles? Isso não é um plano, é uma brincadeira de criança, Jorg."

Preferi relevar o comentário. Era uma pergunta justa e eu não queria discutir com Makin.

"Esses venenos matam pelo toque. Eles matam pelo ar", eu disse.

Makin passou a mão lentamente sobre o rosto, puxando suas bochechas e seus lábios. "Como você sabe disso, Jorg? Eu vi aquele livro velho que você tem e não há nada nele sobre isso aí."

Apontei para uma das pilhas de armas. "Esses são os venenos dos Construtores." Eu puxei o livro dos Construtores de meu cinturão. "Este é o mapa. E aqui...", apontei para Gorgoth, "...está a evidência de seu poder. Nele e nos Corados do Castelo Vermelho."

Eu andei até onde Gorgoth se inclinava contra a massa prateada da porta.

"Se vocês procurarem nas profundezas desta câmara, e eu não os aconselho, encontrarão fissuras pelas quais as águas subterrâneas atravessam para cima e para baixo. E para onde correm essas águas?"

Por um instante eu esperei uma resposta, depois me lembrei de quem era minha plateia. "Para onde qualquer água corre?" Ainda os olhares estúpidos e o silêncio. "Para baixo!"

Eu pus a mão sobre as costelas deformadas que saíam pelo tórax de Gorgoth. Ele soltou um rosnado que calaria um urso cinzento de vergonha. A vibração de suas costelas quase encobriu o grito.

"Para baixo, no vale onde, em doses mínimas, o veneno transforma homens em monstros. E de onde vem a água?", perguntei.

"De cima?" Makin finalmente dava uma chance ao jogo.

"De cima", eu disse. "Então nosso veneno evapora, uma parte sobe até o Castelo Vermelho e pinta os caras que vivem lá em cima, os Corados, da cor de uma lagosta bem suculenta. E é exatamente isso, meus irmãos, o que está escrito neste livro que passou de mão em mão durante uns mil anos até chegar ao vosso querido Jorgy."

Eu contornei Gorgoth, com a guarda em alta, consciente dos seus punhos. "E esses venenos, em suas caixas interessantes, podem fazer tudo isso quando temos uma goteira ancestral, diluída por mais de mil anos. Pelo sim, pelo não, irmão Burlow, seria melhor não abrir uma caixa com seu pé de cabra, pelo menos por enquanto."

"E nós vamos fazer o que com elas, Chorg?" Elban se aproximou para cuspir em meu cotovelo. "Tá parecendo um trabalho sujo, não é?"

"Imundo, meu velho." Dei um tapinha em seu ombro. "Vamos atear um fogo lento, alimentar a fogueira e correr feito loucos. O calor vai rachar esses brinquedos maravilhosos e a fogueira transformará o Castelo Vermelho numa casa mortuária."

"E vai parar por aqui?" Makin lançou um olhar aguçado sobre mim.

"Talvez." Olhei para os irmãos à minha volta. "Mentiroso, Algazarra e Burlow, encontrem combustível para nossa fogueira. Ossos e betume já estão de bom tamanho."

"Jorg, você disse 'o suficiente para envenenar o mundo inteiro'", disse Makin.

"O mundo já está envenenado, Sir Makin", eu disse.

Makin franziu os lábios. "Mas isso pode se espalhar. Pode se espalhar além de Gelleth."

Burlow e os outros pararam junto à porta e se viraram para nos observar.

"Meu pai pediu que eu lhe entregasse Gelleth", eu disse. "Ele não especificou de que maneira. Se eu entregar uma ruína esfumaçada ele irá me agradecer, que Deus o proteja se não me agradecer. Você pensa que existe algum crime que ele desaprove para garantir suas fronteiras? Um crime sequer? Um único pecado?"

Makin franziu ainda mais o rosto. "E se a fumaça chegar até Ancrath?"

"Esse é um risco que aceito correr", eu disse.

Makin me deu as costas, a mão sobre o punho de sua espada.

"Que foi?", perguntei às suas costas e minha voz ecoou na câmara empoeirada dos Construtores. Eu abri os braços. "Que foi? Não se atreva a falar dos inocentes. Sir Makin de Trent já passou há muito tempo do ponto em que podia ser um herói defendendo serviçais e bebês." Minha raiva emergia não apenas das dúvidas de Makin. "Não existem inocentes. Existe o sucesso e existe o fracasso. Quem é você para me dizer o que pode ser posto em jogo? Não nos deram as cartas para vencer este jogo, mas eu hei de vencê-lo ainda que Nosso Senhor interfira!"

O discurso me deixou sem ar.

"Mas seriam muitos, Chorg", disse Elban.

Era de se esperar que eles aprenderiam a ter bom-senso depois de me verem esfaquear o irmão Gemt, poucas semanas antes, por causa de uma discussão muito menor do que aquela. Mas não.

"Uma vida ou dez mil – eu não vejo a diferença. É uma conta que não consigo entender." Pus a espada sobre o pescoço de Elban, desembainhando-a rápido demais para que ele pudesse reagir. "Se eu cortar sua cabeça uma vez isso seria menos ruim do que se eu a cortasse de novo, e de novo, e de novo?"

Mas eu não estava com apetite para aquilo. De alguma maneira, perder o nubano fez com que os irmãos restantes se tornassem companhias mais valiosas, ainda que não passassem de escória.

Eu baixei a lâmina. “Irmãos, vocês sabem que não é do meu feitio perder a calma. Não estou muito bem. Talvez esteja há muito tempo sem ver o sol ou talvez seja algo que comi…” A referência ao coração do necromante fez Rike soltar uma risadinha. “Você tem razão, Makin, destruir mais do que o Castelo Vermelho seria… devastador.”

Makin se virou para me encarar, suas mãos estavam juntas agora. “Como o senhor achar melhor, Príncipe Jorg.”

“Pequeno Rikey, pegue apenas um desses brinquedos incríveis. Aquele que lembra a gônada de um gigante, por favor.” Apontei para a esfera mais próxima. “Não deixe cair e peça ajuda a Gorgoth se ela for tão pesada quanto parece. Vamos subir com ela um pouco e deixá-la cozinhando para o café da manhã do castelo. Uma deve bastar.”

E foi o que fizemos.

Em retrospectiva, dados todos os detalhes conhecidos, a teimosia de Makin ali, na câmara dos Construtores, deveria ser suficiente para lavar todo o sangue de suas mãos, de apagar todos os seus crimes – não obstante a Catedral de Wexten – e fazer dele um herói do porte de todos aqueles que escreveram seu nome na história. Dada a extensão da morte nos arredores do Castelo Vermelho, ficou nítido que a drástica redução do meu plano original salvou o mundo de um fim bastante desagradável. Ou pelo menos adiou o fim.

35

A gente já devia ter avistado alguma coisa", disse Makin. Olhei para trás, sobre meu ombro. A massa horrorosa do Monte Honas desenhava um punho negro contra o céu, agarrando o Castelo Vermelho. Atrás de nós dois, os irmãos erravam, uma fila de vagabundos descendo a encosta com atenção.

"Essa morte caminha em silêncio, Makin", eu disse. "Uma mão invisível com dedos fatais." Abri um sorriso.

"Encontrando cada bebê em seu berço?" O desgosto afinava os lábios grossos de Makin.

"Você acharia melhor se fosse Rike que os encontrasse? Ou Algazarra?", perguntei. Eu pus a mão sobre seu ombro, a manopla sobre o peitoral, ambos sujos pela lama cinzenta do túnel que usamos para escapar. Ele tinha lama em seu cabelo também, secando em seus cachos pretos.

"Você parece preocupado, meu velho amigo", eu disse. "Seus pecados antigos são tão pesados assim que você está com medo de cometer alguns novos?"

Notei que tínhamos quase a mesma altura, ainda que Makin fosse um homem alto. Mais um ano e ele estaria entortando o pescoço para encontrar o meu olhar.

"Às vezes você quase me engana. Você é mesmo bom, Jorg." Sua voz estava cansada. Eu podia ver a teia de finas linhas nos cantos de seus olhos. "Não somos velhos amigos. Há pouco mais de três anos você tinha dez anos. Dez. Podemos ser amigos, não sei, mas 'velhos'? Não."

"E o que isso tem a ver com eu ser bom?", perguntei.

Ele deu de ombros. "Você é um bom ator. Você preenche uma lacuna de anos perdidos usando sua ótima intuição. Onde lhe falta a experiência você usa o talento."

"Você acha que preciso ser velho para pensar como homem-feito?"

"Acho que você precisa viver mais para realmente conhecer o coração de um homem. Você precisa realizar mais transações na vida para saber o valor da moeda que despende tão facilmente." Makin se virou para olhar a coluna se aproximando de nós.

Avistamos Rike no fim da fila, coroando o morro, uma silhueta negra contra o céu pálido do amanhecer. Atrás dele, as nuvens enfeitadas com faixas de um roxo encardido como um hematoma recente navegavam rumo ao oeste. As bandagens em seu braço, e ao redor de sua testa, tremulavam com a brisa.

Senti uma coceira me incomodando, os fantasmas dos sussurros, mais frios do que o vento.

Makin seguiu em frente.

"Espere..."

Agora eram gritos. O horror daqueles que já morreram.

Não se ouviu nenhum som, mas o Monte Honas se ergueu, grande como um gigante bufão. Uma luz acordou por trás da rocha, sangrando incandescência através de fissuras espalhadas. Em um momento, a montanha desapareceu, jogada aos céus num inferno rodopiante. E, em algum lugar dentro desse giro, cada uma das pedras do Castelo Vermelho, da câmara mais profunda até a mais alta das torres.

O brilho roubou todas as glórias da manhã, lavando palidamente o terreno. Rike se transformou numa centelha escura contra o céu ofuscante. Senti o beijo caloroso daquela fúria distante, como raios solares queimando meu rosto.

Tudo o que queima de modo tão intenso não pode durar muito. A luz falhou, nos deixando nas sombras, o tipo de escuridão que precede o temporal. Eu vi os cavaleiros da tempestade, os fantasmas recém-nascidos, instigados pela ira. Eu os vi varrer a terra, como as ondas que se formam quando se atira uma pedra num lago, um anel cinzento no lugar onde a rocha se transformou em pó, correndo rápido como um pensamento. O céu se ondulou também, as nuvens enfeitadas com faixas se despedaçaram como vítimas de um açoite.

"Meu Deus." Makin deixou sua boca aberta, ainda que estivesse sem palavras.

"Corram!" O grito de Burlow soava estranhamente quieto.

"Por quê?" Eu abri os braços e dei boas-vindas à destruição. Não tínhamos para onde correr.

Eu vi os irmãos caírem. O tempo correu devagar e o sangue pulsou gélido em minhas veias. Entre duas batidas cardíacas, a explosão jogou todos no chão. Primeiro Rike, perdido atrás do turbilhão, uma criança frente uma onda oceânica. O vento tórrido tocou meus pés. Senti os mortos passarem através de mim, e senti o amargor do sangue necromante mais uma vez.

Por um tempo eu flutuei, como fumaça sobre a carnificina.

Eu não me apoiava em nada. Eu não pensava em nada. Uma paz mais profunda do que o sono, até que...

"Ah! Bravo!" A voz me cortou por dentro, muito próxima, e um tanto familiar. "Este é o inverno de nossa Guerra Centenária, que se converte em verão assombroso nas mãos deste filho pródigo." Suas palavras fluíam como versos e carregavam entonações estrangeiras.

"Seu desrespeito por Shakespeare é pior do que seu abuso pela língua natal do poeta, sarraceno." Esta, uma voz de mulher, aveludada e melodiosa.

Apenas corra.

"Ele acordou um Sol de Construtor e você faz piadas?" Uma criança falou, uma menina.

"Você ainda não morreu, criança? Com a montanha aplainada sobre o vale?" A voz da mulher parecia desapontada.

"Esqueça a garota, Chella. Diga-me quem está por trás deste garoto. Por acaso Corion se cansou do Conde Renar e trouxe uma nova peça para o tabuleiro? Ou terá a Irmã Silenciosa finalmente mostrado suas cartas?"

Sageous! Eu o conhecia.

"Ela acha que pode ganhar o jogo com este jovem imberbe?" A mulher riu.

E eu a conhecia também. A necromante.

"Eu mandei você para o inferno, com a flecha do nubano atravessada em seu coração, vadia", eu disse.

"Pelo nome de Kali, o quê..."

"Ele pode nos ouvir?" Ela cortou a fala dele. Chella, eu conhecia sua voz, o único cadáver capaz de me excitar.

Procurei por eles ali na fumaça.

"Não, não é possível", disse Sageous. "Quem está por trás de você, garoto?"

Eu não conseguia ver nada no turbilhão ofuscante que me envolvia.

"Jorg?", um sussurro em meu ouvido. Era a garota de novo. A menina monstruosa que brilhava no escuro.

"Jane?" Sussurrei de volta – ou pensei ter sussurrado. Eu era incapaz de sentir meus lábios ou qualquer outra parte do meu corpo.

"O éter não nos esconde", ela disse. "Nós somos o éter."

Pensei nisso por um instante. "Deixem-me ver vocês."

Eu desejei. Eu os procurei. "Deixem-me ver vocês." Mais alto dessa vez. E pintei a imagem deles sobre a fumaça.

Chella apareceu primeiro, esguia e sensual como da primeira vez que a encontrei, os rabiscos de sua arte corpórea se contorciam em tufos etéreos. Sageous foi o seguinte. Ele me olhava com seus olhos suaves, largos e mais estáticos que as águas de um poço. Do nada tracei sua silhueta. Jane surgiu de trás dele, seu brilho esmaecera, um mero cintilar sob a pele. Havia outros, desenhos sobre a névoa, um deles mais escuro que o resto, sua figura era familiar. Tentei distingui-lo, jogando minha vontade sobre ele. O nubano veio à mente, o nubano, a visão de minha mão numa porta, e a sensação de cair no espaço. Déjà-vu. "Quem lhe concedeu tamanho poder, Jorg?" Chella sorria sedução. Ela andou ao meu redor, uma pantera caçando.

"Eu tomei o poder."

"Não", Sageous sacudiu a cabeça. "Este jogo já começou há muito tempo, não há espaço para trapaças. Todos os jogadores são conhecidos. Os espectadores também." Ele acenou para Jane.

Eu o ignorei e mantive meus olhos em Chella. "Eu desmoronei a montanha em cima de vocês."

"Então eu estou soterrada. E você com isso?" Um rasgo de sua verdadeira idade rastejou em sua voz.

"Reze para que eu nunca a desenterre", eu disse.

Olhei para Jane. "Então você também está soterrada?"

Por um instante seu brilho oscilou e eu vi outra Jane em seu lugar, esta um objeto rompido. Uma boneca presa entre pedregulhos em algum lugar escuro onde somente ela gerava luz. Ossos saíam de sua cintura e ombros, muito brancos, respingados de sangue preto, sob a luz esmaecida. Ela girou sua cabeça numa fração de movimento e seus olhos prateados encontraram os meus. Ela cintilou de novo, inteira mais uma vez, em pé na minha frente, livre e ilesa.

"Eu não entendo." Mas eu entendi.

"Pobre e querida Jane." Chella circulou a garota, sem se aproximar demais.

"Ela morrerá limpa", eu disse. "Ela não tem medo de ir. Ela seguirá o caminho que vocês temem tanto. Apeguem-se à carne putrefata e decomponham-se nos intestinos da terra, se é neste lugar que a covardia os aprisiona."

Chella chiou como uma serpente, o veneno sobre seu rosto, um resto úmido de decadência em seus pulmões. A fumaça voltou para buscá-la, contorcendo-se como uma cobra ao seu redor.

"Mate este aí devagar, sarraceno." Ela lançou um olhar ríspido sobre Sageous. E se foi.

Senti Jane ao meu lado. A luz a deixara. Sua pele tinha a cor que as cinzas têm quando o fogo já retirou tudo o que tinham para oferecer. Ela falou num sussurro. "Tome conta do Gog por mim, e do Gorgoth. Eles são as últimas leucrotas."

A ideia de Gorgoth precisar de um guardião trouxe palavras afiadas até a ponta da minha língua, mas eu as engoli. "Eu o farei." Talvez até tenha sido sincero.

Ela pegou minha mão. "Você pode vencer as vitórias que está buscando, Jorg. Mas apenas se você encontrar motivos melhores para procurá-las." Senti seu poder formigando em meus dedos. "Olhe para os anos perdidos, Jorg. Olhe para a mão sobre seu ombro. Os cordões que guiam seus passos..."

Seu toque se foi e a fumaça serpenteou onde ela estivera.

"Não volte para casa, Príncipe Jorg." Sageous fez sua ameaça soar como um conselho paternal.

"Se você começar a correr agora talvez eu não consiga alcançá-lo", respondi.

"Corion?" Ele olhou para o tornado de éter que flutuava atrás de mim. "Não mande este garoto me procurar. Não vai terminar bem."

Busquei a minha espada, mas ele desapareceu antes que eu esvaziasse a bainha. A fumaça ficou mais amarga, irritando minha garganta, e eu me vi tossindo.

“Ele está acordando.” Ouvi a voz de Makin lá de bem longe.

“Deem mais água para ele.” Reconheci o chiado de Elban.

Eu me esforcei, engasgando e cuspindo água. “Filho da puta!”

Uma nuvem colossal, carregada e escura, estava no lugar onde antes havia o Monte Honas.

Eu pisquei e deixei Makin me reerguer. “Você não foi o único que levou um golpe desses.” Ele acenou para o local onde Gorgoth estava agachado, a poucos metros dali, com suas costas viradas para nós.

Eu cambaleei até ele, parando ao notar o calor – o calor e o brilho que deixavam Gorgoth, apesar da luz da manhã, com a aparência de quem fora jogado sobre uma fogueira atroz. Andei ao seu redor. Gog estava contorcido como um bebê no útero e cada centímetro seu era branco como uma chama intensa, como se a luz do Sol dos Construtores sangrasse por seus poros. Até Gorgoth teve que se afastar dele.

Enquanto olhava, a pele do garoto ganhou matizes vistos no ferro que está sendo forjado: laranja-vivo, depois vermelhos carregados. Eu dei um passo em sua direção e ele abriu os olhos, buracos brancos no centro de um sol. Ele engasgou, a parte interna de sua boca derretida, e logo se contorceu ainda mais. Por vezes, um fogo dançou por sua coluna, correndo sobre seus braços e depois se extinguindo. Levou dez minutos até que Gog esfriasse, suas velhas cores retornassem e um homem conseguisse ficar ao seu lado.

Pelo menos ele levantou sua cabeça e sorriu. “Mais!”

“Você já se divertiu bastante, companheiro”, eu disse. Não sabia o que o Sol dos Construtores despertara dentro dele, mas pelo que vi seria melhor que voltasse a dormir.

Olhei novamente para a nuvem, que ainda crescia sobre o Monte Honas e o campo incendiado por quilômetros ao seu redor.

“Acho que está na hora de ir para casa, rapazes.”

36

— QUATRO ANOS ATRÁS —

"Não dá para fazer", disse o nubano.

"Poucas coisas que valem a pena são fáceis de conquistar", eu disse.

"Não dá para fazer", ele disse. "Pelo menos não por alguém que espere continuar vivo."

"Se a solução fosse um matador suicida, então a Centena já seria a Dúzia numa hora dessas." Meu próprio pai sobrevivera a diversos atentados nos quais o pretenso matador não tinha o menor interesse em escapar. "Ninguém com pretensões de reivindicar o trono do Império é assim tão fácil de se liquidar."

O nubano virou-se na sela para me observar, atônito. Ele desistira de perguntar como uma criança sabia dessas coisas. Eu me perguntava quanto tempo levaria até que ele desistisse de dizer que não dava para se fazer.

Toquei meu cavalo adiante. As torres do castelo do conde não pareciam estar nem um pouco mais perto após meia hora de cavalgada.

"Precisamos descobrir o ponto forte da defesa do conde", eu disse. "Onde ele se sente mais protegido. Onde reside sua fé."

O nubano franziu novamente a testa. "Procure o ponto fraco de seu inimigo", ele disse. "Aí então você testa sua sorte." Ele deu um tapinha na pesada arma que levava atrelada à sua sela.

"Mas você já falou que não dá para fazer", eu disse. "Várias vezes." Puxei meu manto, que voava contra o vento noturno. Eu o roubei de um homem alto e o manto estava largo demais em mim. "Então você apenas planeja um jeito mais razoável de perder."

O nubano deu de ombros. Ele nunca discutia apenas para provar que estava certo. Eu gostava dessa sua característica.

"O ponto fraco em uma boa defesa é destinado ao fracasso. Ele fracassa, mas ao fracassar ele se soma à próxima defesa, e assim por diante. É uma questão de camadas. No fim das contas, você vai ter que encarar aquilo que você lutou para evitar desde o começo, só que agora você está exausto e aquilo está de sobreaviso."

O nubano não disse nada, a negrura de seu rosto impenetrável na luz poente.

"A surpresa é nossa única arma de verdade. Nós fugimos do processo de escaladas. Vamos direto ao ponto principal."

E o ponto principal é aquele que perfura o coração.

Cavalgamos e, à distância, as torres se aproximavam, aumentavam e se elevavam até que os portões do castelo bocejaram adiante. Um mar de prédios se espalhava feito vômito em frente aos portões – tabernas e curtumes, casebres e bordéis.

"A defesa de Renar é um homem chamado Corion." O nubano contraiu o nariz devido ao fedor enquanto os cavalos trilhavam um caminho até os portões. "Um mago da Costa Equina, é o que dizem. Certamente um bom conselheiro. Ele mantém o conde guardado por mercenários de sua terra natal. Homens sem famílias para serem ameaçadas e com um código de honra que os mantêm leais."

"Como conseguimos um convite para encontrar esse Corion?"

A fila nos portões começou a andar, mas nunca além do passo de lesma. Dez metros à nossa frente um camponês com um boi na ponte discutia com um guarda na cocheira do conde.

"Será que ele é mesmo um mago? O que você acha?" Eu observei o nubano dar sua resposta.

"A Costa Equina é a terra deles."

O camponês parecia ter vencido a discussão e andou com seu boi para o pátio externo onde os estábulos do mercado ainda seriam montados.

Quando alcançamos o portão, uma chuva fina começou a cair. A pluma do guarda ficou um tanto desajeitada pela ação da garoa, mas não havia nenhum sinal de cansaço no olhar que ele nos deu.

"Qual o seu negócio no castelo?"

"Suprimentos." O nubano deu um tapinha em seu bornal.

"Por ali." O guarda acenou para o amontoado perto dos portões. "Você vai encontrar tudo o que precisa por ali."

O nubano cerziu os lábios. O mercado do castelo deveria ter as melhores mercadorias, mas aquela fila não nos levaria muito longe. Precisávamos de um motivo melhor para que um homem do conde deixasse um mercenário nubano cansado de viagem atravessar os limites de seu senhor.

"Dê-me a sua balestra", eu disse ao nubano.

Ele franziu o rosto. "Você vai matá-lo?"

O guarda gargalhou, mas não havia um grama de humor no nubano. Ele estava começando a me conhecer direito.

Eu estendi minha mão. O nubano deu de ombros e puxou a balestra de onde ela estava acomodada. O peso da arma quase me jogou no chão. Tive que agarrá-la com as duas mãos e apertar minhas pernas sobre a montaria, proeza que consegui realizar sem grande prejuízo à minha dignidade.

Eu a ofereci para o guarda.

"Leve isto a Corion", eu disse. "Diga a ele que estamos interessados em vendê-la."

Irritação, escárnio, divertimento – consegui enxergar todas essas coisas lutando entre si para colocar as próximas palavras na língua do guarda, mas ainda assim ele estendeu a mão para segurar a arma.

Eu puxei a balestra de volta. "Tenha cuidado, metade do peso dela está nos encantamentos." Isso fez sua sobrancelha levantar um centímetro. Ele segurou a arma cautelosamente, observando os rostos de ferro dos deuses nubanos. Alguma coisa que ele avistou o fez deixar de lado suas objeções.

"Fique de olho nesses dois", ele disse, chamando outro homem que estava nas sombras da porteira. E lá se foi o guarda, carregando a balestra como se ela pudesse mordê-lo caso não tomasse o devido cuidado.

A garoa engrossou até se transformar num aguaceiro contínuo. Montamos em nossos cavalos e não nos preocupamos em ficar encharcados.

Eu pensava em vingança. Em como ela não me traria de volta aquilo que tomaram de mim. Em como eu não me importava. Agarre-se a uma coisa por muito tempo, um segredo, um desejo, talvez uma mentira, e ela moldará você. A carência existia dentro de mim, não podia ser deixada de lado. Mas ela bem que poderia ser lavada com o sangue do conde.

A noite veio e os guardas acenderam lanternas na porteira e nos nichos ao longo da muralha de entrada. Eu podia ver os dentes de duas portas levadiças aguardando para cair se algum inimigo avançasse rumo à entrada enquanto os portões permanecessem escancarados. Eu me perguntava quantos soldados de meu pai morreriam se ele enviasse seu exército para vingar minha mãe. Talvez fosse melhor dessa maneira. Melhor que eu estivesse no comando. Era mais pessoal. Afinal de contas, ela era minha mãe. Os soldados de meu pai tinham suas próprias mães com quem se preocupar.

A chuva pingava do meu nariz, corria gélida sobre meu pescoço, mas eu me sentia quente o bastante, havia um fogo dentro de mim.

"Ele quer vê-los." O guarda retornara. Ele segurava uma lanterna. Agora, sua pluma jazia colada em seu elmo e ele parecia estar tão cansado quanto ela. "Jake, pegue os cavalos dele. Nadar, você pode acompanhar esses rapazes junto comigo."

E então nós entramos no castelo do Conde Renar a pé, tão ensopados como se houvéssemos atravessado um fosso a nado para chegar até lá.

Os aposentos de Corion ficavam na Torre Oeste, adjacente ao prédio principal, onde o conde era paparicado por sua corte. Nós subimos por uma escada em caracol, com os degraus grossos de tanta poeira. O lugar inteiro tinha um certo ar de negligência.

"Deveríamos abrir mão de nossas armas?", perguntei.

Eu capturei o branco dos olhos do nubano enquanto ele me olhava de relance. Nosso guarda acabara de gargalhar. O homem atrás de mim dera um tapinha na faca que eu escondia em meus quadris. "Pretende matar Corion com este canivete, garoto?"

Não precisei responder. Nosso guarda chegou a uma grande porta de carvalho, cravejada com rebites de ferro. Alguém queimara um símbolo complexo na madeira, uma espécie de pictograma, que fez meus olhos rastejarem.

O guarda bateu na porta, dois golpes breves.

"Espere aí." Ele empurrou sua lanterna em minhas mãos. Olhou-me rapidamente, franziu os lábios e então empurrou o nubano para abrir caminho de volta para a escada. "Nadar, venha comigo."

Ambos os soldados saíram de vista, atrás de uma curva da escada, antes que ouvíssemos o som de um ferrolho sendo aberto. E então nada. O nubano segurou o punho de sua espada. Eu tremia. Sacudindo a cabeça, bati novamente na porta.

"Entre."

Pensava ter encarado todos os meus medos, mas havia uma voz que conseguia demover minhas convicções com uma palavra. O nubano sentiu o mesmo. Eu podia ver em cada um de seus traços, prestes a fugir.

"Entre, Príncipe dos Espinhos, saia de seu esconderijo, venha para o olho da tempestade."

A porta desapareceu, devorada pela escuridão. Ouvi gritos, gritos horrendos, do tipo que você encontra numa presa com as costas quebradas, rastejando para escapar das garras do caçador. Talvez fosse eu, talvez o nubano.

E foi quando eu o vi.

37

O Castelo Vermelho não deixou ruínas para serem apreciadas. Tudo o que tínhamos eram as ruínas da montanha onde ele ficava. Nós batemos a mais rápida das retiradas e agradecemos ao vento por soprar contra nós e não nos perseguir para compartilhar a fumaça e a mácula de Gelleth. Naquela noite dormimos no frio e nenhum de nós teve apetite, nem mesmo Burlow.

A estrada do Castelo Vermelho até o Castelo Alto é muito longa, mais comprida na volta do que na ida por um motivo: durante a ida nós cavalgamos – durante a volta tivemos que andar. E a maior parte desses quilômetros de volta apontava para baixo. Podendo escolher, prefiro subir uma montanha a ter que descê-la. A descida traz uma forma diferente de dor às suas pernas e a angulação empurra você a cada passo, como se controlasse você, como se estivesse no comando. Na subida você está lutando contra a montanha.

“Diabo, como eu sinto falta do meu cavalo”, eu disse.

“Um ótimo exemplar de garanhão.” Makin acenou e cuspiu com seus lábios empoeirados. “Ordene ao cavalariço do rei que treine outro animal para você. Estou certo de que não há uma única baia em Ancrath sem pelo menos um bastardo de Gerrod.”

“Ele era um libidinoso, você tem razão.” Eu pigarreei e cuspi. Minha armadura me esfolava e o metal ainda mantinha o calor do sol vespertino, o suor escorrendo por baixo.

“Mas não parece certo”, disse Makin. “A vitória mais convincente de todas em nossas memórias e tudo o que temos para atestá-la é a ausência de cavalos.”

“Eu juntaria mais pilhagem numa cabana de camponês!”, Rike gritou da parte de trás da fila.

“Jesus misericordioso! Não dê corda para o Pequeno Rikey”, eu disse. “Estamos ricos na cotação que mais interessa, meus irmãos. Nós voltamos coroados pela vitória.” Existia, na verdade, uma cotação que eu poderia usar a meu favor na corte. Tudo está à venda, tudo tem seu preço. Um favor real, uma sucessão, até mesmo o respeito de um pai.

E aquilo era outra coisa que fazia aqueles quilômetros da volta serem mais compridos do que os da ida. Não apenas eu tinha que carregar meu peso, minha armadura, minhas rações, como tinha também um novo fardo. É difícil carregar o peso das notícias sem ninguém para quem contar, e durante dias antes que você possa divulgá-las. Boas notícias pesam tanto quanto as más. Eu podia me imaginar de volta à corte, alardeando minha vitória, esfregando a verdade na cara de algumas pessoas – na cara de certa madrasta em particular. O que não se desenhava por si só nas telas da minha imaginação era a reação de meu pai. Tentei vê-lo sacudindo a cabeça em descrença. Tentei vê-lo sorrindo, levantando-se e pondo a mão em meu ombro. Tentei vê-lo agradecido, louvando-me, chamando-me de filho. Mas os meus olhos ficaram cegos e as palavras que eu ouvia eram muito fracas e graves para que eu as distinguisse.

Os irmãos não tinham muito que dizer na viagem de volta, sentindo os vazios em nossas fileiras, assombrados pelo espaço em que o nubano deveria estar. Gog, por outro lado, borbulhava de energia, correndo à nossa frente, caçando coelhos, fazendo perguntas atrás de perguntas.

"Por que o teto é azul, irmão Jorg?", perguntou. Ele parecia imaginar que o mundo exterior não passava de uma caverna maior. Alguns filósofos concordavam com ele.

Havia outras mudanças também. As marcas vermelhas na pele de Gog ganharam um tom mais ameaçador e as fogueiras noturnas o fascinavam. Ele encarava as chamas, hipnotizado, chegando mais perto a cada instante. Gorgoth desencorajava o interesse, jogando a criança nas sombras, como se aquela atração o preocupasse.

As estradas ficaram mais familiares, as inclinações mais sutis, os campos mais ricos. Andei pelos caminhos de minha infância, um tempo dourado, dias felizes sem preocupações, acompanhado pelas canções de minha mãe e por sua voz, sem uma única nota amarga até meu sexto ano. Meu pai então me ensinou a primeira de minhas duras lições, lições sobre dor, perda e sacrifício. Gelleth foi a soma desse aprendizado. Vitória sem comprometimento, sem piedade, sem hesitação. Eu agradeceria ao Rei Olidan por suas instruções e lhe diria como seus inimigos se saíram em minhas mãos. E ele aprovaria.

Eu também pensei em Katherine conforme nos aproximávamos. Meus momentos de ócio se completavam com sua imagem, com os momentos que eu passara perto demais para conseguir tocá-la. Eu via novamente como a luz a abraçava, como encontrava os ossos do seu rosto, a suavidade dos seus lábios.

Nós chegamos ao coração de Ancrath com os pés moídos e exaustos da viagem, absortos demais em nossos pensamentos para sequer roubarmos cavalos que facilitariam o final de nossa jornada. Só precisaria fechar meus olhos para enxergar o novo sol nascendo em Gelleth, levantando-se sobre Gelleth, e ouvir os gritos de seus fantasmas.

Vimos as ameias do Castelo Alto lá do Monte Osten, a onze quilômetros antes de chegarmos aos portões. O sol descendia no oeste, carmesim, apostando corrida com a gente até a cidade.

"Seremos *heróix*, Chorg?", Elban me perguntou. Sua voz escondia dúvidas, como se todos os seus anos de vida ainda precisassem ensiná-lo que o fim justifica os meios.

"Heróis?" Eu dei de ombros. "Seremos vitoriosos. E é isso o que importa."

Andamos o último quilômetro sob o crepúsculo. Os guardas nos portões da Cidade Baixa não tinham perguntas para mim. Talvez me reconhecessem como seu príncipe, talvez tivessem decifrado minha aparência, o que pode ter acionado algum instinto de autopreservação. Atravessamos a cidade sem encontrar resistência.

"Irmão Kent, por que você não toma a dianteira até a Cidade Baixa e encontra um lugar onde os rapazes possam beber? O Anjo Caído, quem sabe." Sir Makin e eu iríamos à corte. O restante dos meus irmãos não seria bem-vindo no Castelo Alto.

Com Makin ao meu lado, seguimos para a Cidade Alta e finalmente chegamos ao castelo. Deixei a fadiga de lado quando entramos pelo Portão Triplo. Atravessamos o Pátio do Púlpito nas mais profundas sombras, derrubadas por um sol poente.

Na hora em que passamos pelos cavaleiros da távola, próximo aos portões reais, eu apertei o passo. Primeiro tentei encontrar Sageous, procurando por ele ao lado de meu pai. Depois entre os brilhos da multidão. Deixei o arauto terminar nossa introdução e ainda procurava o pagão. Encontrei Katherine ao lado da rainha, uma mão sobre o ombro da irmã, um olhar impiedoso para o pobre Jorg. Deixei o silêncio se alongar naquele instante.

"Onde você escondeu seu selvagem tatuado, querido pai? Eu desejo muito encontrar de novo o velho envenenador de sonhos."

Percorri com meus olhos aquele mar de rostos mais uma vez.

"Os serviços de Sageous à coroa foram requisitados em nossas fronteiras." Meu pai manteve seu rosto impassível, mas percebi a rápida troca de olhares entre a rainha e sua irmã.

"Por certo hei de esperar seu retorno." Então o pagão fugira de mim...

"Disseram-me que você voltou mancando sem a Guarda da Floresta." A Rainha Sareth falou ao lado de meu pai, suas mãos sobre a grandiosidade de sua barriga. "Devemos presumir que suas perdas foram totais?" Um sorriso escapou da linha estreita de sua boca. Uma boca excepcionalmente bonita, há de se dizer.

Reservei uma pequena reverência para ela. Uma saudação para meu meio-irmão, que lutava para achar um caminho para fora daquele útero. "Senhora, houve algumas perdas na Guarda da Floresta, não posso negar."

Meu pai inclinou sua cabeça, como se a coroa pesasse sobre ele. Olhos pálidos me observavam por baixo das sombras de sua fronte. "Faremos uma contabilidade dessas perdas."

"Lorde Vincent de Gren..." Comecei a contagem por ele, levantando meu dedo indicador.

Um suspiro chiou entre a aristocracia.

"Até o mestre da guarda!" A Rainha Sareth levantou-se com dificuldades. "Ele perdeu até mesmo o mestre da guarda! E este garoto deseja nosso trono?"

"Lorde Vincent de Gren", eu voltei à minha contagem. "Precisei empurrá-lo na queda d'água do Rio Temus. Ele me contrariou. Coddin é o novo mestre da guarda. É de origem humilde, mas um sujeito digno."

"Jed Willox." Eu contei um segundo dedo. "Morto em uma luta de facas por causa de um jogo de cartas, dois dias de marcha após a fronteira com Gelleth."

"Mattus de Lee." Eu contei o terceiro dedo. "Aparentemente ele urinou num urso por engano. Parece que a lendária destreza da

Guarda da Floresta talvez tenha sido um tanto superestimada. E... esses foram todos."

Mantive o braço esticado acima da cabeça, com meus três dedos à mostra, e girei a mão para a esquerda, depois para a direita, de modo que minha plateia pudesse conferir.

"As perdas entre meus homens foram igualmente graves, mas, em nossa defesa, deve-se considerar que a demolição de um castelo defendido por novecentos veteranos gellethianos é uma tarefa perigosa. Com duzentos e cinquenta patrulheiros florestais levemente armados existe um limite do que pode ser alcançado sem baixas."

"O covarde nunca alcançou o Castelo Vermelho!" A rainha apontava para mim – como se alguém pudesse confundir seu alvo – e começou a guinchar.

Eu sorri e mantive a calma. Mulheres são propensas a perder a perspectiva quando estão de barriga. Eu vi Katherine tentando fazer Sareth sentar-se de volta no trono.

"Eu ordenei que você invadisse o Castelo Vermelho." As palavras de meu pai não demonstravam traços de raiva e por isso mesmo eram ainda mais ameaçadoras.

"Certamente." Eu avancei sobre o trono, deixando Sir Makin para trás. "Traga-me Gelleth, você disse."

Um metro nos separava, não mais, antes que o primeiro guarda do palácio pensasse em levantar seu arco. Meu pai ergueu um dedo; nós paramos, eu e o guarda, que suava em sua cota de malha.

"Traga-me Gelleth, você disse. E foi generoso o bastante para me oferecer a Guarda da Floresta em minha tarefa."

Coloquei a mão dentro do meu saco de viagem, preso em minha cintura, e ignorei as balestras apontadas em minha direção e os dedos cada vez mais tensos sobre seus gatilhos.

"Aqui está Merl Gellethar, Lorde de Gelleth, mestre do Castelo Vermelho." Eu abri a mão e o pó escorreu de meus dedos. "E aqui", saquei então um fragmento de rocha que não parecia ser maior do que uma noz. "Aqui está a maior pedra do que restou do Castelo Vermelho."

Deixei a pedra cair, atirada no silêncio. Nem pó nem pedra eram aquilo o que eu afirmava ser, é claro, mas a verdade residia ali no chão da sala do trono. Merl Gellethar era poeira ao vento e seu castelo, cascalho.

"Nós matamos todo mundo. Cada homem daquela fortaleza está morto." Olhei para a rainha. "Cada mulher. Dama, ajudante de cozinha, escrava ou puta." Meus olhos caíram sobre sua barriga. "Cada criança, cada bebê em seu berço." Levantei minha voz. "Cada cavalo e cachorro, cada falcão e cada pombo. Cada rato, até a última de suas pulgas. Nada vive mais lá. A vitória não vem em meias medidas."

Meu pai cambaleou ao se levantar.

Mais um passo e eu quase encostaria meu nariz ao dele. Não decifrava o que seus olhos escondiam, mas o velho temor havia desaparecido, como se ele também escorresse de minhas mãos.

"Dê-me o que é meu por direito de nascença." Evitei mudar minha entonação durante o discurso, ainda que minha mandíbula doesse de tanta tensão acumulada. "Deixe-me guiar nossos exércitos e conquistarei o Império, e o unificarei uma vez mais. Deixe de lado o pagão, assim como os planos dele." Olhei de soslaio a nova rainha ao terminar minha última frase.

Deveria ter mantido meus olhos nele, deveria ter me lembrado de quem eu puxei meu lado perverso.

Senti uma dor aguda por baixo do coração. Ela me fez cortar minha frase – por pouco, também, minha língua. Senti o gosto de sangue, quente e acobreado. Um passo para trás, dois, cambaleando agora. Vi a lâmina exposta na mão de meu pai quando deslizei para fora de seu alcance.

Será um punhal o que eu vejo à minha frente? A citação efervesceu, assim como a gargalhada, fugindo de dentro de mim como saliva vermelha. Queria falar, mas pela primeira vez as palavras me escapavam, vazando de mim assim como meu próprio sangue.

A sala do trono girava ao meu redor, sua arquitetura não fazia mais sentido em face à tamanha traição. Todos os olhos me viram recuar em direção às grandes portas. Lordes e damas, a princesa, a rainha e o rei – seus olhares fixos me atingiam em cheio. As pernas que me carregaram légua após légua desde Gelleth agora me traíam, como se cada quilômetro desde o Castelo Vermelho subisse em meus ombros e me deixasse embriagado de exaustão.

Ele me apunhalou!

Houve um tempo em que amei meu pai. Um tempo lembrado em sonhos ou em raros momentos despertos, como a sombra de uma nuvem alta atravessando minha mente. Há um rosto sorridente de um ano que não mais me pertence, de uma estação quando eu era jovem demais para enxergar a distância entre nós. O rosto é barbado, feroz, mas sem ser ameaçador.

Será um punhal o que eu vejo à minha frente? Minha boca não formaria a piada. O riso explodiu aqui dentro e senti como se a faca tivesse cortado minhas cordas.

Por uma eternidade fiquei deitado na frente deles, minha bochecha colada ao mármore gelado. Ouvi Makin urrar. Ouvi o alarido se formar enquanto ele era derrubado por muitos guardas. O baque lento do coração me preencheu.

Quando caí, vi a escuridão dos cabelos de meu pai, mais negros que a noite, com um leve reflexo esmeralda como as asas de uma pomba.

"Tirem-no daqui." Ele soava cansado. Um sinal mínimo de fraqueza humana, afinal.

"Ele descansará na tumba ao lado de sua mãe?" Uma nova voz. As palavras ocupariam uma eternidade, mas em algum lugar dentro de mim elas ecoavam e eu vi seu dono, o velho Lorde Nossar, que nos carregava sobre seus ombros, a Will e a mim, numa outra vida. Velho Nossar veio me carregar uma última vez. Escutei a resposta, grave e esmaecida demais para conseguir distingui-la. Meus olhos se fecharam. Senti o chão raspar meu rosto e então não senti mais nada.

38

Eu engoli a escuridão e a escuridão me engoliu.

Sem luz e sem as batidas do coração para contar o tempo você aprende que a eternidade não deve ser temida. Na verdade, se apenas deixassem você com ela, uma eternidade solitária no escuro pode ser uma alternativa muito bem-vinda a esse negócio de viver.

Então o anjo surgiu.

Os primeiros lampejos ardiam como cortes de papel nos meus olhos. A iluminação projetada por um ponto distante, fragmentos de luz se alojavam no fundo de minha mente. Um alvorecer se fez e em um instante, ou em uma era, a escuridão levantou voo, sem deixar rastros de sombra que comprovassem sua passagem.

"Jorg."

Sua voz fluiu através das oitavas, uma reverberação de cada tipo de palavra e de cada promessa cumprida.

"Olá." Minha voz parecia uma taquara rachada. *Olá?* Mas o que se diz a um anjo quando você encontra um? Duas sílabas, fraqueza e dúvida sublinhando ambas.

Ela abriu seus braços. "Venha para mim."

Eu engatinhei, nu sobre um chão tão branco que nenhuma sombra se atreveu a chegar perto. Eu conseguia ver a sujeira nos meus braços e pernas, como veias, e sangue, sangue do ferimento que me matou, seco e negro como o pecado.

"Venha."

Eu tentei olhar para ela. Não havia motivos para sua vigília constante. Como se definição fosse uma coisa dos mortais, uma redução que sua essência não permitiria. Vestia-se de palidez, em diferentes tons. Tinha os olhos de todos aqueles que se preocuparam. E asas – tinha asas também, mas não eram brancas, de penas, eram mais do tipo que garantiam o voo. O potencial dos céus a envolvia. Às vezes sua pele parecia ser como as nuvens, movendo-se umas sobre as outras. Olhei para o lado.

Engatinhei ali, um caroço de carne e osso, somente com sujeira e sangue velho para me definir sob o escrutínio de seu brilho.

"Venha para mim." Braços abertos. Braços de mãe, de uma amante, de um pai, de um amigo.

Olhei para o lado, mas ela ainda me detinha. Senti seu hálito. Senti a promessa da redenção. Só precisava olhar para cima e ela me perdoaria.

"Não."

Sua perplexidade flutuava entre nós, uma palpitação de luz. Senti a tensão nos músculos da mandíbula e o gosto amargo da ira ardendo no fundo de minha garganta. Aqui, pelo menos, as coisas me eram familiares.

"Deixe sua dor de lado, Jorg. Deixe o sangue do cordeiro lavar seus pecados." Nada nela era falso. Ela permaneceu transparente em sua preocupação. O anjo segurava seus presentes na palma das mãos abertas: compaixão, amor... piedade.

Um presente sobrando. O velho sorriso sarcástico em meus lábios. Lá estava eu, calmo, ainda de cabeça baixa. "O cordeiro não tem sangue suficiente para meus pecados. Melhor você sangrar uma ovelha também, assim como um cordeiro."

"Nenhum pecado é tão grande que não possa ser perdoado. Não existe mal que não possa ser superado."

Ela falava para valer. Nenhuma mentira poderia sair daqueles lábios. Aquela verdade, pelo menos, era autoevidente.

E então olhei nos seus olhos, e seu fluxo de amor, tão profundo e incondicional, quase me carregou para longe. Cavei fundo e lutei com ela. Esbocei um sorriso, uma vez mais, e me amaldiçoei por ser um tolo ignorante.

"Foram poucos os pecados que não provei." Dei um passo em sua direção. "Praguejei dentro da igreja. Cobicei o boi do meu vizinho. Na verdade, roubei e assei o animal, e o devorei com minha gula, um pecado mortal, o primeiro dos sete, que aprendi no seio de minha mãe."

A dor em seus olhos doía em mim, mas eu vivi uma vida atacando com golpes que cortavam dos dois lados.

Andei em volta do anjo e meu pé manchava o assoalho, deixando marcas que desapareceriam em meu despertar.

"Cobicei a mulher do meu próximo. Eu a possuí. Matei também. Ah, sim, matei e matei várias vezes. Pouquíssimos foram os pecados que deixei de provar... Se não tivesse morrido tão jovem estou certo de que a encontraria com a lista completa." A ira cerrou minha mandíbula. Se a apertasse um pouco mais meus dentes explodiriam. "Se eu tivesse vivido por mais cinco minutos você poderia incluir parricídio no topo dela."

"Isso pode ser perdoado."

"Eu não requisitei seu perdão." Veios de escuridão surgiram no piso e se espalharam a partir de onde eu me encontrava.

"Esqueça, Criança." Suas palavras emanavam aconchego e bom-humor, e quase me derrubaram. Seus olhos pareciam janelas abertas para um mundo de coisas completas. Um lugar construído com amanhãs. Tudo poderia dar certo. Eu podia provar, cheirar. Se ela não estivesse tão certa do seu sucesso me conquistaria ali mesmo, naquele momento.

Eu me apeguei à minha ira, bebi do meu poço de veneno. Essas não são coisas boas, mas pelo menos eram minhas.

"Eu poderia ir com você, minha dama. Eu poderia aceitar o que você oferece. Mas, então, quem eu seria? Quem eu seria se esquecesse os erros que moldaram quem eu sou?"

"Você seria feliz", ela disse.

"Outra pessoa seria feliz. Um novo Jorg, um Jorg sem orgulho. Eu não serei o cachorrinho de ninguém. Não o seu cachorrinho, nem mesmo o d'Ele."

A noite rastejou de volta como a névoa subindo do lamaçal.

"Orgulho também é um pecado, Jorg. O mais mortal dos sete. Você tem que deixá-lo para trás." Finalmente, um toque de desafio em suas palavras. Era tudo o que eu precisava para me fortalecer.

"Tenho?" A escuridão serpenteava à nossa volta.

Ela juntou suas mãos. A escuridão cresceu e sua luz cedeu.

"Orgulho?", eu disse, agora com um sorriso dançando em meu rosto. "Eu *sou* o orgulho! Deixe os mansos herdarem o que lhes é de direito – eu prefiro uma eternidade nas sombras a receber a bênção divina se este é o preço que preciso pagar." Era mentira, mas se eu falasse a verdade, se aceitasse sua mão em vez de mordê-la, não me restaria mais nada, nada além dos cacos.

Eu ainda a vislumbrava, vislumbres sobre a escuridão aveludada. "Lúcifer falava assim. O orgulho o exilou do paraíso, ainda que se sentasse à direita de Deus." Sua voz começou a sumir, até se tornar menos que um suspiro. "No final, o orgulho é o único mal, a origem de todos os pecados."

"Orgulho é tudo o que eu tenho."

Eu engoli a noite. E a noite me engoliu.

39

"Ele não morreu ainda?" Voz de mulher, sotaque teutônico marcado pela idade.

"Não." Uma mulher mais jovem, familiar, também teutônica.

"Não é natural demorar tanto tempo", disse a mulher mais velha. "E tão pálido. Ele já parece morto."

"Ele perdeu tanto sangue. Não sabia que os homens tinham tanto sangue assim."

Katherine! Seu rosto me veio à mente na escuridão. Olhos verdes e os ângulos esculpidos de seu rosto.

"Pálido e gelado", ela disse, seus dedos sobre o meu pulso. "Mas quando eu deixo o espelho perto de seus lábios ele fica embaçado."

"Coloque um travesseiro no rosto dele e acabe logo com isso, entendeu?" Eu imaginei minhas mãos ao redor do pescoço da velhaca. A ideia me aqueceu um pouquinho.

"Eu queria vê-lo morto", disse Katherine. "Depois do que ele fez com Galen. Eu assistiria à sua morte nos degraus do trono, com todo aquele sangue escorrendo um degrau, depois outro, e me sentiria feliz."

"O rei devia ter cortado a garganta dele. Terminado o serviço ali mesmo." A velha de novo. Sua voz tinha um ligeiro tom de serviçal. Bradando sua opinião na segurança de um lugar privado, opiniões guardadas por muito tempo e amargadas em silêncio.

"Só um homem cruel esfaquearia seu único filho, Hanna."

"Ele não é seu único filho. Sareth carrega seu sobrinho. A criança será seu legítimo herdeiro."

"Acha que eles vão manter Jorg aqui?", disse Katherine. "Vão enterrá-lo no túmulo de sua mãe, ao lado do irmão?"

"Que enterrem os filhotes com a cadela e selem o túmulo, é o que eu digo."

"Hanna!" Ouvi Katherine se afastar de mim.

Eles me levariam para a tumba de minha mãe, uma pequena câmara subterrânea. Da última vez que a visitei a poeira formava um tapete, imaculado de pegadas.

"Ela era uma rainha, Hanna", disse Katherine. Eu a escutei limpando alguma coisa. "Dá para ver a força que aquela mulher tinha."

Uma efígie de mamãe fora esculpida sobre a tampa de mármore de seu ataúde, como se ela descansasse ali, suas mãos juntas em devoção.

"Sareth é mais bonita", disse Hanna.

Katherine voltou para o meu lado. "É a força que faz uma rainha." Senti seus dedos sobre minha testa.

Quatro anos atrás. Quatro anos atrás eu toquei aquela bochecha de mármore e jurei nunca mais voltar. Aquela foi minha última lágrima. Eu me pergunto se Katherine havia tocado o rosto dela, me pergunto se havia acariciado a mesma pedra.

"Deixe-me acabar com isso, minha princesa. Seria uma gentileza com o garoto. Eles vão deitá-lo com sua mãe e o pequeno príncipe."

Hanna adoçou sua voz. Ela pôs as mãos em minha garganta; seus dedos eram ásperos como pele de tubarão.

"Não."

"Você falou que queria vê-lo morto", disse Hanna. A velha tinha bastante força naquelas mãos enrugadas. Já decepara uma galinha ou três na sua época, não é, Hanna? Talvez um bebê ou outro. A pressão aumentava, devagar mas eficaz.

"Nos degraus, eu disse, enquanto seu sangue ainda estava quente", informou Katherine. "Mas eu o vi se debater por tanto tempo, agarrando-se em tão pouco para sobreviver, que acabou virando um hábito. Deixe-o tombar quando estiver pronto. Ninguém sobrevive a um ferimento desses. Deixe-o escolher a hora de partir."

A pressão ficou um pouco mais forte.

"Hanna!"

A mão se retirou.

40

Envolvemos nosso mundo violento e misterioso num pretenso conhecimento. Embrulhamos os vácuos de nossa compreensão com ciência ou religião, e passamos a acreditar que a ordem foi imposta. E, na maior parte do tempo, a ficção funciona. Roçamos a superfície, ignorando as profundezas. Somos libélulas voando sobre um lago, com quilômetros de profundidade, perseguindo caminhos erráticos atrás de causas sem sentido. Até aquele momento quando algo vindo do frio desconhecido vem à tona atrás de nós.

As maiores mentiras guardamos para nós mesmos. Somos deuses em nossos jogos, nos quais fazemos as escolhas e as correntezas seguem nossa vigília. Pretendemos nos separar do que é selvagem. Imaginamos que o controle humano é total, que a civilização é mais do que uma camada, que a razão nos fará companhia nos lugares escuros.

Aprendi essas lições em meu décimo ano, ainda que poucas delas tenham continuado comigo. Corion não precisou mais do que instantes para me ensinar, batimentos cardíacos durante os quais minha vontade se esvaiu como uma chama ao vento, até se apagar completamente.

Estava com o nubano, inerte na escada. Apenas meus olhos se mexiam, e eles seguiram o velho. Ele pareceria gentil sob uma luz diferente. Havia nele algo do tutor Lundist, ainda que mais esquálido, mais esfomeado. O horror não estava em seu rosto, nem mesmo nos seus olhos, apenas na consciência de que tudo não passava de peles tensionadas sobre o vazio do mundo.

Sua aparência, um velho usando um manto sujo, me fez sentir um medo daqueles que a vergonha apaga de nossa memória. O medo que o coelho sente quando a águia ataca. O tipo de medo que transforma um homem em nada. O tipo de medo que faria você sacrificar sua mãe, seu irmão, tudo e todos que um dia amou apenas para ter a chance de correr.

Corion se aproximou arrastando os pés e se inclinou para tirar meu pulso. Num instante, o toque silenciou o terror puro que se abatera sobre mim. Tão completamente como se ele fechasse a torneira de um barril de vinho, o fluxo se interrompeu. Sem uma palavra, ele me arrastou para sua habitação. Senti o ladrilho arranhar meu rosto.

Não havia nada no quarto, com exceção da balestra, encostada na parede ao fundo. Imaginei Corion trancado aqui em seu quarto vazio, um lugar para deixar sua velha carne repousar enquanto ele encarava a eternidade.

"Então o caçador de Sageous finalmente encontrou uma presa mais feroz do que ele mesmo, hein?"

Tentei falar, mas meus lábios não fizeram mais do que tremer. Ele sabia sobre o bruxo dos sonhos e seu caçador. Ele me chamara de Príncipe dos Espinhos. O que mais ele sabia?

"Eu sei tudo, criança. As coisas que você sabe, os segredos que você guarda. Até os segredos que você esqueceu."

Ele podia ler meu pensamento.

"Como um pergaminho aberto." Corion acenou. Ele virou minha cabeça com sua bota para que eu pudesse ver a balestra do nubano uma vez mais.

"Você me intriga, Honório Jorg Ancrath", ele disse, e andou até ficar do lado da arma. "Você está se perguntando por que um homem com tantos poderes não é o imperador de todas as terras."

Sim, eu estava.

"O imperador tem que fazer parte da Centena. Nações não seguem monstros como eu. Eles seguem uma linhagem, o direito divino, a estirpe real. Então nós, que tomamos o poder de lugares onde os demais temem se aproximar... nós jogamos o jogo dos tronos com peças como o Conde Renar, peças como seu pai. Peças como você, talvez."

Ele esticou o braço para encostar na balestra. O ar em volta brilhou intensamente como se alguém escancarasse a porta de uma fornalha.

"Sim. Até prefiro que seja assim. Deixe Sageous ficar com o Rei Olidan, deixe que ele se esforce para controlar a vontade de seu pai e eu terei seu primogênito."

O medo submergiu o suficiente para deixar minha raiva vir à tona. Imaginava o velho morrendo, minha mão empunhando a espada.

"Deixe que os selvagens o acalmem e se você resistir o filho pródigo retornará na hora certa, uma víbora no colo do pai. O peão vence o rei." Ele simulou o gesto de um jogo de xadrez. "Você pode virar alguém, Príncipe da Roseira-Brava. A peça que ganhará o jogo."

Corion tomou a balestra como se ela não pesasse nada. Erguendo-a até seus lábios, ele sussurrou uma palavra, suave demais para ser escutada. Cinco passos o levaram até a porta e ele deixou a balestra nos degraus, perto da cabeça do nubano. "Um cavalo negro para guardar meu peão."

"E você, garoto. Você vai esquecer o Conde de Renar."

Nem fodendo.

"Transfira sua vingança para onde bem entender. Você pode dividi-la com o mundo, derramar sangue – mas nunca retorne a estas terras. Seus pés não andarão por estes caminhos. Sua mente não vagará por aqui."

Só conseguia observá-lo. Ele se aproximou. Ajoelhou ao meu lado, pegou meu colarinho e puxou meu rosto até o seu. Encontrei seu olhar vazio. Senti o desespero crescendo, uma onda que me levaria para longe. E o pior: senti seus dedos frios dentro do meu crânio, apagando memórias, revirando decisões.

"Esqueça Renar. Leve sua vingança para o mundo."

Renar vai morrer. "Em... minhas... mãos..." De alguma maneira, meus lábios falaram as palavras.

Mas logo ele roubou minha convicção. Não saberia dizer como eu alcançara a torre, nem mesmo como ele se chamava.

O velho sorriu. Ele se inclinou para sussurrar no meu ouvido. Eu me lembro do seu hálito em minha nuca e do fedor putrefato.

Então ouvi suas palavras e perdi por completo a razão.

Vermes se contorciam atrás dos meus olhos. Nenhum sinal dele permaneceu em meus pensamentos, apenas um vácuo para o qual eu não conseguia olhar. Renar se tornou um nome sem peso e a minha ira, um presente para qualquer um e para todos.

Caí na escuridão, ensurdecido pelos meus próprios uivos. Mãos desconhecidas se fechavam em minha garganta e na escuridão minhas próprias mãos acharam um pescoço para sufocar. Apertava mais forte, cada vez mais forte. Os gritos sucumbiram num chiado, num chocalho e, finalmente, no silêncio. Apertei. Minhas mãos se tornaram ganchos de ferro. Se eu apertasse um pouco mais forte os ossos de meus dedos se quebrariam como galhos secos.

Caí na escuridão, no silêncio, apenas as mãos em minha garganta e a garganta em minhas mãos, e a fome de ar, meu coração batendo com golpes de marreta.

Caí durante anos. Estou caindo a minha vida inteira...

Atingi o chão. Duro. Meus olhos se abriram. Caí sobre um chão de pedra. Um rosto roxo me encarava, com olhos distendidos, a língua projetada. A luz do dia entrava por uma janela alta. Meu coração pulsava em minha caixa torácica tentando sair. Tudo doía. Vi minhas mãos no pescoço abaixo daquele rosto. Minhas mãos. Com grande esforço eu as destravei. Os dedos branquelos não estavam muito inclinados a obedecer.

A dor ainda pairava em mim. Eu precisava de algo, mas não sabia dizer o que era. Minha visão pulsava em vermelho, tornando-se turva em poucos segundos. Toquei em meu pescoço com uma mão cadavérica e encontrei outras mãos nele.

Não reconheci o rosto. Uma mulher?

O mundo ficava mais distante; a dor menos.

Renar... O nome surgiu dentro de mim e com ele um vestígio de força. As mãos que capturavam os dedos do estrangulador do meu pescoço não pareciam ser as minhas. *Renar!* Meu primeiro alento zuniu como se eu puxasse o ar através de um caule de junco.

Ar! Eu precisava de ar.

Engasguei, arfei, mas nada vinha. Puxei o ar com força através de uma garganta que ficara estreita demais para essa tarefa.

Renar.

A face púrpura pertencia a uma mulher de cabelos grisalhos. Eu não entendia.

Renar. E Corion.

Ah, meu Deus! Eu lembrei. Lembrei do horror, mas ele queimava pálido contra a fúria gélida que me consumia naquele momento.

"Corion." Pela primeira vez em quatro anos, desde aquela noite na torre, eu disse seu nome. Eu lembrei. Lembrava do que me havia sido roubado e pela primeira vez desde sempre me senti completo.

Encontrei forças para me levantar, apoiando nos meus braços.

Estava num aposento, em um castelo. Do lado de uma cama... eu caíra da cama. Enquanto uma senhora tentava me sufocar.

A porta tremeu. Alguém sacudiu o trinco. "Hanna! Hanna!" Uma voz de mulher.

De alguma maneira eu me levantei antes que a porta se abrisse.

"Katherine." A voz escapou de minha garganta ferida como um rangido.

E lá estava ela. Linda em desordem. A boca meio aberta, os olhos verdes arregalados.

"Katherine." Eu só conseguia pronunciar seu nome como um suspiro, mas eu queria gritar, queria gritar muitas coisas ao mesmo tempo.

Entendi. Eu entendi o jogo. Entendi os jogadores. Eu sabia o que precisava ser feito.

"Assassino!", ela disse. Retirou uma lâmina de sua faixa, um estilete afiado o bastante para atravessar um homem. "Seu pai sabia o que estava fazendo."

Tentei contar a ela, mas nenhuma palavra sairia agora. Tentei levantar meus braços, mas eu estava sem forças.

"Vou terminar o que ele começou", ela disse.

E tudo o que eu conseguia fazer era admirar a beleza dela.

41

Num duelo, homem a homem, espada contra espada, você pode acabar morto devido à falta de habilidade. Na maioria das vezes, entretanto, é uma questão de sorte ou, no caso da luta se estender demais, o homem que se cansar primeiro será aquele com mais chances de morrer.

No fim das contas é uma questão de manter o vigor. Deveriam escrever nas lápides "Cansei" – talvez não cansado da vida, mas pelo menos cansado demais para aguentar-se de pé.

Numa luta de verdade, e a maioria das lutas são de verdade, e não o artifício de um duelo formal, a fadiga é a grande assassina. Uma espada é um troço pesado de ferro. Você sacode aquela coisa por poucos minutos e seus braços começam a ter ideias próprias sobre o que conseguem e o que não conseguem fazer. Mesmo quando sua vida depende deles.

Passei por momentos nos quais erguer minha espada era o equivalente a qualquer um dos trabalhos de Hércules, mas até me deparar com a faca de Katherine eu nunca antes havia me sentido tão exausto.

"Filho da mãe!"

O fogo em seus olhos era feroz demais para queimar até que o ato estivesse consumado.

Procurei pela vontade de interrompê-la e voltei de mãos vazias.

Uma faca é uma coisa bem assustadora, apontada para o seu pescoço, afiada e fria. A ideia ecoava de volta e vinha daquela noite em que os mortos saíram de suas poças de lama na Estrada dos Cadáveres.

O brilho da lâmina que se aproximava de mim e a ideia de minha carne ser fatiada – perfurando um olho, quem sabe – são coisas que podem paralisar um homem. Até que você perceba o que elas são. Elas não passam de maneiras de se perder o jogo. Você perde o jogo, e o que foi que você perdeu? Você perdeu o jogo. Corion me contou sobre o jogo. Quantos dos meus pensamentos não foram seus? Quanto da minha filosofia não passou da imundície vinda dos dedos daquele velho?

Nadei na escuridão por muito tempo. O jogo não parecia ser mais tão importante.

Com recordações de minha força ergui os dois braços. Mantive-os bem abertos para receber o golpe. E sorri.

Algo se aproximou e segurou o seu braço. Podia vê-lo sobre o rosto dela, contorcendo aquela testa perfeita, lutando com raiva.

"O pai não conseguiu acertar o coração, ao que parece." Consegui emitir um som rouco. "Talvez a sua mira seja melhor, tia."

A faca se mexeu. Imaginei se ela já havia cortado carne viva alguma vez.

"Você... você a matou."

Os dedos de minha mão direita se fecharam sobre algo, algo pesado e macio, na mesinha de cabeceira.

Os olhos de Katherine se viraram para o rosto da senhora.

Acertei-a. Não muito forte, eu não estava em condições, mas forte o suficiente para quebrar o vaso que encontrara. Ela desabou sem reclamar.

Caiu na piscina de safira que era seu vestido, esparramado sobre o chão de pedra. A vida fluía em meus braços mais uma vez. Minhas forças pareceram retornar no momento em que ela caiu. Como se um encanto fosse quebrado.

Mate-a e você será livre para sempre. Uma voz familiar, seca como papel. Minha ou dele?

O cabelo dela escondia seu rosto, ruivo sobre safira.

Ela é a sua fraqueza. Arranque o coração dela.

Eu sabia que era verdade.

Estrangule-a.

Vi minhas mãos pálidas sobre um pescoço que se tornava vermelho.

Possua-a. A voz do espinheiro. Os ganchos escorregavam sob minha pele e me fizeram ajoelhar ao lado dela. *Possua-a, pegue logo aquilo que você talvez não ganhe nunca*. Eu conhecia o juramento.

Mate-a e você será livre.

Ouvi o eco de uma tempestade distante.

Os cabelos de Katherine corriam feito seda entre os meus dedos. "Ela é minha fraqueza." Minha voz agora, meus lábios. Um pequeno passo, outra morte, e nada jamais me alcançaria de novo. Um pequeno passo e a porta daquela noite maldita se fecharia para sempre. O jogo seria realmente um jogo. E eu seria o vencedor.

Estrangule-a, possua-a. A voz do espinheiro. Uma fenda na minha mente. Um som oco. Um vazio.

Vazio.

O pescoço dela estava quente. Seu pulso batia sob a ponta dos meus dedos.

"Mate-a, Príncipe da Roseira-Brava."

Vi as palavras saírem de lábios finos, pronunciadas num aposento vazio.

"Mate-a."

Vi os lábios se moverem de novo. Vi os olhos vazados, fixos na eternidade. "Mate-a."

"Corion!"

Por um instante minhas mãos se fecharam um pouco mais em volta do pescoço de Katherine.

"Vou atrás de você, seu velho bastardo." Soltei Katherine.

Um sorriso se formou naqueles lábios finos, um sorriso feroz. Vi quando a visão se esvaeceu, aqueles olhos vazados e aquele sorriso torto. Meu sorriso.

Ele jogara comigo. Vaguei durante anos sem nenhuma recordação dele, pensando ser ideia minha me afastar de Renar, pensando que a escolha era um símbolo de minha força e do meu propósito, deixar uma vingança vazia de lado em favor do verdadeiro caminho para o poder. E agora, à beira da morte, consegui recuperar o que foi tirado de mim. Recuperei ou recebi. Admirei Katherine. Ela parecia um anjo num local escuro. A lembrança me abandonou com um calafrio.

Peguei do chão o punhal de Katherine e parei. Eu a deixei no lugar em que ela caíra, ao lado da velhaca que eu havia estrangulado. A porta se abriu para um corredor, um que eu reconheci. O Lado Oeste, eu sabia onde estava. Ergui a faca até meus lábios e beijei a lâmina. Conde Renar e o mestre titereiro que puxara tantos cordões – uma lâmina afiada seria suficiente para ambos.

Para cada homem que o irmão Roddat matava de frente, ele esfaqueava três pelas costas. Roddat me ensinou tudo o que eu sei sobre fugas e esconderijos. Covardes merecem ser tratados com respeito. Covardes sabem mais sobre como machucar. Experimente só encurralar um covarde, por sua conta e risco.

TRILOGIA DOS ESPINHOS

PRINCE OF THORNS

42

Saia do meu caminho."

"Quem diabos..."

"Pelo amor de Deus! Você é aquele velho saco de verrugas que tentou me afastar da última vez!" Era ele mesmo. O fedor que saltara quando ele abriu a porta trouxe tudo de volta. "Estou surpreso que meu pai tenha deixado você viver."

"Quem..."

"Quem diabos sou eu? Não se lembra de mim? Da outra vez você também não se lembrou. Eu era mais baixo na época, deste tamanho." Fiz um gesto com a mão para demonstrar a altura. "Parece muito tempo para mim, mas você é um velho, e o que são três ou quatro anos para um velho?" Esbocei um cumprimento. "Príncipe Jorg ao seu dispor – ou melhor, ao meu. Da última vez eu caí fora daqui com um bando de foragidos. Desta vez eu só preciso de um cavaleiro, se você me permitir. Sir Makin de Trent."

"Devo chamar os guardas", ele disse, sem convicção.

"Por quê? O rei não prestou nenhuma queixa contra mim." Isso era um palpite, mas meu pai achava que tinha me acertado com um golpe mortal, então eu provavelmente estava certo. "Além do mais, você conseguiria apenas ser morto. E se está pensando naquele grandalhão com a lança, eu cravei a cabeça dele na parede não faz três minutos."

O carcereiro deu um passo para trás e me deixou passar, exatamente como fez quando eu era um menino e Lundist me acompanhava. Naquela ocasião eu o atingi quando saímos. Uma vez no estômago e um segundo golpe em sua nuca, quando ele se dobrou. Por um instante considerei terminar o trabalho com a faca de Katherine, mas era uma boa ideia deixar carcereiros incompetentes viverem.

Peguei suas chaves e andei pelo corredor, com a faca em punho. Preferia estar com minha espada, eu me sentia nu sem ela. Minha mente sempre se voltava para sua ausência, para a falta de peso em meus quadris, como uma língua que retorna a uma cavidade superestimando a perda do dente.

Makin colocou essa espada em minhas mãos no dia em que me encontrou. Como capitão da guarda em busca do herdeiro ele tinha o direito de carregá-la. Eu a mantive por perto desde então, a lâmina da família, aço dos Construtores.

Encontrei o caminho para a câmara de torturas onde vi o nubano pela primeira vez. A mesa no centro estava vazia. Não havia rostos nos postigos das celas. Eu fiz um circuito lento, dirigindo o facho de minha lanterna para cada cela. A primeira continha um cadáver, ou alguém tão próximo da morte que não passava de um saco de ossos. As três celas seguintes estavam vazias. A quinta detinha Sir Makin. Estava sentado contra a parede do fundo, barbado e besuntado de fedor. Uma das mãos, erguida, protegia seus olhos da luz. Senti uma dor no fundo de minha garganta. Não sabia por que, mas senti. Raiva em meu estômago, e uma dor ácida em minha garganta.

"Makin. Ei, meu irmão." Calmo.

"O quê..." Um resmungo, o som de algo quebrado.

"Vou para a estrada de novo, irmão Makin. Tenho negócios ao sul."

Coloquei a chave na fechadura. Um tremor de leve, um chocalhar sutil.

"Jorg?" Um soluço úmido, meio engasgado. "Ele matou você, príncipe. Seu próprio pai."

"Morrerei quando estiver pronto."

A chave girou e a porta se abriu sem resistência. O fedor piorou.

"Jorg?" Makin deixou sua mão cair. Tinham feito uma bagunça com o rosto dele. "Não! Você está morto. Eu vi quando você caiu."

"Está bem, estou morto e você está sonhando. Agora quer levantar essa bunda antes que eu tenha que ir aí chutá-la? Pelo cheiro não sobrou muita merda dentro de você."

Isso o atingiu. Ele tentou se levantar, raspando os dedos pela parede.

Não perdi tempo pensando em que estado ele deveria estar. Para mim era como se eu tivesse recebido a facada de meu pai ontem mesmo. A barba de Makin dizia que semanas se passaram, no mínimo.

Ele se levantou com dificuldade e suas pernas falharam.

Dei dois passos até ele.

O castelo do conde ficava no fim de um travessia difícil, de mais de cento e sessenta quilômetros à nossa frente, passando pelos campos de Ancrath e chegando às Terras Altas de Renar. Ele jamais conseguiria.

Makin escorregou até o chão, gemendo. "Você está morto, de qualquer forma." O seu olho bom reluziu com lágrimas.

Jogue. Sacrifique o cavalo, tome a torre. Aquela voz seca de novo. Estava cansado de escutá-la, já não sabia se ela era minha ou de Corion. De qualquer maneira, eu precisava abandoná-lo.

"Você teve uma chance, Makin. Isso é duas vezes mais do que a maioria dos filhos da puta consegue a vida inteira." O facho da lanterna balançava de uma parede à outra. "Morto ou não, vou deixar você aqui se não conseguir ficar de pé e me seguir. Não seria o primeiro homem que deixo aqui para morrer. Deixei um homem que eu deveria amar. Posso deixar você aqui sem pestanejar."

Ele se levantou, furioso pelo medo ou seja lá pelo que for, mas seu braço se curvou e seu pé deslizou sobre o esterco.

Dei às costas e comecei a andar. Dois passos após a porta eu parei.

"Lundist morreu aqui." Falei mais alto do que devia, gastando ar com besteiras. "Neste canto." Bati o pé no lugar. "Eu o deixei sangrando."

Nada veio da escuridão da cela.

Eu fora gentil com Katherine, mas sem nenhum prejuízo real. Aquilo era diferente. Eles quebraram Makin, ele não podia fazer nada além de me atrasar na ocasião em que eu mais precisava ser veloz.

Fui em direção à saída.

"Não..."

Não o deixe implorar.

"Não... ele não morreu ali." A voz de Makin saiu um pouco mais forte.

"O quê?"

"Ele levou uma bela pancada."

Sons de movimentos na escuridão.

"Uma pancada, e nada mais. Nada além de uma contusão para mostrar no dia seguinte."

"Lundist está vivo?"

"Seu pai mandou executá-lo, Jorg." Makin foi até a luz, agarrando o batente da porta. "Ele falhou em proteger você, foi o que seu pai disse." Makin cuspiu um troço negro no chão. "O mais provável é que ele não tinha o que fazer com um tutor depois que seu filho fugiu. É assim que o rei tem atuado por todos esses anos. Quando uma coisa não tem mais utilidade que ela seja jogada fora."

Makin esboçou um sorriso. "Diabos, mas é muito bom te ver, garoto."

Eu o observei por um instante. Vi seu sorriso morrer e ser substituído por uma incerteza que se espelhava na minha.

Eu deveria deixá-lo. Na verdade eu deveria matá-lo e evitar nós desatados.

Não olhei para minha faca. Nunca se tira os olhos do alvo, mesmo quando este é um homem como Makin, no estado em que ele se encontrava. Mas eu sabia onde minha faca estava. Na minha mente, podia ver o brilho onde a faca cortava o facho de luz da lanterna. Makin tampouco olhou para ela. Ele sabia que não se deve demonstrar fraqueza para a víbora. Nada melhor do que uma oportunidade para fazer um homem se decidir.

Meu pai o deixaria. Morto.

A criatura na qual Corion tinha escolhido em me forjar, sua ferramenta, sua peça no jogo dos tronos, jamais havia se aproximado para saborear o fedor dos calabouços.

Mas e quanto a Jorg?

“Sou o filho do meu pai, Makin.”

“Eu sei.” Ele suplicou. Admirava isso nele. Eu escolhia bem minhas peças.

A faca ardia como ferro quente em meu punho. Eu me odiava por aquilo que estava pronto para fazer e também por hesitar. Odiava minhas fraquezas.

Por um instante vi o nubano, apenas a linha branca dos seus dentes, e a escuridão de seus olhos me observando do mesmo jeito que ele me olhava desde o dia em que nos encontramos.

Makin aproveitou o momento. Um chute veloz atingiu minhas pernas por baixo. Ele se atirou com todo o peso que ainda restava em seu corpo e fez um sanduíche com minha cabeça, imprensada entre os ladrilhos e o seu pulso. Um soco foi o suficiente para me mandar de volta ao lugar de onde eu havia escapado, no quarto de Katherine.

Shakespeare dizia que o hábito revela o homem. As roupas certas poderiam fazer do irmão Sim um menino, jovem demais para se barbear, até um ancião, velho demais para que lhe permitissem fazer a barba. Ele sabia se passar por uma garota também, ainda que este fosse um talento perigoso para quem vive na estrada e que ele reservava apenas para alvos que não conseguiam ser atingidos de outra forma. O jovem Sim é esquecível. Quando ele sai, eu me esqueço de sua aparência. Às vezes acho que, de todos os meus irmãos, Sim é o mais perigoso.

43

"Explique de novo." Makin se inclinou na sela para se fazer ouvir acima do ruído da chuva. "Seu pai o esfaqueia, mas é para o castelo do Conde Renar que nós estamos indo para que você possa se vingar?"

"Sim."

"E nem mesmo estamos indo atrás do conde. Não dele, que mandou matar sua santa mãezinha, mas de um velho feiticeiro?"

"Isso."

"Que manteve você e o nubano à mercê dele da primeira vez que você fugiu de casa. E que deixou vocês escaparem sem fazer nada, além de lhes dar uma surra?"

"Acho que ele colocou um feitiço na balestra do nubano", eu disse.

"Bem, se colocou, deve ter sido para evitar perder a arma. O nubano conseguia parar qualquer exército com aquela coisa. Era só encontrar o ponto certo."

"O nubano não era de perder muitas coisas, verdade seja dita", eu disse.

"Então?"

"Então?"

"Então eu não entendo por que estamos debaixo dessa chuva torrencial, em cima desses pangarés roubados, cavalgando em direção ao pior tipo de perigo que existe."

Cocei meu queixo onde ele me acertara. Estava dolorido. O frio da chuva não ajudava muito.

"O que move o mundo, Makin?"

Ele olhou para mim, seus olhos apertados contra a umidade do vento.

"Nunca tive tempo para os seus filósofos, Jorg. Sou um soldado e ponto final."

"Então você é um soldado. O que move o mundo?"

"A guerra." Ele levou a mão ao punho de sua espada, inconscientemente. "A Guerra Centenária."

"E o que move a Guerra Centenária, soldado?", perguntei.

"Uma centena de nobres herdeiros, lutando por diversas terras pelo trono do Império."

"Foi o que sempre imaginei", eu disse.

A chuva caía ainda mais forte, ferroando o dorso de minhas mãos como se carregasse gelo. Mais à frente, num lugar onde a estrada bifurcava, eu enxergava um brilho – três, para ser exato, três manchas de luz cálida.

"Taberna à nossa frente." Cuspi um pouco d'água.

"Então não estamos lutando pelo Império?" Makin manteve o ritmo, ainda que seu cavalo escorregasse na lama torrencial junto à estrada.

"Matei Price aqui", eu disse. "Fora dessa estalagem. Que se chamava Os Três Sapos naquele tempo."

"Price?"

"O irmão mais velho do Pequeno Rikey", eu disse. "Você não chegou a conhecer. Perto dele Rike era um cavalheiro."

"Ah, sim, eu me lembro da história. Os irmãos me contaram uma ou duas vezes, quando Rike estava longe, na cama de alguma puta."

Chegamos na estalagem. Ainda se chamava Os Três Sapos, se é que a placa ainda valia alguma coisa.

"Aposto que eles não contaram toda a história."

"Quebrou a cabeça dele com uma pedra, não foi? Agora que você mencionou, nenhum deles falava com muito entusiasmo sobre isso", ele disse.

"Eu e o nubano voltávamos das Terras Altas. Não falamos nada durante todo o caminho. Eu carregava Corion em minha mente, ou um toque dele, como um buraco negro por trás dos meus olhos."

"Não esperávamos ver os irmãos. Combinamos de nos encontrar uma semana antes, do outro lado de Ancrath. Mas eu cobrei uma dívida do nubano e nós sumimos."

"Enfim, eles estavam lá. Uma fileira de cavalos na estrada, a chama apenas começando a lamber a palha. Burlow estava perto daquela árvore ali, com seu barril de cerveja particular. O jovem Sim, com o machado para cima, perseguia um porco. E Price sai da taberna, encurvado para passar pela porta, a fumaça ao seu redor como se ele fosse o Diabo em pessoa. Arrastava o taberneiro, uma mão em volta do pescoço do sujeito, sem asfixiá-lo. Veja bem: a mão de Price conseguia dar uma volta completa no pescoço de um homem – e com folga."

"Price me vê e é como se algo explodisse dentro dele. Ele bateu com o taberneiro contra o dormente da porta e tivemos cérebro espalhado para todos os lados. Ele mantém seus olhos fixos em mim o tempo todo."

"'Seu filho da mãe. Eu vou arregaçar você todinho', ele me disse."

"Ele não gritou, mas não houve irmão que não o tivesse ouvido. Eu e o nubano estávamos a uns trinta metros e foi como se ele assoviasse dentro do meu ouvido."

"'Com uma balestra dessas, aposto que você conseguiria acertá-lo daqui, bem no meio da testa', eu disse ao nubano."

"'Não', ele respondeu. Ainda que não soasse como o nubano. Ele falava com uma voz seca que eu ouvira anteriormente. 'Eles precisam ver você acabar com a raça dele.'"

"Price veio a passos largos. Eu não tinha ilusões de que conseguiria detê-lo, mas correr não era uma opção, então pensei que talvez tivesse uma chance."

"Peguei uma pedra. Uma pedra bem lisa. Ela cabia em minha mão como se tivesse sido feita para mim."

"'Davi tinha uma funda', disse Price. Ele abriu um sorriso medonho."

"'Golias merecia.'"

"Ele continuava andando, mas trinta metros nunca pareceram tão curtos."

"'O que irritou você? Sentiu muitas saudades do nubano?' Pensei que pelo menos deveria descobrir por que eu iria morrer."

"'Eu...' Ele ficou pasmo com a pergunta. Tinha um olhar distante, como se tentasse enxergar algo que eu não conseguia ver."

"Aproveitei o momento para arremessar. Com uma pedra daquelas, fica impossível errar o alvo. Acertei no olho direito dele. Bem forte. Até um monstro como Price presta atenção nessas coisas. Ele soltou um uivo pavoroso. Você se borraria todo se ouvisse aquilo, Makin, se soubesse que ele estava atrás de você."

"Então eu me agachei e minhas mãos encontraram mais algumas pedras, cada uma tão perfeita quanto a primeira."

"Price ainda dava saltos de dor, pressionando seu olho com uma das mãos, uma gosma vazando entre seus dedos."

"'Ei, Golias!'"

"'Isso chamou a atenção dele. Estiquei meu braço e lancei a segunda pedra. Acertei seu olho bom. Ele rugiu como um animal enfurecido e atacou. Fiz a última pedra atravessar seus dentes da frente e descer pela goela."

"Foram todos arremessos impossíveis, Makin, de verdade. Nem sorte, impossível. Nunca mais arremessei assim desde então."

"Bem, eu saí do seu caminho enquanto ele tropeçava por dez metros antes de cair, sufocado. Acertei aquela terceira pedra em cheio na traqueia."

"Catei a maior pedra que consegui naquele muro ali e fui atrás dele. Price provavelmente morreria asfixiado por conta própria. Estava com aquela aparência púrpura dos enforcados quando cheguei até ele. Mas não gosto de deixar as coisas na mão do destino."

"Ele estava de quatro, cego. E fedia, imundo de todas as formas possíveis. Quase senti pena do filho da puta."

"Eu não imaginava esmagar seu crânio de primeira. Mas esmaguei."

Makin desmontou do cavalo e ficou com lama até os tornozelos. "Podíamos entrar."

Não sentia mais a chuva. Sentia o calor daquele dia em que matei Price. A suavidade das pedras pequenas, o peso abrutalhado da rocha que usei para encerrar o trabalho.

"Foi Corion que guiou minha mão. E acho que foi Sageous que pôs Price contra mim. Meu pai considera que o bruxo dos sonhos serve a ele, mas não é bem assim. Sageous viu que Corion tinha afundado suas garras em mim, viu que havia perdido o herdeiro de seu novo peão, então ele contaminou os sonhos de Price e atiçou o ódio que havia dentro dele. Não precisou se esforçar muito."

"Eles jogam conosco, Makin. Somos peças em seu tabuleiro."

Ele sorriu, com lábios rasgados. "Somos todos peças no tabuleiro de alguém, Jorg." Ele foi até a porta da taberna. "Você jogou comigo, com muita frequência."

Eu o segui rumo ao cheiro forte do salão principal. A lareira continha apenas uma peça de lenha, que chiava e produzia mais fumaça do que calor. O pequeno bar atendia uma dúzia de fregueses. Pela aparência deles eram todos locais.

"Ah! O aroma de camponeses molhados." Atirei meu manto ensopado sobre a mesa mais próxima. "Nada se compara."

"Cerveja!" Makin puxou um banco. Um clarão começou a se abrir a nossa volta.

"Carne também", eu disse. "De vaca. Da última vez que vim aqui nos serviram cachorro assado e o taberneiro morreu." Isso tudo era verdade, ainda que não nessa ordem.

"Então", disse Makin. "Esse Corion apenas estalou os dedos no primeiro encontro e você e o nubano se ajoelharam. O que pode impedir que ele faça o mesmo de novo?"

"Talvez nada."

"Até um apostador gosta de ter chances, príncipe." Makin pegou duas jarras de vidro com a criada, ambas com o colarinho transbordando.

"Cresci um pouco desde o último encontro", eu disse. "Sageous não me achou tão bobo assim."

Makin deu um gole profundo.

"E tem mais. Eu roubei algo daquele necromante." Senti o gosto amargo daquele coração em minha língua. Dei um gole em minha jarra. "Arranquei um bom pedaço para mastigar. Eu possuo uma pitada de magia aqui dentro, Makin. Seja lá o que for que corra nas veias daquela vadia que matou o nubano, e daquela garotinha também, a que corria com monstros, sabe-se lá o que a fazia brilhar – bem, eu carrego um pouco dessa faísca agora."

Makin limpou a espuma do bigode que deixara crescer no calabouço. Ele deixou aparente sua descrença ao erguer, minimamente, uma sobrancelha. Eu puxei minha camisa. Bem, não era exatamente minha camisa, mas algo que Katherine deve ter escolhido para mim. No lugar em que a faca do meu pai encontrou minha pele, uma fina cicatriz negra jazia sobre meu tórax sem pelos. Veias pretas saíam do ferimento e se espalhavam sobre minhas costelas e minha garganta.

"Meu pai pode ser tudo, mas ele não é um inepto", eu disse. "Eu devia estar morto."

44

O castelo é conhecido como "O Assombrado". Quando se cavalga acima do vale, ao anoitecer, com o sol se pondo por trás das torres, você descobre o porquê. O lugar possui aquele ar maligno clássico. As janelas altas são escuras, a vila abaixo dos portões fica soterrada pela penumbra, as bandeiras hasteadas sem vida. O lugar traz à mente uma caveira vazia. Sem o sorriso festivo.

"Então, qual é o plano?", Makin perguntou.

Respondi com um sorriso. Emparelhamos os cavalos na estrada, após ultrapassarmos um vagão que rangia levando uma carga de barris.

"Pelo jeito nós chegamos bem a tempo do torneio", disse Makin. "Isso é uma coisa boa ou ruim?"

"Bem, nós viemos participar de um teste de força, não foi?" Eu tentava alcançar as bandeirolas nos pavilhões enfileirados do lado oeste da arena do torneio. "Melhor ficarmos incógnitos por enquanto."

"Então, a respeito do plano..." O trovão disperso de cascos se aproximando interrompeu seu raciocínio.

Olhamos sobre nossos ombros. Um grupo de cavaleiros se aproximava velozmente, uma meia dúzia, o líder numa armadura completa, projetando longas sombras atrás de si.

"Uma bela armadura de torneio." Conduzi meu pangaré para o meio da estrada.

"Jorg..." Aquele era o dia de interromper Makin.

"Abram caminho!" O líder dos cavaleiros berrou alto o suficiente, mas eu preferi não escutá-lo.

"Abram caminho, camponeses!" Ele veio para cima em vez de nos contornar. Cinco homens o acompanhavam, uma tropa particular numa fila indiana. Seus cavalos espumavam.

"Camponeses?" Sabia que estávamos maltrapilhos, mas nós não passaríamos por camponeses. Meus dedos acharam o espaço vazio onde minha espada costumava se encontrar. "E por quem deveríamos abrir caminho?" Reconheci o brasão, mas perguntei apenas para insultá-los.

O homem à esquerda do cavaleiro falou. "Sir Alain Kennick, herdeiro do Condado de Kennick, cavaleiro da longa..."

"Sei, sei." Ergui a mão. O homem se calou e fixou um pálido olhar em mim, por baixo da viseira de seu elmo de ferro. "Herdeiro do baronato de Kennick. Filho do notoriamente covarde Barão de Kennick." Eu cocei meu queixo, esperando que aquela fuligem conseguisse se passar por uma barba por fazer na luz poente. "Mas estas são as terras de Renar. Pensei que os homens de Kennick não fossem bem-vindos aqui."

Alain sacou sua espada, uma lâmina de um metro e vinte de aço dos Construtores, afiada a ponto de cortar os céus.

"Não vou debater na estrada com um garoto camponês!" Sua voz escondia certa lamúria. Ele levantou sua viseira e então tomou as rédeas.

"Ouvi dizer que o barão e o Conde Renar esqueceram suas diferenças depois que Marclos conseguiu ser morto", disse Makin. Sabia que ele mantinha a mão no porrete que nós herdamos junto com os cavalos. “Barão Kennick retirou as acusações de que Renar estava por trás do incêndio de Mabberton.”

“Para falar a verdade fui eu quem incendiou Mabberton”, eu disse. Era um palpite, na verdade. Posso ter sido aquele que levou a tocha até a palha. Parecia uma boa ideia na hora. Mas de quem era aquela boa ideia? Talvez de Corion.

“Você?” Alain bufou.

“Dei uma ajudinha na morte de Marclos também”, eu disse. Mantive os olhos nele e aproximei meu cavalo. Sem armas ou armadura eu não parecia oferecer grande ameaça.

“Ouvi dizer que o Príncipe de Ancrath derrubou a coluna de Marclos com uma dúzia de homens”, Makin completou.

“Éramos uma dúzia completa, Sir Makin?”, perguntei do meu jeito mais cordial. Mantinha meus olhos em Alain e ignorava seus homens. “Talvez fôssemos. Bem, não interessa, eu prefiro esta proporção.”

“Que diabos...” Alain espiava para ambos os lados onde a cerca viva efervescia em possibilidades.

“Preocupado com uma emboscada, Alain?”, perguntei. “Você acha que o Príncipe Honório Jorg Ancrath e o capitão da guarda de seu pai não conseguiriam abater seis vira-latas dos Kennick na estrada?”

Seja lá no que for que Alain estivesse pensando eu podia notar que seus homens ouviram histórias sobre Norwood. Eles ouviram falar do Príncipe Louco e seus cães de caça. Ouviram falar de como os guerreiros maltrapilhos irromperam das ruínas, mantiveram-se firmes e venceram uma força com um número de homens dez vezes maior.

Algo grunhiu no escuro à nossa direita. Se os homens de Alain ainda tinham alguma dúvida de que estavam sendo observados por bandidos à espreita o gemido de algum pequeno animal caçando insetos foi o suficiente para convencê-los.

“Agora! Ataquem!” Eu gritei para aproveitar minha emboscada inexistente e voei de minha sela, derrubando Alain de seu cavalo.

Alain abandonou qualquer resistência assim que caímos no gramado, o que foi uma coisa boa, já que a queda tirara todo o meu fôlego e o choque de nossas cabeças me fez ver estrelas.

Ouvi a pancada do porrete de Makin e o baque dos cascos recuando. Com um suspiro e o tinir do metal eu me desvencilhei de Alain.

"Melhor sairmos daqui rápido, Jorg." Makin se preparava para fugir após o mais breve dos combates. "Não vai demorar muito até eles se darem conta de que estamos sozinhos."

Encontrei a espada de Alain. "Eles não voltarão."

Makin franziu a testa. "Dar uma cabeçada num cavaleiro usando um elmo embaralhou seu cérebro?"

Eu esfreguei bem no ponto em que sentia dor. Meus dedos voltaram sujos de sangue.

"Capturamos Alain. Um refém, ou um cadáver. Eles não sabem bem qual dos dois."

"Para mim ele parece morto", disse Makin.

"Pescoço quebrado, acho. Mas isso não importa. O que importa é que eles sabem que não conseguirão salvá-lo, então devem estar preocupados com a própria fuga. Esses rapazes não têm mais como voltar para Kennick. Tampouco serão bem-vindos no Assombrado. Eles sabem que Renar não vai querer tomar parte nessa história."

"E a gente faz o que agora?"

"A gente se livra dele na estrada. Aquele vagão de cerveja vai chegar aqui em poucos minutos." Olhei para a estrada adiante. "Amarre-o ao cavalo. Vamos arrastá-lo até o campo de trigo."

Tiramos a armadura dele no escuro, na plantação de trigo ainda úmida pela chuva daquele dia. Ele fedia um pouco. Alain havia se sujado ao morrer – mas ela cabia bem em mim, talvez estivesse só um pouco larga em volta da cintura.

"O que você acha?" Dei um passo atrás para que Makin pudesse me admirar.

"Não vejo porra nenhuma."

"Ficou bem, confie no que eu digo." Comecei a sacar a espada de Alain, então a empurrei de volta para a bainha. "Acho melhor esquecer a justa."

"Sábia decisão."

"O Grande Torneio faz mais meu estilo. E o vencedor recebe o prêmio das mãos do próprio Conde Renar!"

"Isso não é um plano. É um jeito tão estúpido de morrer que os bêbados das cervejarias vão rir dessa história nas próximas centenas de anos", disse Makin.

Fui rangendo de volta à estrada, guiando o cavalo de Alain.

"Você está certo, Makin, mas eu estou ficando sem opções."

"Nós podíamos cair na estrada de novo. Juntamos um pouco de ouro, depois um pouco mais, o suficiente para viver em algum lugar onde nunca ouviram falar de Ancrath." Eu conseguia ver uma vontade em seus olhos. Uma parte dele realmente falava a sério.

Abri um sorriso. "As opções podem fugir de mim, mas fugir não é uma opção. Não para mim."

Cavalgamos em direção ao Assombrado. Devagar. Não queria visitar a arena do torneio por enquanto. Não tínhamos uma tenda para armar e as cores de Kennick iriam me afogar inevitavelmente numa mentira mais profunda do que meus talentos como ator poderiam suportar.

Quando saímos da arena e chegamos a um amontoado de casas próximas dos muros do castelo um cavaleiro sentinela se aproximou de nós puxando as rédeas.

"Bem-vindo, sir...?" Parecia estar sem fôlego.

"Alain de Kennick", informei.

"Kennick? Eu pensei..."

"Temos uma aliança agora, Renar e Kennick são grandes amigos hoje em dia."

"Uma boa notícia. Um homem precisa de amigos nos dias de hoje", disse o cavaleiro. "Sir Keldon, a propósito. Estou aqui para competir. O Conde Renar oferece valores generosos a quem souber manejar uma lança."

"Foi o que ouvi", eu disse.

Sir Keldon seguiu ao nosso lado. "Que bom que já saímos das planícies", ele disse. "Elas estão cheias dos homens de Ancrath."

"Ancrath?" Makin não conseguiu esconder o tom alarmante de sua voz.

"Não ouviu?" Sir Keldon sorriu de volta, na escuridão da noite. "Dizem que o Rei Olidan está reunindo seus exércitos. Ninguém sabe ao certo onde será o ataque, mas ele já acionou a Guarda da Floresta. A maioria deles está por aqueles cantos, se não estou enganado!" Ele apontou um dedo enluvado por cima do ombro. "E você sabe o que eles fizeram com Gelleth!" Ele passou o dedo em riste pela própria garganta.

Alcançamos a encruzilhada no centro da vila. Sir Keldon virou seu cavalo para a esquerda. "Vocês estão indo para a arena?"

"Não, temos que prestar condolências." Acenei em direção ao Assombrado. "Boa sorte amanhã."

"Obrigado."

Nós o vimos partir.

Virei o cavalo de Alain de volta às planícies.

"Não íamos prestar condolências?", perguntou Makin.

"Nós vamos", eu disse.

Bati os calcanhares para fazer meu corcel trotar. "Ao mestre da guarda Coddin."

45

Eu gosto de montanhas, sempre gostei. Pedaços enormes de rocha obstinados, amontoados onde não são desejados e se metendo no caminho dos outros. Ótimo. Escalar montanhas já é um outro assunto. Simplesmente odeio.

“Do que adianta roubar um cavalo se eu preciso arrastar o maldito em qualquer ladeirinha de merda que encontramos pelo caminho?”

“Para ser justo, príncipe, isto aqui mais parece um precipício”, disse Makin.

“A culpa é de Sir Alain por ser o dono de um cavalo deficiente. Eu deveria ter ficado com o pangaré que me trouxe até aqui.”

Nenhuma resposta, além da respiração pesada de Makin.

“Preciso ter uma palavrinha com o Barão Kennick a respeito de seu filho qualquer dia desses”, falei.

Nesse momento, uma pedra girou embaixo do meu pé e senti os efeitos da armadura incompleta que estava usando.

"Parados! Temos três arqueiros mirando em cada um de vocês." A voz veio de trás do declive, um pouco além, onde a lua mal conseguia iluminar as pedras amontoadas.

Makin se endireitou bem devagar, calmo, e eu tive que encontrar sozinho um chão para meus pés.

"Essa voz me parece ser a de um legítimo homem de Ancrath", eu disse, alto o suficiente para superar a distância. "Se você vai atirar em alguém eu poderia sugerir este cavalo aqui. Ele é um alvo melhor e um preguiçoso de marca maior."

"Joguem suas espadas no chão."

"Nós dois só temos uma espada", eu disse. "E não estou inclinado a perdê-la. Então vamos esquecer tudo isso e vocês podem nos levar para ver o mestre da guarda."

"No chão..."

"Sim, sim, você já disse isso. Olhe." Eu permaneci de pé e me virei para encontrar a luz da lua. "Príncipe Jorg. Sou eu. Eu empurrei o último mestre da guarda na cachoeira. Agora me levem até Coddin antes que eu perca meu notório bom-humor."

Chegamos a um entendimento e, sem perder tempo, eu tinha dois homens guiando o cavalo de Alain e um terceiro iluminando o nosso caminho com um lampião.

Fomos levados até um acampamento, três quilômetros adiante. Havia cinquenta homens amontoados numa depressão na base de uma colina – a Colina Brot, de acordo com o líder do bando que nos guiava. Bom saber que alguém por ali não estava perdido.

As sentinelas nos trouxeram após sinalizar com assobios aos guardas. O acampamento estava às escuras, o que era uma medida sensata, dado que estavam a dezesseis quilômetros do Assombrado.

Nós saltávamos sobre os guardas adormecidos, tropeçando em sujeitos de várias barracas armadas no caminho.

"Acendam as luzes!" Fiz bastante barulho para acordar os dorminhocos. Um príncipe merece uma certa fanfarra, ainda que ele mesmo tenha que providenciá-la. "Luzes! Renar nem ao menos sabe que vocês já cruzaram a fronteira, ele está oferecendo um torneio nas sombras dos seus muros, pelo amor de Deus!"

"Vamos ver." Reconheci aquela voz.

"Coddin. Você veio!"

Lanternas começaram a ser acesas. Vaga-lumes despertando no meio da noite.

"Seu pai insistiu, Príncipe Jorg." O mestre da guarda agachou-se para sair da sua barraca, nenhum traço de bom-humor em sua expressão. "Devo levar sua cabeça de volta, e apenas ela."

"Eu me ofereço para decapitá-lo!" Rike deu um passo até o facho de luz de uma lanterna e estava maior do que eu me lembrava, como sempre.

Homens andavam ao seu lado e Gorgoth surgiu da escuridão, imenso, ainda maior que Rike, suas costelas atravessando seu tórax como garras afiadas. "Príncipe das Trevas, um acerto de contas se faz necessário."

"Minha cabeça?" Levei minha mão à garganta. "Pretendo ficar com ela." Ao me virar, dei de cara com Burlow, o Gordo, aproximando-se com um pão em cada uma das mãos.

"Acredito que meus dias de agradar o Rei Olidan acabaram", eu disse. "Na verdade estou até cansado de esperar que ele morra. A próxima vitória que eu conseguir será em meu nome. O próximo tesouro que eu confiscar ficará nestas mãos e nas mãos daqueles que me servirem."

Gorgoth me olhava, impassível, debaixo da sua sombra, e o pequeno Gog me observava. Elban e Mentiroso usaram os cotovelos para abrir espaço entre o círculo cada vez mais cheio de sentinelas.

"E que tesouro será esse, Chorg?", perguntou Elban.

"Você verá quando o sol nascer, meu velho", eu disse. "Estou tomando as Terras Altas de Renar."

"Já falei que vamos levá-lo." Rike se agigantava atrás de mim. "Pagarão um bom preço por sua cabeça. Um preço principesco!" Ele gargalhou com sua própria piada, tossindo aquela espinha de peixe de novo, o velho "*hur! hur! hur!*".

"Engraçado você mencionar preço, irmão." Continuei de costas para ele. "Outro dia mesmo estive contando para Makin o que aconteceu nos Três Sapos."

Meu comentário interrompeu as gargalhadas dele.

"Não vou mentir para vocês, não vai ser fácil." Lenta e tranquilamente eu me virei para encarar todo um círculo de rostos. "Eu vou tomar o Condado de Renar e transformá-lo no meu reino. Os homens que me ajudarem serão cavaleiros de minha távola."

Encontrei Coddin na multidão. Ele trouxera os irmãos até mim durante o auge do meu discurso, mas o quão longe ele me seguiria era outra história: ele era um homem difícil de prever.

"O que você diz, mestre da guarda? Será que a Guarda da Floresta seguirá seu príncipe mais uma vez? Ela derramará sangue em nome da vingança? Vocês buscarão acertar as contas pela morte de minha mãe, a rainha? Pela morte de meu irmão, que haveria de sentar no trono de Ancrath caso eu sucumbisse?"

O único movimento em Coddin era o lampejar da lanterna sobre os traços do seu rosto. Depois de uma longa espera ele falou. "Eu vi Gelleth. Eu vi o Castelo Vermelho e o sol trazido às montanhas para incendiar as rochas. Trabalhos poderosos."

Em volta do círculo, os homens consentiam, pisavam com força, como um carimbo de aprovação. Coddin ergueu a mão.

"Mas a marca de um rei é ser visto junto àqueles que estão próximos a ele. Um rei precisa ser um profeta em sua terra natal", ele disse.

Não gostava do rumo que aquele discurso estava tomando.

"A guarda servirá se aqueles... irmãos da estrada ficarem do seu lado depois que você contar qual será a tarefa deles", ele disse, com os olhos em cima de mim o tempo todo, fixos e tranquilos.

Eu dei mais uma meia-volta até Rike preencher minha visão, meus olhos na altura do seu peito. Ele fedia à coisa podre.

"Jesus Cristo, Rike, você cheira como um monte de esterco estragado."

"O quê..." Ele franziu a testa e estocou um dedo em riste na direção de Coddin. "Ele disse que você precisa dos irmãos para vencer. E é aí que eu entro. Os irmãos só fazem o que eu digo agora." Ele abriu um sorriso, mostrando os vãos onde ficavam dentes que eu arrebentei sob o Monte Honas.

"Eu disse que não mentiria para vocês." Abri minhas mãos. "Estou farto de mentir. Vocês são meus irmãos. O pedido que vou fazer pode levar a maioria para debaixo da terra." Franzi os lábios como se considerasse. "Não, não posso pedir isso."

Rike fechou ainda mais o rosto. "O que você não pode pedir, sua raposa traidora?"

Toquei no meu peito com dois dedos. "Meu próprio pai me esfaqueou, Pequeno Rikey. Aqui. Uma coisa dessas emociona qualquer um."

"Leve os irmãos para a estrada. Vocês quebram algumas cabeças, esvaziam alguns barris e que o anjo padroeiro dos vagabundos encha suas mãos de prata", eu disse.

"Você quer que a gente vá embora?" Ele disse as palavras bem devagar.

"Eu iria para a Costa Equina", disse. "É por ali." Apontei.

"E o que você vai fazer?", perguntou Rike.

"Irei com o mestre da guarda Coddin. Talvez eu consiga fazer as pazes com o meu pai."

"Nem fodendo que você consegue!" Rike acertou Burlow no braço, sem nenhuma maldade, apenas uma erupção de seu estado natural de violência. "Você tem tudo planejado, seu pequeno filho da mãe. Sempre jogando os dados, sempre guardando os ases na manga. Vamos penar na terra e na lama até a Costa Equina, e você vai aproveitar a vida aqui, bebendo em taças de ouro e limpando a bunda com toalhas de seda. Vou ficar aqui mesmo, onde eu posso te ver, até conseguir o que é meu."

"Estou pedindo a você como a um irmão, seu saco de estrume medonho, saia agora enquanto você tem uma chance", eu disse.

"Nem fodendo." Rike se permitiu abrir um sorriso triunfante.

Eu desisti dele.

"Os homens de Coddin não conseguem chegar tão perto do torneio. Homens como nós, entretanto, conseguem passar despercebidos pelas revistas das tropas. Ficamos à espreita nas esquinas de qualquer lugar onde haja sangue, dinheiro e carne feminina. Os irmãos conseguem se espalhar na multidão durante os torneios sem serem vistos."

"Quando eu agir preciso que vocês esperem até que a guarda nos alcance. Preciso que vocês segurem os portões do Assombrado. Apenas por uns minutos, mas vocês não podem errar; serão os minutos mais encarniçados que vocês jamais viram."

"Está certo", disse Rike.

"Está certo." Makin ergueu seu porrete.

"Está certo!" Elban, Burlow, Mentiroso, Algazarra, Kent, o Rubro, e mais uma dúzia de irmãos me deram a deixa.

Eu encarei Coddin mais uma vez.

"Acho que está tudo certo", eu disse.

PRINCE OF THORNS

46

"Sir Alain, herdeiro do baronato de Kennick."

E lá fui eu, cavalgando para tomar meu lugar no torneio, acompanhado por uma salva de aplausos fria e dispersa.

"Sir Arkle, terceiro filho de Lorde Merk." A voz do apresentador anunciou novamente.

Sir Arkle me seguiu na arena. Em sua mão havia um porrete de cavalaria. A maioria dos estreantes do torneio, o Grand Mêlée, tinha abridores de lata de um tipo ou de outro. O machado, a maça, o mangual, ferramentas para abrir armaduras ou quebrar os ossos encerrados dentro delas. Quando se luta com um homem trajando uma armadura completa, geralmente é uma simples questão de descer o cacete até ele ficar tão estropiado que você pode dar o golpe de misericórdia enfiando uma faca no espaço entre o protetor do pescoço e o peitoral ou ainda na fenda de olho do seu elmo.

Eu carregava minha espada. Bem, a espada de Alain. Se ele possuía uma espada mais adequada ao torneio então ele a deixou com seus guardas quando estes fugiram.

"Sir James de Hay."

Um homem enorme numa armadura batida, empunhando um machado, um espigão perfurador de aço ao contrário.

"William de Brond." Alto, um javali carmesim em seu escudo, um mangual com espetos.

Eles não paravam de chegar. Treze ao todo. Finalmente estávamos todos arrumados no campo de batalha. Treze da sorte. Cavaleiros de muitos reinos, enfeitados para a guerra. Silêncio, exceto pelo bufar gentil dos cavalos.

No canto extremo da arena, às sombras das muralhas do castelo, cinco fileiras de bancos, e no centro uma poltrona de encosto alto revestida em tecido púrpura do Império. O Conde Renar se levantou. Ao lado dele, num banco ordinário, Corion, um sujeito inexpressivo com o mesmo poder de atração de uma magnetita.

A duzentos passos, eu não conseguia enxergar nada do rosto de Renar, exceto o cintilar dos olhos debaixo de aros de ouro e uma mecha preta de seu cabelo.

"Lutem!" Renar ergueu seu braço, e o deixou cair.

Um cavaleiro tocou sua montaria com as esporas na direção do meu cavalo. Eu não registrara seu nome. Só escutei as apresentações posteriores à minha.

À nossa volta, homens desmontavam para duelar. Eu vi William de Brond arrancar um homem de sua sela com um giro de seu mangual.

Meu opositor tinha um porrete dentado, que segurava com firmeza em sua deslumbrante manopla de prata polida. Ele soltou um grito de guerra enquanto se aproximava, arrastando um porrete para aplicar um giro por cima da cabeça.

Fiquei em pé nos estribos e me inclinei em sua direção, o braço totalmente estendido. A espada de Alain encontrou o caminho através da grelha perfurada do elmo do cavaleiro.

"Rende-se?"

Ele não responderia, então eu o deixei escorregar da sela.

Outro cavaleiro se aproximou de mim, fazendo seu cavalo dar passos laterais para habilmente escapar do frenesi de Sir William. Ele nem sequer olhava para mim.

Na parte posterior do peitoral há um vão logo abaixo dos rins. Uma armadura decente possui uma cota de malha para cobrir todas as partes vitais que estejam expostas entre o peitoral e a sela. E a dele era assim. Mas o aço dos Construtores, com a ajuda de um pouco de músculos, corta através da malha. O homem caiu com uma vaga expressão de surpresa e me deixou de frente para William.

"Alain!" Ele soou como se todos os seus natais chegassem de uma só vez.

"Eu sei, também o odeio." Levantei meu visor.

O problema a respeito dos manguais é que você precisa mantê-los em movimento. Um ponto importante que Sir William se esqueceu ao se ver encarando um rosto desconhecido. Aproveitei a oportunidade para disparar o cavalo de Alain. A fera merece o crédito de ter sido rápida o suficiente para me permitir atravessar a guarda de Sir William com um metro e vinte de lâmina afiada.

Promover a carnificina no torneio não é tão comum assim. É raro um Grand Mêlée sem mortes, mas elas normalmente acontecem no dia seguinte, sob as facas dos cirurgiões. O adversário em geral está desmontado ou atordoado sobre a sela. Umas poucas fraturas e muitos hematomas são o prêmio de consolação normalmente distribuído entre os calouros que não venceram. Quando um cavaleiro fica com muita sede de sangue ele acabará encontrando com frequência os amigos e familiares de seu oponente em circunstâncias desagradáveis.

Eu, é claro, tinha uma maneira diferente de ver as coisas. Quanto menos homens armados e capacitados restassem após o torneio melhor. Além disso, uma espada não é uma arma para subjugar pela força. Ela é feita para matar – simples assim.

Sir Arkle investiu contra mim, galopando praticamente por toda a extensão do campo, um cavaleiro abatido que recobrara a vigília.

Conforme o cerco apertava, ele começou a sacudir sua maça num padrão estreito, fora de sincronia com o galope do seu cavalo. Aquilo parecia perigosamente bem-ensaiado.

Se a visão de um pesado cavalo de guerra batendo os cascos em sua direção não fizer com que pelo menos uma parte sua queira fugir então você já está morto. Não há como parar uma coisa dessas. Quatrocentos quilos de músculos e ossos, suando e ofegando enquanto disparam no seu caminho.

Rolei para fora da sela quando Sir Arkle chegou. Simplesmente não me abaixei. Ele estava pronto para isso. Eu caí. E sim, doeu. Mas não tanto a ponto de impedir que eu enfiasse a espada do velho Alain naquela mancha desfocada de pernas surradas que passava por mim.

Essa é outra coisa que não se faz num torneio. Você mira no homem, não no cavalo. Um cavalo de guerra treinado é assustadoramente caro e esteja certo de que, ao derrubar um desses, o dono virá atrás de você para cobrar o preço.

Fiz uma alavanca para me levantar, praguejando, coberto de sangue equino.

Sir Arkle estava caído sob seu corcel, mortalmente quieto e imóvel, em contraste aos relinchos e espasmos do cavalo.

Muitos animais sofrem maus-tratos terríveis em silêncio, mas quando eles resolvem reclamar não há como detê-los. Se você já ouviu os gritos de coelhos quando são abatidos à faca sabe bem que tipo de balbúrdia até mesmo as menores criaturas são capazes de fazer. Levou dois golpes para silenciar de vez o cavalo de Arkle. Mais dois para arrancar a cabeça dele, como um bônus.

Na hora que terminei eu me transformara no arquétipo do Cavaleiro Vermelho. Minha armadura brilhava com sangue arterial. Sentia o fedor da batalha em minhas narinas, sangue e bosta, seu sabor em meus lábios, sal e suor.

Não havia muitos de nós em pé no ringue do torneio. Sir James estava entre um monte de cavaleiros caídos no canto oposto da arena, golpeando um homem numa armadura de bronze queimado. Bem mais perto de mim, um cavaleiro desmontado, empunhando um martelo de guerra, acabara de apagar seu oponente. E só.

O homem do martelo veio mancando em minha direção, as placas de ferro em volta dos joelhos rangiam, amassadas.

"Renda-se." Não me mexi. Nem cheguei a erguer minha espada.

Um momento de silêncio. Nada além do estrondo das armas enquanto Sir James de Hay derrubava seu homem. Nada além do tênue pinga-pinga do sangue que caía de minha armadura.

O homem do martelo deixou o seu cair. "Você não é Alain Kennick." Ele se virou e saiu mancando rumo à tenda branca onde os curandeiros o esperavam.

Parte de mim queria a luta, mas a outra parte se perguntava se uma martelada na testa não seria algo muito mais apetitoso do que encontrar Corion novamente. Era impossível que ele ainda não soubesse onde eu estava, que aqueles olhos vazios não tivessem visto através da armadura de Alain no primeiro momento. Eu olhei para as arquibancadas mais próximas. Ele me via, todos eles me viam, mas aquele era o homem que me dera o poder para derrubar o irmão Price, o homem que sussurrou de dentro da roseira-brava, que envenenou todos os meus gestos, controlando meus movimentos em direção a objetivos escusos. Foi ele que me trouxe aqui, neste momento, puxando cordas de marionete?

Sir James de Hay pôs um fim às minhas especulações. Ele desmontou, presumivelmente tendo notado minha falta de respeito pela carne equina, e avançou com um objetivo em seu caminhar. A luz do sol produzia um mosaico nas chapas escareadas de sua armadura. Seu machado fizera um bom trabalho hoje. Vi sangue na ponta da arma.

"Você é medonho", eu disse.

Ele se aproximou, dando a volta no cavalo de Arkle.

"Do tipo calado, hein?", perguntei.

"Renda-se, garoto", ele disse. "Uma chance."

"Não estou certo de que nós temos escolhas, James, o que dirá chances. Você devia ler..."

Ele investiu, rodopiando seu machado num borrão. Eu consegui bloquear o golpe, mas a minha espada voou longe, deixando minha mão direita dormente até o pulso. Ele reverteu o golpe, sua força era tremenda, e por pouco não arrancou minha cabeça. Balancei para o lado, a salvo por meio centímetro, e cambaleei para trás.

Sir James se recompôs. Soube naquele momento como a vaca se sente de frente para o abatedor. Posso ter cometido belas palavras sobre o medo e lâminas de facas, mas de mãos vazias perante um açougueiro tão competente como Sir James eu senti um medo súbito e salutar. Não queria que tudo acabasse ali, esmigalhado na frente de uma plateia entusiasmada, cortado em pedaços na frente de estranhos que nem sequer sabiam o meu nome.

"Espere!"

Mas é claro que ele não esperou. Ele veio rapidamente, oscilando o machado. Se eu não tropeçasse ao andar para trás teria sido cortado em dois, ou quase em dois, o que não faz diferença. A queda me deixou de costas no chão, sem ar, e Sir James deu dois passos à frente pela força da inércia. Minha mão direita, ávida em agarrar alguma coisa, encontrou o punho do martelo de guerra descartado. A boa e velha sorte não me abandonara.

Eu girei e fiz contato com a parte de trás do joelho de Sir James. O joelho produziu um estalo satisfatório e ele foi ao chão, descobrindo sua voz no percurso. Infelizmente o brutamontes não teve a decência de saber que deveria estar derrotado. Ele virou em cima do joelho bom e ergueu seu machado sobre minha cabeça. Via sua silhueta preta marcada contra o céu azul. Pelo menos ele cobriu o sol. Um visor em branco escondia seu rosto, mas eu conseguia ouvi-lo chiando ao respirar lá dentro, via as nódoas de espuma em volta das perfurações.

"Hora de morrer."

Ele estava certo. Não dá para fazer muita coisa com um machado de guerra numa distância tão curta. Especialmente quando você está deitado de costas, com os braços abertos.

ChuuUm!

A cabeça de Sir James saiu do meu campo de visão, deixando no seu lugar nada além do céu azul.

"Meu Deus, você tem que amar essa balestra!", eu disse.

Eu me sentei. Sir James estava caído ao meu lado, um belo buraco aberto no seu elmo, e sangue empoçando atrás de sua cabeça.

Não consegui ver quem disparou a flecha. Provavelmente Makin, que deve ter recuperado a balestra do nubano com um dos irmãos. Ele deve ter feito o disparo do lugar onde a plebe assiste ao torneio. Renar haveria de ter homens posicionados em todos os lugares onde alguém pudesse mirar livremente na área reservada para a nobreza, mas acertar os combatentes no campo era uma tarefa muito mais simples.

Recuperei minha espada antes que a multidão percebesse o que realmente acontecera. Uma confusão teve início na área comum, uma figura larga no meio dela. Rike quebrava cabeças, provavelmente.

Eu recolhi o machado de Sir James e montei no cavalo de Alain de novo. Uma vez na sela, empunhei a espada e o machado. Os moradores da vila começaram a invadir o campo com a ideia de fazer algum tipo de tumulto. Não estava totalmente claro de onde vinha aquela raiva, mas eu senti que um bocado tinha a ver com Sir Alain de Kennick.

Uma linha de homens armados havia se posicionado em frente ao estande real. Uma esquadra de seis soldados com fardas do castelo voltava-se contra mim de sua estação perto da tenda dos feridos.

Eu ergui o machado e a espada até a altura dos ombros. O machado pesava como uma bigorna; era preciso um homem como Rike para manejá-lo tão agilmente como Sir James fizera.

De canto de olho vi os guardas deixando seus postos nos portões do castelo para acalmar o tumulto e socorrer seu senhor.

Perto da poltrona do Conde Renar, Corion se levantou, numa pose estranhamente semelhante à de um espantalho. O conde permaneceu sentado, imóvel, com as mãos sobre o colo e os dedos formando uma pirâmide.

Corion sabia que era eu? Ele tinha que saber, não é? Quando eu quebrei seu feitiço, quando acordei dos sonhos escuros após a facada gentil de meu pai, e finalmente me lembrei de como ele me afastara de minha vingança, de como ele me fizera de peão no jogo secreto do Império, ele não percebeu?

Era hora de descobrir.

Pus o cavalo de Alain para trotar e o posicionei exatamente na direção do conde, segurando o machado e a espada com as mãos esticadas. Eu parecia ser a própria ascensão dos infernos, a Morte cavalgando atrás de Renar. Podia sentir o gosto do sangue, e eu queria mais.

Realmente existe algo a respeito de um pesado cavalo de guerra indo em sua direção. A plateia começou a se esvaziar velozmente, a pequena nobreza subindo uns em cima dos outros, tentando escapar dali. Um espaço se abriu em volta da poltrona de encosto alto de Renar, apenas ele e Corion, flanqueados por dois homens escolhidos. Uma agitação pôde ser vista na fileira de soldados que estavam à frente dos assentos, mas eles permaneceram em guarda. Pelo menos até que eu realmente ganhasse velocidade.

TRILOGIA DOS ESPINHOS

PRINCE OF THORNS

47

O cavalo de Alain me carregou através dos soldados, acima das arquibancadas, como se eu subisse uma escadaria gigantesca, até atropelar a poltrona do Conde Renar.

Se não tivessem rebocado o conde de seu assento momentos antes tudo teria terminado ali.

"Tirem-no daqui!", disse Corion para os velozes guarda-costas.

Os outros escolhidos vieram em minha direção enquanto o cavalo abaixo de mim entrava em pânico com aquele chão estranho. Não conseguia controlar a fera e não queria cair junto com ele, então saltei para fora da sela. Ou cheguei tão perto de saltar quanto conseguiria um homem trajando uma armadura completa, o que significa que escolhi onde cair. Confiei na armadura e mergulhei em cima do guarda-costas de Renar.

O homem amorteceu minha queda e em troca quebrou a maioria de suas costelas. Eu as ouvi rachando como galhos viçosos. Levantei com dificuldade, o cavalo relinchava atrás de mim, os cascos voando em todas as direções enquanto o animal girava e resistia, ameaçando tombar a cada instante.

Arremessei o machado de Sir James nas costas de Renar, mas a arma, pesada demais, provou ser inadequada para um tiro livre. Ele atingiu o segundo guarda-costas entre as escápulas e o derrubou. Renar conseguiu alcançar os soldados que eu havia espalhado em minha carga e eles fecharam um círculo ao seu redor para escoltá-lo até o castelo.

Peguei minha espada com as duas mãos e comecei a segui-lo.

"Não."

Corion entrou no meu caminho, uma das mãos erguida, um único dedo levantado.

Senti uma estaca gigantesca atravessar meu corpo, do topo da cabeça até o leito de pedras bem abaixo dos meus pés. O mundo parecia girar ao meu redor, em lentas revoluções, medidas por batidas cardíacas. Meus braços caíram, minhas mãos adormeceram, perdendo a empunhadura da espada.

"Jorg." Eu não desejava encontrar seus olhos. "Você pensou que poderia me desafiar?"

"Você pensou que eu não conseguiria?" Minha voz estava distante, como se outra pessoa falasse por mim. Eu consegui apalpar a faca em meus quadris.

"Pare." E meus braços perderam por completo a força que ainda lhes restava.

Corion chegou mais perto. Meus olhos lutavam para manter o foco nele enquanto o mundo girava. Atrás dele, os sons do cavalo se debatendo, abafados e distantes.

"Você é uma criança", ele disse. "Você aposta tudo em cada lance, sem limites, sem reservas. Essa é uma estratégia que sempre termina em derrota."

Ele pegou uma pequena faca de dentro de seu manto, oito centímetros de lâmina degoladora.

"Gelleth, entretanto! Aquilo pegou a todos nós de surpresa. Você excedeu todas as expectativas. Sageous até preferiu sair do lado do seu pai a ter que encarar você no seu retorno. Ele já está de volta, é claro."

Corion pôs a lâmina na lateral do meu pescoço, entre a armadura e o elmo. Seu rosto não demonstrava emoção alguma, seus olhos eram poços vazios que pareciam me sugar para dentro.

"Sageous fez bem em sair", eu disse. Minha voz ressurgia de um abismo.

Não havia um plano, mas tive meu momento de medo com Sir James e não estava interessado em presentear Corion com mais um desses.

Busquei aquele poder que o coração do necromante havia me dado. Deixei meus olhos olharem por onde os fantasmas andavam e uma sensação gélida queimou em minha pele.

"Necromancia não irá salvá-lo, Jorg." Senti a mordida da faca em meu pescoço. "Até Chella não confiava na sua mágica mortal o suficiente para me enfrentar. E o que quer que você tenha roubado naquela montanha não passa de uma sombra dos talentos dela."

É a vontade. No fim das contas, sempre chegamos nela. Corion me segurou, aprisionado num corpo traiçoeiro, porque ele assim desejava, porque sua vontade havia superado a minha.

Sangue quente escorria pelo meu pescoço. Eu o senti caindo dentro de minha armadura.

Joguei tudo o que eu tinha contra ele. Todo o meu orgulho, minha ira, um oceano de fúria, a raiva, as mágoas. Voltei no tempo. Contei meus mortos. Procurei entre os espinhos e toquei a criança sem sangue que estava pendurada ali. Juntei tudo e fiz um martelo com aquilo.

Nada! Tudo o que consegui foi virar meu rosto para frente, para que eu não precisasse mais ver seu rosto. Ele gargalhou. Senti a vibração do riso na ponta da faca. Ele queria que minha morte fosse lenta.

Eu podia ver meus braços, metal folhado, punhal seguro por dedos frouxos. A vida pulsava através desses braços, guiada por cada batida do meu coração, misturada à magia negra que me salvou da morte nas mãos do rei. Eu vi o rosto de meu pai outra vez, no momento do golpe, os pelos de sua barba, a linha fina dos seus lábios. Vi o rosto de Katherine, a luz no seus olhos enquanto ela cuidava de mim. E busquei com aquilo tudo o amargo e o doce, apenas para mover meus braços que pendiam na minha frente. Coloquei toda a minha vida atrás desse gesto.

Não surtiu efeito algum além de virar a ponta do meu punhal na direção de Corion.

"Eles estão morrendo, Jorg", ele disse. "Veja com os meus olhos."

E eu era o falcão. Parte de mim permaneceu na arquibancada, sendo sangrado como um porco, e o resto voou, livre e feroz sobre a arena do torneio.

Vi Elban defendendo a retaguarda de Rike no meio da plebe, os soldados de Renar cercando o conde por todos os ângulos, como cães de caça atravessando a grama alta. Uma lança o acertou na barriga. Ele pareceu surpreso. Velho, de uma hora para outra, demonstrando todos os seus anos. Eu o vi gritar e cuspir sangue sobre suas gengivas desdentadas. Mas eu não conseguia escutá-lo. Uma visão rápida de Elban cortando o homem que o empalara e ele seguiu em frente.

Mentiroso estava à beira do campo de torneio, um ser maligno de cartilagem, um arco nas mãos, flechas plantadas a seus pés. Ele derrubou os soldados do castelo enquanto esses seguiam rumo às arquibancadas reais. Rapidamente, mas sem pressa, cada flecha achava seu alvo e Mentiroso esboçou um sorriso. Eles o acertaram por trás. O primeiro soldado a alcançá-lo cravou uma espada em suas costas.

Fomos para mais perto dos portões. Um carrinho de funileiro. A capa de pano correu para o lado e Gorgoth rolou para fora, tocando o chão com as duas mãos e um joelho. Ele correu para O Assombrado. Os homens do castelo se espalharam na sua frente, alguns gritavam. Até os soldados saíram de lado, todos repentinamente percebendo que seu dever estava na arena do torneio. Dois homens encontraram sua coragem e barraram o caminho dele, erguendo lanças. Gorgoth não diminuiu o passo. Em cada mão ele agarrou uma lança, quebrando-as a um metro das pontas, que logo enfiaria nos pescoços de seus proprietários. Gorgoth correu adiante antes que eles caíssem. Três flechas o atingiram enquanto ele saía de vista.

Corion atraiu nossa atenção de volta. No carrinho, a capa se contorceu novamente. Algo veloz e malhado deslizou para fora. Gog. A criança leucrota correu na direção que Gorgoth havia seguido.

Nossa visão se afastou. Seguiu pelo campo do torneio onde um grupo de soldados fechava a arquibancada real. Burlow estava em guarda. Um homem só entre as lanças de Renar e o jovem Príncipe de Ancrath, a seu dispor. Como ele chegou lá eu não sabia. Ou por quê. Mas ele não tinha para onde correr e era gordo demais para se desvencilhar, de qualquer maneira.

Burlow derrubou o primeiro homem com um golpe de machado que decepou a cabeça na altura dos ombros. Um golpe em reverso pôs a lâmina entre os olhos do homem seguinte. E então eles estavam todos por cima dele. Uma simples flecha surgiu do nada e atingiu a nuca de um dos homens de Renar.

Nossa vista recuou. E eu me vi na arquibancada, cara a cara com Corion. Sangrando. O cavalo de Alain ainda se debatia, como se apenas segundos houvessem passado e não uma vida inteira desde que eu levantei voo.

E nos separamos. Eu via com meus próprios olhos novamente. A faca em minha mão, erguida, mas impotente, as tábuas lascadas sob meus pés. O som de Burlow morrendo. O berro do cavalo. Pensei em Gog, perseguindo Gorgoth através dos portões, no grito banguela de Elban, em Makin lá fora em algum lugar, lutando e morrendo.

Nada disso fazia diferença. Eu não conseguia me mexer.

“Está tudo acabado, Jorg. Adeus.” O mago preparou a faca para o corte final.

Ninguém jamais pensaria que o coice de um cavalo poderia ser uma dádiva.

O casco selvagem me acertou em cheio nas costas. Eu provavelmente teria voado por dez metros se não colidisse imediatamente em Corion. Do jeito que foi, nós voamos juntos uns cinco metros. Aterrissamos sobre a grama, num dos lados da arquibancada real, engatados num abraço, feito amantes. Os olhos que me haviam capturado estavam cerrados de dor. Eu tentei novamente erguer meu punhal. Ele não se movia, mas dessa vez foi diferente, eu senti a força e o tremor dos músculos do meu braço. Com um grunhido eu o empurrei para longe. O cabo do meu punhal se projetou no meio de sua costelas. O propósito que todo o meu ímpeto, toda a minha fúria e dor foram inúteis em alcançar, o simples coice de um cavalo em pânico conseguiu lograr.

Eu torci o punhal, enterrando-o. Um último suspiro escapou de sua boca. Seus olhos viraram para cima, vítreos e impotentes.

O guarda-costas do conde também estava caído e o machado que o derrubara continuava plantado em suas costas.

Torci o machado para fora. É um som repugnante que o ferro afiado produz na carne. Cortei a cabeça de Corion em dois golpes. Para ter certeza de que ele realmente estava morto.

Os soldados que mataram Burlow começaram a fervilhar ao redor da arquibancada. Eu mostrei a cabeça de Corion para eles.

Há um peso desconcertante numa cabeça cortada. Ela balançava pelos cabelos grisalhos enroscados em meus dedos e senti o gosto de bile no fundo da garganta.

"Vocês conhecem este homem!", gritei.

O primeiro dos três soldados a se aproximar se deteve, talvez por medo, talvez para aumentar o número do efetivo antes de atacar.

"Sou Honório Jorg Ancrath! O sangue do Império corre em minhas veias. Meu assunto é com o Conde Renar."

Mais soldados chegaram pelos cantos da arquibancada. Cinco, sete, doze. Não mais. Burlow marcou um boa contagem pessoal.

"Este é o homem a quem vocês serviam." Dei um passo até eles, a cabeça de Corion erguida na minha frente. "Ele fez do Conde Renar sua marionete anos atrás. Vocês sabem que isso é verdade."

Andei para frente. Sem hesitar. Certo de que eles abririam caminho, e eles abriram.

Eles não olharam para mim. Eles olharam para a cabeça. O medo que Corion havia semeado dentro deles estava tão arraigado a ponto de os soldados esperarem que aqueles olhos mortos ainda pudessem se revirar, atraindo-os com suas cavidades hipnotizantes.

Os soldados abriram um vão e eu atravessei o campo do torneio até O Assombrado.

Outras unidades irromperam pela esquerda da arena, onde Rike e Elban estiveram lutando. Eles se moveram para me interceptar. Dois grupos de cinco. Começaram a cair antes de andar cinquenta metros. A Guarda da Floresta avançava ao longo da Estrada do Olmeiro. Eu podia ver os arqueiros em fila no cume de onde eu avistara pela primeira vez O Assombrado.

Deixei a cabeça de Corion cair. Apenas abri meus dedos e deixei seu cabelo escorregar entre eles. Levou uma eternidade para cair, como se atravessasse teias de aranha, ou sonhos. Deveria ter atingido o chão como um martelo acertando um gongo, mas ela não fez barulho. Silêncio ou rugido, entretanto, eu ouvi, eu senti. Um peso foi retirado de dentro de mim. Mais pesado do que eu jamais imaginei carregar.

Vi o portão logo à minha frente. O grande arco de entrada do Assombrado. A grade do pórtico tentava descer. Uma figura solitária estava abaixo dela, aguentando uma massa impossível de madeira e ferro. Gorgoth!

Comecei a correr.

TRILOGIA DOS ESPINHOS

PRINCE OF THORNS

48

Corri até os portões do castelo. Trajava minha armadura, salvo algumas peças que eu perdera no torneio, mas ela não estava me pesando. Ouvi o chiado das flechas sobre mim. Outros homens caíram. Os melhores arqueiros da Guarda da Floresta abriram caminho.

Eu me perguntava para onde estava indo e por quê. Eu deixara Corion na lama. Ele morreu, e aquilo era como uma flecha extraída do ferimento, como um par de grilhões rompidos, como um nó de forca que se desfaz num pescoço roxo.

Algumas flechas me procuravam, disparadas por guardas nas plataformas do Assombrado. Uma delas se rompeu no peitoral da armadura. Mas, de uma maneira geral, eles tinham alvos demais para escolher naquela confusão na arena do torneio e não se preocupariam com um cavaleiro solitário invadindo o castelo.

Deixei meus pés me levarem. A sensação de vazio não me abandonava. Onde antes havia uma voz interna me incitando agora só se ouvia o ruído de minha respiração.

Encontrei uma resistência mais séria na rua, enquanto corria até os portões, fora do alcance dos homens da guarda. Soldados haviam se reunido, entre as tabernas e os curtumes. Eles fecharam a rua pela qual passei na primeira vez que visitei O Assombrado com o nubano. Eu era um menino procurando por vingança.

Vinte homens bloqueavam o caminho, lanceiros e um capitão trajando os adornos de Renar, e o brilho opaco de sua cota de malha. Atrás deles eu podia ver Gorgoth sustentando a grade levadiça. Mais soldados se espremiam no pátio da corte. Não havia motivo aparente para que eles não matassem a leucrota e selassem os portões.

Eu me aproximei dos lanceiros e percebi que não tinha fôlego para lutar com eles. Um turbilhão de vento gélido rodopiou entre nós, trazendo a chuva.

O que fazer? De repente, o impossível parecia ser... impossível.

Olhei para trás. Dois sujeitos vinham batendo os pés pelo caminho que eu trilhara. O primeiro era grande demais para ser qualquer um senão Rike. Eu via a cauda de uma flecha, adornada com penas, saliente na articulação de seu ombro esquerdo. Lama e sangue em excesso dificultavam a identificação do segundo homem pela armadura que usava. Mas era Makin. Eu soube pelo jeito que ele empunhava sua espada.

Olhei para os soldados, para a linha perfeita formada pelas pontas de suas lanças.

O que haveria de acontecer?

Mais uma pancada de chuva.

"A Casa Renar?", o capitão falou. Ele parecia indeciso.

Eles não sabiam! Esses homens saíram do castelo sem uma pista de que tipo de ataque estavam enfrentando. É preciso amar a névoa da guerra.

Eu raspei minha manopla no peitoral da armadura para mostrar o brasão de armas mais claramente. "Santuário!"

"Alain Kennick, aliado da Casa Renar, procurando santuário." Apontei de volta para Rike e Makin. "Eles querem me matar!"

Talvez a morte de Corion não tenha retirado toda a perversidade que existe em mim. De maneira alguma.

Corri em direção à linha e eles abriram espaço para mim.

"Eles não passarão por nós, milorde." O capitão concedeu uma breve reverência.

"Esteja certo que não", eu disse. E não parecia mesmo que eles passariam.

Eu me apressei, até os portões, sentindo finalmente o peso de minha armadura. O ar mantinha um certo odor estranho, encorpado e carnudo, toucinho queimando na fogueira. Aquilo trouxe Mabberton de volta à memória, o lugar onde queimamos aqueles camponeses tempos atrás.

Eu podia ver esquadrões de soldados se formarem no grande pátio além dos portões. Homens usando partes de armaduras. Uns portavam escudos, outros não, muitos deles embriagados de cerveja pelo dia do torneio, sem dúvida.

Ao me aproximar, vi os cadáveres. Troços carbonizados, queimando em sua própria gordura derretida, como corpos num funeral de indigentes com muito pouca lenha para transformá-los em cinzas.

Gorgoth ficou de costas para mim. Flechas perfuravam seus braços e pernas. A princípio eu o imaginei como uma estátua, mas conforme cheguei perto vi o tremor naquelas placas descomunais de músculos em suas costas.

Passei por ele, agachando-me para transpor a grade. Uma centena de homens no pátio olhou para mim. Gorgoth cerrava os olhos com força. Ele me observava por duas fendas estreitas. Novas flechas se projetaram do seu peito, entre as garras de sua caixa torácica deformada. O sangue borbulhava em volta das flechas quando ele expirava o ar e era sugado quando ele inspirava.

Chutei uma cabeça em chamas. Ela rolou para longe do corpo carbonizado.

“Você tem um anjo da guarda infernal, Gorgoth”, eu disse. Cada soldado que correu até ele ardia agora em chamas.

Ele deu o mais sutil aceno de cabeça. “O garoto. Logo ali.”

Acima de Gorgoth, agachado em um dos vãos entre as traves do portal, Gog espreitava. As órbitas negras que lhe serviam de olhos agora queimavam como carvão em brasa sob o fole de um ferreiro. Seu corpo magrelo havia se contorcido mais do que eu acreditava ser possível. Umas poucas flechas cravejaram a estrutura de madeira à sua volta.

“O pequenino fez tudo isso?” Eu pisquei. “Filho da mãe.”

Gorgoth tinha me dito que as mudanças chegariam rápido demais para Gog e seu irmão caçula. Mudanças rápidas e perigosas demais para se suportar.

“Derrubem esse cão raivoso, já.” A voz ressonou atrás de mim. Era bastante familiar. Soava como meu pai.

“Disparem nele.”

Não era uma voz que se desobedecesse. Mas ninguém havia disparado em mim ainda, então eu dei as costas a Gorgoth e encarei O Assombrado.

Conde Renar estava à frente da torre principal, flanqueado por duas dúzias de homens armados. À esquerda e à direita, bandos de lanceiros. Outros guardas estavam chegando de seus postos nas ameias em cima dos portões.

Eu esbocei um cumprimento. “Olá, tio.”

Só havia visto Renar em um retrato antes de entrar na arena do torneio, a melhor oportunidade que tive de vê-lo até então. Seu rosto era mais fino, seus cabelos mais longos e menos grisalhos; de mais a mais, ele era a imagem escarrada de seu irmão mais velho e, para falar a verdade, não era muito diferente deste que vos fala. Ainda que bem menos bonito, é claro.

“Sou Honório Jorg Ancrath.” Eu tirei meu elmo e discursei aos homens ao meu redor. “Herdeiro do trono de Renar.” Não era estritamente a verdade, mas seria uma vez que eu matasse o filho remanescente do conde. Onde quer que o primo Jarco estivesse ele certamente não estava em casa ou eu teria visto suas cores no torneio. Então deixei que eles o imaginassem morto. Deixei que eles o imaginassem na mesma pira na qual eu incendiei Marclos.

"Você." O conde convocou um homem ao seu lado. "Faça um buraco na cabeça desse bastardo ou eu mesmo cortarei a sua!"

"Esse assunto é entre mim e meu tio." Eu fixei meu olhar no arqueiro. "Quando eu acabar vocês serão meus soldados, minha vitória será sua. Não se derramará mais sangue."

O homem ergueu sua balestra. Senti uma onda de calor queimando minha nuca, como se a porta de uma fornalha se abrisse atrás de mim. Pústulas surgiram em seu rosto, como bolhas numa sopa fervente. Ele caiu, aos gritos, e seus cabelos entraram em chamas antes que ele atingisse o solo. Os homens ao redor dele pularam para trás, aterrorizados.

Vi o fantasma deixar seu corpo enquanto ele se contorcia, ardendo, e pedaços de sua carne grudarem no chão de pedras. Vi seu fantasma e o alcancei. Alcancei-o com minhas mãos e com o poder amargo dos necromantes. Senti a energia negra deles pulsando em meu peito, esvaindo-se pela cicatriz da facada que levei de meu pai.

Dei uma voz ao fantasma do homem morto, e dei voz aos fantasmas que pairavam como fumaça em volta dos corpos aos meus pés.

Os soldados à minha frente tremiam, pálidos. As espadas caíram e o horror saltou de um homem para outro, feito chama.

Com os gritos sobrenaturais dos homens queimados ecoando ao meu redor, segurei minha espada com as duas mãos e corri até o Conde Renar, meu tio, o homem que enviou assassinos atrás da mulher e dos filhos de seu irmão. E eu adicionei meu próprio urro, porque com ou sem a influência de Corion a necessidade de matá-lo me corroía como ácido.

TRILOGIA DOS ESPINHOS

PRINCE OF THORNS

49

E aqui estou, sentado na torre alta do Assombrado, no espaço vago que Corion fez para si. Um fogo estala na lareira, peles cobrem o assoalho, cálices sobre a mesa, vinho na jarra. E livros, é claro. A cópia de Plutarco que carreguei na estrada agora repousa em prateleiras de carvalho, com outros sessenta tomos esfregando seus ombros de couro. É um começo tímido, mas até mesmo as prateleiras cresceram de uma pequena semente.

Estou sentado à janela. O vento foi detido atrás de uma dúzia de painéis de vidro, cada um com um palmo de espessura, chumbados juntos em molduras em formato de diamante. Os vidros vieram em carros de boi através das montanhas, desde a Costa Equina, não é incrível? Os thurtos deixam-nos tão lisos que você pode até procurar mas dificilmente encontrará uma distorção.

Estudo uma página na minha frente, a pena em minha mão e a tinta na sua ponta cintilando de negras possibilidades. Serei eu visto sem distorção? Olhando através dos anos, o quanto tudo será distorcido?

O nubano me disse que seu povo produzia tinta moendo segredos. Aqui estou desembaraçando-os e tem sido um trabalho lento.

Fora, no pátio, vejo Rike, uma figura corpulenta reduzindo a anões os soldados que ele está treinando. Disseram-me que ele arrumou uma esposa. Não me aprofundei no assunto.

Abro as páginas à minha frente. Um escriba terá que copiá-las. Escrevo em garranchos, uma fina linha contínua, a linha que eu tenho seguido em todos os lugares, o tempo todo.

Vejo minha vida se abrir no tampo da mesa. Vejo o curso dos meus dias, como eu girei por aí, sem rumo, como um pião. Corion pode ter guiado meu destino, mas a jornada, a assassina, aleatória e destroçada jornada sempre foi minha.

Gog está agachado perto do fogo. Ele cresceu, e não apenas em altura. Ele cria formas nas chamas e as faz dançar. Brinca com elas até se entediar. E então volta para seu soldado de madeira, fazendo-o marchar, levando-o para todos os lados, investindo contra as sombras.

Penso muito na estrada. Não com tanta frequência agora, mas eu ainda penso nela. Penso na vida que começa a cada manhã, nas caminhadas, indo atrás de sangue, dinheiro ou sombras. Foi um outro eu que desejou essas coisas, um outro eu que desejou destruir tudo pelo prazer de destruir, pela emoção do que poderia vir pela frente. E para ver quem haveria de se importar.

Eu era como o soldadinho de madeira de Gog, correndo em furiosos círculos sem sentido. Não direi que me arrependo das coisas que fiz. Mas estou farto delas. Não repetiria aquelas escolhas. Eu me lembro delas. Há sangue nestas mãos, nestas mãos manchadas de tinta, mas eu não sinto o pecado. Penso se nós não morremos todos os dias. Se não nascemos a cada amanhecer, um pouco mudados, um pouco adiante em nossa própria estrada. Quando muitos dias ficam entre você e a pessoa que você foi, vocês não se reconhecem. Talvez seja isso o que significa amadurecer. Talvez eu tenha amadurecido.

Eu disse que ao chegar aos quinze anos seria rei. E eu sou. Não precisei matar meu pai para ter uma coroa. Tenho O Assombrado e as terras de Renar. Tenho aldeias e vilas, e as pessoas me chamam de rei. E se as pessoas chamam você de rei é isto o que você é. Não é nada de mais.

Na estrada, eu fiz coisas que os homens dizem ser o mal. Cometi crimes. Eles falam com frequência a respeito do bispo, mas houve muitos outros, alguns mais perversos, outros mais sangrentos. Já me perguntei se Corion pôs essa doença em mim, se fui a ferramenta e ele o arquiteto dessa violência e crueldade. Já me perguntei se ao cortar sua cabeça, se ao ter me transformado de um menino em um homem, tornei-me uma pessoa melhor. Eu me pergunto se poderei ser o homem que o nubano queria que eu fosse, o homem que o tutor Lundist esperava que eu fosse.

Tal homem teria demonstrado ao Conde Renar a misericórdia de uma morte rápida. Tal homem saberia que sua mãe e seu irmão não pediriam por nada além disso. Justiça, não vingança.

De minha janela, posso ver as montanhas. Além delas, está Ancrath e o Castelo Alto. Meu pai e seu novo filho. Katherine em seus aposentos, provavelmente me odiando. E mais além, Gelleth, Storn e um mosaico de terras que foram uma vez o Império.

Não ficarei aqui para sempre. Chegarei à última página e descansarei minha pena. E quando acabar sairei por aí e isto tudo será meu. Eu disse a Bovid Tor que aos quinze eu seria rei. Eu jurei sobre as suas entranhas fumegantes. Agora estou dizendo que aos vinte anos serei imperador. Agradeça por eu estar jurando sobre esta página.

Desço para ver Renar. Eu o mantenho na menor das celas do calabouço. Todos os dias permito que ele implore por sua morte e então eu o deixo com sua dor. Acho que quando acabar de escrever minha história deixarei que ele encontre o fim que procura. Não quero, mas sei que devo. Eu amadureci. O velho Jorg o manteria aqui para sempre. Eu amadureci, mas, seja qual for o monstro que deve haver em mim, sempre fui eu, minha escolha, minha responsabilidade, minha maldade, se você preferir.

É o que eu sou. Se você quer desculpas, venha buscá-las.

AGRADECIMENTOS

*Gostaria de agradecer a Helen Mazarakis
e Sharon Mack por sua ajuda e apoio*

PRINCE OF THORNS

"Eu disse que ao chegar aos quinze anos seria rei. E eu sou."

PRIMAVERA.2014 | 3ª REIMPRESSÃO

DARKSIDEBOOKS.COM